JN162138

永遠の都

3

小暗い森

加賀乙彦

新潮社

永遠の都　3　小暗い森　目次

第二部　小暗い森

装画　司　修
装幀　新潮社装幀室

永遠の都　3

小暗い森

『永遠の都3』主要登場人物（時代は昭和10年代、年齢は昭和15年の数え年）

小暮悠次…生命保険会社員
　初江…悠次の妻、時田利平の長女
　悠太…小暮家の長男、12歳
　駿次…次男、10歳
　研三…三男、8歳
　央子…長女、5歳
時田利平…元海軍軍医、外科医、時田病院院長、65歳
　菊江…利平の先妻、昭和11年死去
　いと…利平の後妻、元看護婦
　史郎…時田家の長男、会社員、妻薫
間島キヨ…利平の昔の愛人、元看護婦
　五郎…キヨの息子、大工
上野平吉…利平の先々妻との子、時田病院事務長

菊池　透…帝大法学部卒、八丈島の漁師勇の次男、
　　クリスチャン
　夏江…透の妻、利平の次女
脇　礼助…政治家、昭和7年死去
　美津…礼助の妻、小暮悠次の異母姉
　敬助…脇家の長男、陸軍大尉、妻百合子、長女美枝
　晋助…次男、帝大仏文科卒
風間振一郎…政治家
　藤江…振一郎の妻、時田菊江の妹
　松子・梅子…双子の次女と三女
　桜子…四女
富士千束…ピアニスト、悠太の幼なじみ
吉野牧人…外交官の息子、悠太の学友、昭和16年夏死去

他に、外科医の唐山竜斎、大工の岡田、末広婦長、久米薬剤師、女中のなみや

第二部　小暗い森

第三章　小暗い森

1

暗い家の中でぼくは女に抱かれている。黄色い果汁のような光が女のざんばら髪と日焼けした頰に落ちている。「オンモへ行きたい」とぼくが言ったのに、女はオンモという幼児語を知らなかった。ぼくはいらだって「オンモ」と女の腕をゆすぶる。母が、「おもてへ連れて行って欲しいのよ」と説明してくれた。まぶしい外の世界が見える。街路樹の緑は油絵具をこすりつけたように濃く分厚く、影は蜜のようにつややかである。人も車もなくてあたりは静まり返っている。が、何かがやって来る予兆はあって、大通りはそれを待ちかまえている長大な生き物のように息を殺し、死んだ振りをしている。

それはぼくの遠い記憶であった。人生で最初のとは断言できないが、随分幼いころの思い出であることは間違いない。ぼくは小さくて、女に軽々と抱かれていた。あるとき、母にこれについて話すと、「その人はミヤジと言ってね、夏の間だけ、家に留守番に来てくれた婆やだよ」と言った。ぼくが二つか三つになってから、毎年夏になると母と一緒に逗子にある脇家の別荘に滞在したという。何かの用で、母はぼくを連れて東京に戻ってきたのだ。

ミヤジという婆やがどんな人であったか何も覚えていない。顔貌も年齢も思い出せない。

しかし彼女の木綿の着物のごわごわした触感や胸元から立ちのぼる魚に似た体臭は際やかであった。

ぼくが生れたのは芝三田綱町の母方祖父時田利平の病院であった。祖母の時田菊江の日記にその時のことが記されてある。

昭和四年四月二十二日月曜日
午前四時半初江より電話で出血をしたと言ふ直ちに自動車にて来る利平様初孫とてはりきりたまひあるうち八時一寸前より痛み出し九時十分男子出産母子ともに健午前脇の姉来り小暮は会社休まれずとて電話あり夕刻に来る

四月二十八日日曜日
今日は小暮の赤ん坊の御七夜にて赤飯にて会食す悠太と命名す脇の姉風間夫妻来る小暮は活動写真にて撮影するが室内暗しとて電球四つ点し赤ん坊驚き泣く赤ん坊目大きく祖父と母とに似たり

父方の祖父母は早く亡くなっていたので、祖父祖母と言えば母方の二人を指すようにぼくは習慣付けられていた。母の里である三田へ行く、三田に電話を掛ける、三田から何かを言ってきたという言葉が頻繁に耳に入ってきた。そして今でも、三田と聞くと、何か懐かしい幼年時代が呼び覚される気がする。

　ところで、ぼくが育ったのは淀橋の西大久保一丁目の、明治の末に建てられた古い家であった。武家屋敷風の大きな玄関に控えの間を備えたこの家は、〝改正道路〟と呼ばれる大通りに面していた。それは鈴懸の並木と歩道を備えた舗装道路で、池袋と新宿と渋谷という三つの盛り場をつなぐ幹線道路で、のちに明治通りと呼ばれるようになった。もっとも当時は自動車も少く、車と言えば青バスやタクシーが時々通る程度だったし、たまに馬車なんかも通っていた。馬車は近隣の田舎から肥料用の糞尿を汲み取りに来るので、肥桶を満載し臭気を撒き散らし、カッポカッポというのんびりした蹄鉄の音を響かせ、おびただしい馬糞を路上に残した。

　大通りは北から南へとだらだら坂になっていて、坂を下り切ったところを新宿角筈から来る市電の線路が横切っていた。市電は大久保車庫の前を通過して東大久保の高台へとぜいぜい喘ぎながら登っていき、エンジンの出力が増したときの、グーンと腹に応えるような音をぼくの家まで響かせた。

　大通りはまた、戸山ヶ原練兵場と代々木練兵場をむすぶ軍用道路でもあって、兵隊や戦車の往来が頻繁にあった。真夏の炎天下の行軍では小休止した兵隊たちが水をもらいによく門の中に入ってきた。鉄と革と汗と男の体臭が台所に充ち、母や女中のときやは、水道より冷たい井戸水を供そうとせっせとポンプの柄をこいだ。時折、何もかも叩き潰す圧倒的な轟音をたてて戦車の行進があり、ぼくは大急ぎで門前に出て熱心に見物した。軽戦車、中戦車、重戦車、水陸両用戦車など、あらゆる種類の戦車を、ぼくは小さいときから見ることができた。

　夜になると交通はまれになり、大通りはシーンと耳底まで張り詰めた静寂に鎖ざされた。時折線路を這う市電の地鳴りと新宿の貨物駅あたりから空を飛んでくる汽笛の悲鳴が、ぼくをさまざまな物思いにいざなった。都会は闇の中で拡大し、果しない大森林のように不可思議なひろがりを持ってくる。ぼくは大通りが大森林を貫いてぐんぐん伸びていき、そこを風の精が走っているのを想像した。風の精は透明で形のないものだが、将棋の飛車のように素早く目的地へと移動するのだった。

　そこで例の記憶に現れてくる大通りは、真夏の真昼の光輝と明確さをそなえていながら、どこかに真夜中のような静寂をたたえていたのに気がつく。大通りが息を殺して待っていたのは風の精のような自在な通行人であって、どこへでも行きたい所に行き着く、ぼくにとっては全能の恐ろしい存在なのだった。

　恐ろしい……そう、夜の大通りは恐ろしいものに充ちていた。何よりも人さらいだった。「子供は、夜、外へ出てはだめよ。人さらいがいるんだからね」と母は口癖のように言っていた。もっとも人さらいがどんな人物であるかをぼくは想像できず、多分そのせいだろう、御伽話か何かで聞いた風の精を人さらいになぞらえていたのだ。

　そこで浮び上るのがもう一つの古い記憶だ。客が大勢いて、ぼくはソファによじのぼり、菓子か何かを食べている。大人たちは楽しげに談笑していたが、不意に沈黙が来た。しずもりの中に外の物音が聞えてくる。下駄、拍子木、チャルメラ、何か淋しい夜の遠音だ。「もうおそいから寝なさい」と父が言う。客の誰かが「ほら、人さらいが来るよ」とおどかした。それが父や母でなかったことは確かだ。父や母なら、ぼくが人さらいを恐れて、そのため独りで寝床に入れなくなるのを知っていて、冗談にでも夜の話題にはしなかったからだ。ぼくは震えあがり、ますます寝室に行けなくなる。すると客が、「ほら」と威嚇（いかく）するような声を立てる。そのとき、遠くから鐘とサイレンの音が近付いてきて、やがて切り裂くような音量になって迫ってくる。それが消防自動車であり、聞き慣れた音だとは知っていたくせに、恐怖が先に立ってぼくは風の精が消防自動車に化けて襲来したと思い込み、全身を引き攣（つ）らせ、泣き叫ぶ。驚いた母がぼくを抱きあげてくれ、それで一安心したものの、いじわるな客への当て付けで、ぼくは泣き続ける。泣き続けてやる。

家から母の里である三田へ行く方法は二つあった。まず大通りを自動車で行く。流しのタクシーを呼び止め、母が値段の交渉をした。「三田の綱町五十銭」「五十銭はやすいや、六十銭に奮発して下さいよ」交渉が成立すると乗りこむ。そのころタクシーは英国製の大型車をつかっていて、客席の前に補助席が飛び出すので、ぼくはそこに膝（ひざ）をついて前を見ながら乗るのが好きだった。祖父が自家用車を迎えに出してくれるときもあった。こちらは背の高い米国車で、運転席の隣に坐（すわ）り、高い所から街を見下ろして楽しんだ。まるで家の前の船着場から船出するように自動車はなめらかに発車した。ゆたかな緑が板塀（いたべい）や竹垣（たけがき）の上を飾る住宅街を抜けると、けばけばしい新宿の繁華街を突っ切る。鉄筋コンクリートのビルは百貨店や映画館に限られていて、大部分は背の低い店屋の連なりであったが、派手な看板や明滅するネオンサインは軒並みにかかげられていた。百貨店の一階にバーがあり、濁った水のような窓に人影が静止していた。さまざまな服装の群衆が歩道や横町を歩いていて、ぼくも、大人になったらあのように自由にこの町の隅々まで歩いてみたいと思って目を凝らした。自動車は大抵、明治神宮の裏参道から外苑に入ったが、外苑に入る手前に丸く迫り上る陸橋があり、ここをスピードをあげて通過すると、ふわっと体が浮き上るような面白い感覚が来るので、その近くに来るとぼくは身構えして感覚の襲来を待った。年寄の運転手などがわざわざスピードを落して橋を渡るときなど、本当にがっかりした。

ついで新宿から省線で田町まで行く方法がある。新宿駅までは歩くのだが、母は市電の線路伝いに行く近道を取るのを常とした。家の近くの新田裏という停留所から新宿の角筈までは、線路は家々のあいだに割り込み、洗濯をする女の姿、ラジオや三味線の音、カレーや焼魚の匂いが住む人の生活をあれこれ想像させた。電車が来ると、母はぼくを電車に背をむけて立たせ、動かぬように指示して、やり過させた。背中に受ける風圧と脚から腹へと貫いてくる振動に怖じているぼくに、母は、「独りではゼッタイここを通っちゃだめよ。轢き殺されちゃうよ」と言い含め、「でも、今度の車掌さんは何も言わなかったね。いい人だよ」とうまく悪戯に成功した子供のように舌をペロッと出した。事実、ときどき窓が開き、車掌が、「こらっ、ここはツウコウキンシ」とか、「ツウコウイハンだよ」とか怒鳴るのだった。

角筈の停留所からはすぐ目の先に新宿駅の角張った正面が望まれた。改札口を通ると階段をおり、地下の溝の底のような通路、白い壁の上方に磨りガラスの明り取りを配した通路が伸びていた。その途中にある便所でちょっとした事件がおきた。それもずっと古い記憶らしく、ぽっと闇にスポットライトを当てたように鮮明に思い起される。白いペンキの塗られたドアの前にぼくは立って用便中の母を待っている、母から「大事なもんだから、ちゃんと持っていてね」とあずかったハンドバッグを腕にきつく抱きしめて。すると、上のほうから男のやさしげな微笑がおりてきて、「坊や、お利巧だね。それ、おじさんが持っててあげよう」と言い、ぼくは大人への信頼の念からハンドバッグを手渡す。すると母が出てきて、初めて自分が大変な失敗をしたと気がつくのだ。そのあと、母がどうしたか、ぼくは覚えていない。ただ、脳裏に焼きついているのは、犯人がきちんと背広を着こなし、丁度父に似た恰幅のよい紳士で、微笑と言い、物腰と言い、柔かな語り口と言い、ぼくを疑わせる徴候は何もなかったことである。

　医者の祖父は、白衣を着て、口髭を生やしていた。が、そういう祖父を、ぼくはその後もずっと見慣れているので、幼いときに祖父をどう見ていたか判然としないのだ。クレゾール石鹼水の刺戟臭の染みた白衣は、ぼくが西大久保から離れて三田に来たという確かな証しであったし、口髭の頰摺りは祖父と孫の絆を象徴する行為であった。この世に生れた瞬間のぼくを、多分祖父は産婆のつぎに取りあげた（あるいは最初だったかも知れない）ので、ほんの赤ん坊のときからぼくを数えきれないほど抱いているに違いない。つまりぼくは祖父を思うたびに、いろいろな場面に現れる祖父が、一体いつの祖父の姿であったかを区別できないでいる。同じように三田の病院についても、そこで起ったあれこれの出来事が、新旧ごちゃごちゃに混り合ってしまい、きっかりとした思い出――一つの物語に定着できるような思い出――にならないでいる。

食堂の脇から階段を登って行った二階に祖母の〝お居間〟があり、祖父の書斎や史郎叔父や夏江叔母の部屋が、いびつな廊下や小階段で結ばれている不思議な空間、長い年月のあいだに増改築を重ねた結果、様式も高さもまちまちになった部屋や廊下の奇妙な連なりを、ぼくは部屋から部屋へ、廊下から階段へと駆け回り、そうして駆けている感覚を確かな過去として実感できるものの、その一つ一つは何十回か何百回かの体験の融合であって、いつのことであったやら確定できない。

一つ、祖父の遠い追憶としてよみがえってくるのは、ある日祖父の車に乗って誰かを訪問したことである。背の高い箱形の車に乗って、木々の緑が頭上を過ぎて行くのを眺めている。やがて車は大きな屋敷に着き、中から白髪の老人が出てきた。祖父は老人に「これが孫です」とぼくを紹介した。が、老人はぼくを無視して車のほうをほめるのだ。祖父もぼくを忘れて、車の自慢話を始める。たしかに大きな立派なオープン・カーなのだ。車は老人を乗せて発車し、坂道にかかる。するとエンジンの出力が足りず、すこし登った所でエンコしてしまう。ぼくは車に復讐できた喜びと、誇りを傷つけられた祖父への憐憫で胸が一杯になる。

この場面で鮮かなのは木々の緑である。左右から枝を差し伸べる大木の幹の列と濃い緑のアーケードが美しく、ぼくは胸をわくわくさせている。そしてこの緑は非常な速さで後へ後へと飛んで行き、空中を飛翔するような気持を与える。しかし、坂道に来ると、とたんに緑が消え、荒涼とした廃墟のような街になり、そこで車が止るのだ。それが古い記憶であるのは、白髪の老人にくらべて祖父がひどく若く、元気一杯であって、「これが孫です」とぼくを紹介するとき、相手の老人の顔に、「あなたはお若いのに、もうお孫さんがいるんですか」という驚きの表情が現れるからだ。そう、ぼくが生れた年は祖父は五十四歳だった。若いおじいちゃまであった。

もう一つ、意識の底から浮び上るのは、祖母と一緒に入浴する情景である。

祖母に抱かれて五右衛門風呂に入る。底板をゆっくりと沈め、ぼくをその上に立たす。板の隙間から浸みだす熱い湯が足の裏をくすぐり、「あついよう」と祖母に齧り付く。「大丈夫だよ」と祖母は笑い、しゃがむと湯が溢れてきて、ぼくの体が浮き、具合よく祖母の膝の上に乗る。母の乳房は丸いのに祖母の乳房は長くって、腕のようにふわふわ動く。祖母は両手を巧みに使って湯を噴水として飛ばしたり、光の屈折を利用する例の詐術で指を伸縮させてみせ、もう何度もそれを見せられたぼくが驚く振りをすると喜ぶ。祖母は初孫を風呂に入れるのを大層楽しみにしていた。抱いて体を洗い、とくに髪の毛を洗うのが好きだった。幼い日の祖母を思うと、シャボンの香りや目に沁みるシャボンの痛みや泡立つ体を撫でる祖母の手の感触がまず呼び起されるのだ。

祖父と祖母は、ぼくを連れてあちこちの遊園地に行ったらしい。そのため、幼い日の遊園地を思うと、祖父母が一緒にいた感じがある。山の斜面を利用した長い滑り台を滑り降りているうちに速度がつき、怖くて泣きだす。花壇の縁の石を走っていくと祖母が息を切らして追ってくる。と、転んで鼻血を出し、祖父が医者らしく落ち着き払って手当をしてくれる。

どこかのお花畑で握り飯を食べている。竹の皮の匂いが染みた海苔が何とも香ばしく、色とりどりの花と雲が美しく、尻の下の草がぬくもりを帯びて柔かである。握り飯を食べおえるともう一つ差し出したのは母だ。子供は一人で弟たちがいなかったから、随分遠い思い出である。

そして弟たちが出現してきた。彼らは〝出現〟という唐突な現れ方をしたように感じられる。しかも、いきなり〝弟たち〟と複数でまわりに存在し始めたのだ。当時年齢は数えで表示する習いであり、ぼくが五歳、駿次が三歳、研三が一歳のころに、〝弟たちの出現〟を心に止めるようになったので、それ以前の〝古い記憶〟にくらべると、少しはまとまった追想になってきた差違が認められる。けれどもまとまったと言ったところで、なおそれは脈絡が不充分のうえ、それ以前の記憶の断片よりは多少ひろがりのある世界を呈示するに過ぎないが。要するにスポットライトに照らされた舞台の一部分のまわりにぼんやりとした舞台装置の配置が見えてきた、そんな程度なのである。

縁側で日なたぼっこをしていた。ぽかぽかと暖かく、それはおそらく初冬の晴れた日だったろう。研三はほんの赤ん坊で母にまつわりついていたから、ぼくは駿次を相手に積木遊びをしていた。母は竹の編棒をせっせと操って毛糸編みをしていた。何かの拍子に、多分研三がいたずらをしたのだろうか、毛糸玉が転がっていき、沓脱石に跳ねて庭先に転がった。こういうとき素早く身をひるがえして拾いに行くのは駿次の特技であって、ぼくは、あっ、転がったとぼんやり見送るのみで体は動かない——と言うより、ぼくが興味を持ったのは毛糸玉の転がり具合であって、軽やかで新緑さながらの鮮かな色の玉が、陽光を毛先で愛撫しながら廻転していく様子に見惚れていたのだ。毛糸玉を拾ってきた駿次に頬笑みかけながら、母は編みつつあるセーターが誰のものかを告げ、兄弟の誰かに編みかけのセーターを当ててみた。母は毛糸編みを得意とし、子供のセーターはすべて母の手編みであった。左肩をボタンでとめる作りで、左胸の小さいポケットに一人一人のイニシアルが編み込んであった。Y、S、Kは、ぼくが生れて初めて覚えた文字であった。

遊び相手は駿次であった。もっと幼いとき、隣に同い年の男の子がいて、一緒に三輪車や木馬に乗ったりしたと母に聞いたが、その子のことを何一つ覚えていず、とするとぼくの覚えている最初の友人は弟ということになる。

家も庭も広く、子供が遊ぶには充分な空間があった。真っすぐ長いのや曲りくねったのや、遊び場に恰好な廊下、沢山の襖で仕切られたいくつもの部屋、押入れ、階段、家と建仁寺垣とのあいだの細い道、植込みや池や樹木のある庭、ぼくらはどこへでも入りこんだ。駿次は木登りを得手とし、玄関先の松の木をはじめ庭のまんなかにそびえ立つ栗の木の下枝に取り付いたりした。ときには高く登りすぎておりられなくなり、母が植木屋のおじさんに頼んで梯子を掛けておろしたこともある。駿次の夢はいつか栗の木のてっぺんまで登ることだった。この栗の木は、父の姉である脇の伯母が幼い頃に実生から育てたといい、庭一番の喬木になっていて、雷の鳴る日など母を怖じけさせる元兇であった。

伯母には二人の息子があって、上の敬助は軍隊の学校から聯隊に行っていて不在がち、日曜日にときどき現れるだけだったが、下の晋助はよく遊びに来た。

晋助は、ぼくら兄弟より随分と年上の、もう中学生で、薄くひげなんか生やし、母にむかってはませた口をきくし、本好きで自分の読んだ文庫本を母に持ってきたりしていたが、ぼくらともよく遊んでくれた。そして彼はそれまでぼくらが考えてもみなかった新しい遊びを教えてくれるので、ぼくらは彼が来るのを待ちこがれていたのだ。たとえば、二階の押入れの奥には天井裏にもぐりこむ穴があり、ぼくらは彼の後について梁の上を這い、蜘蛛の巣を払いながら埃だらけになって進み、天井の節穴から下を見て、〝忍術つかい〟になって殿様の様子をさぐった。猿飛佐助や霧隠才蔵の名前を知ったのも、このときだった。古い家には、母でさえ知らない秘所があって、晋助は、おそらくこの家で育った伯母から聞いたのであろうが、実に詳しくそういう場所を知っていた。その一つが、家の裏にある物置であった。それは石造りの蔵に昔使用した戸口といった様子で寄り添っていて、ぼくらは開かずの戸としてあきらめていたのに、彼が釘抜きと金槌を使って抉じ開けると、内側は四畳半ほどの板敷で、木箱や柳行李や革鞄が積みあげてあり、行李が破けて中身が食み出していたり、鞄の革は古びて茶色の粉となって飛び散ったりしていた。宝の山を見てぼくらは大喜びで捜索にふけり、毀れた雛人形、マッチ箱ほどの碁盤に胡麻粒のような碁石、和綴の絵本、立派な筆の付属する矢立などをえりだした。旅行用のらしく大きく頑丈にできた革鞄があり、色の褪せたラベルが貼ってあった。晋助は、これこそ、昔、ぼくらの父方祖父小暮悠之進が前田侯の御供で外国旅行したときのもので、中にはきっと外国の珍品が入っていると言い、鞄を揺すると重々しい音がして、ぼくらはわくわくする期待を持ったが、鍵がかかっているのか錆びついているのか、どうしても開くことができなかった。ぼくは家中から鍵を持ち出してみたが駄目で、ついにあきらめたのだけれども、中に何か面白い宝物があるという思いはずっと持ち続けた。しかしこの鞄は、後に新しい家に引越すときにどこかに失せてしまい、ぼくの夢はついえたのである。

　この物置は蔵に入れるほどでもない物品や半端物を仕舞うために作られたらしいが、戸口が蔵の蔭になるため、いつしか忘却されてしまったらしい。ぼくとしては蔵の中身に大いに興味をそそられたものの、蔵には常時鍵が掛っていて、何かの用で父が開くだけだったし、その場合も禁を犯すように恐る恐るしか覗けなかった。時とすると父は、ひんやりした空気が、樟脳と黴と何かの薬草の混った、つまり古い時間の匂いの中に、ぼくを呼び入れた。鉄の枠のついた長持、小暮家の紋章のついた具足櫃や小田原提灯、大小の信玄袋や内容を墨書した桐箱、和綴本を積みあげた棚など、ぼくは名前を知る前に、今は使われぬ昔の物を見知っていた。父はそのときの気紛れで、定紋つきの具足櫃の蓋を持ち上げて鎧や冑や刀や小柄や陣羽織や陣笠などを見せたり、信玄袋を開いて印籠や矢立や薬研を取出したり、古文書の束の中から小暮家の家系図を選り出してきて拡げたりした。そして、急に厳粛な顔付きになって、「これは全部、長男のお前が継ぐのだぞ。大切に保存して子孫に伝えるんだ」と諭し、ちょうど正月にぼくに紋付袴を着せて旧主前田侯の年始に連れだすときと同じ、武士の末裔めいた態度を示すのだが、それは不断の会社員らしく実直な物腰と違って、ぼくを驚かす（おびやかすという感じもあった）のであった。

父は規則正しい人で、朝は極った時間に家を出、夕方は極った時間に帰ってきた。後年母は感心とも嘆きともとれる溜息をついて、「本当におとうさんてのは、律義なお勤め人でらしたね。大抵の人はバーや酒場で憂さ晴しをするのに、そういうことは一度もなく、まっすぐ家に帰ってこられるんだからねえ」と言ったものだ。そういう規則正しさの代償だろうか、父は土曜の午後から日曜にかけてどこかに出掛けるのだった。あとでぼくは、それがゴルフや麻雀やスキーだと知るのだが、そのころは父親というものは週末に不在なのが当然と思っていて別に不審をいだかなかった。それに、父がいないと母はぼくらを連れて三田に泊りに行くので、父の不在を大いに徳ともしていたのだ。

その頃の父を追想するとまずは赤い光線に照らされた顔が浮び上るのは、暗室に籠って写真の引伸しをするのが父の趣味であったからだ。現像液の中に浸した白紙を竹篦で泳がしていると、人の顔や景色が出現する面白さは、それがやっと対象を見分けられる程度の暗い赤い照明のもとで行なわれるので、何か神秘めいた儀式のようで、しかも常には離れて一目置く父がポマードとタバコの匂い（父は香りの強い葉巻を常用していて、その香りが衣服に染みついていた）を発しながら身近にいるので、親しみ深く感じられるのだった。引伸しの趣味と言えば、史郎叔父もそうだったが、こちらは〝お居間〟を暗幕で暗くし、ウイスキーを飲んだり、レコードをかけたり、時には数人の友達と談笑しながらやるという具合だったから、専用の暗室にきちんと坐って、引伸しの作業のみに集中する父の流儀は、やはり父らしかったのだと今にして思う。

映画を撮るのも父の趣味だった。ずっとあとで八ミリの小型撮影機を買うのだが、そのころは大型の十六ミリ撮影機をうんうん重そうに持ち歩いていた。撮った映画を編集するため、編集機を手で回しながらフィルムを切ったり繋(つな)いだりする父は、いかにも真剣で何か大事な仕事を仕上げるような目付きをしていた。そのようにして三十分ほどの一巻ができると、父は映写会を開いた。家族だけではなく、脇の伯母や晋助、時には三田の祖父母や叔父叔母を呼んだ。人前で話すのが不得意な父も、映画の説明だけは得々としてやってのけ、それに編集の苦心を付け加えるのを忘れなかった。ぼくが興味を持ったのは、自分の幼いときの映像で、よちよち歩きの幼児が垣根の端までやっと辿(たど)り着いたり、海岸で波におびえて逃げ回ったり、三輪車に乗って見知らぬ男の子と競走をしたりするのを、身に覚えがないままに新鮮な驚きを覚えて見入った。もっとも父が好んで撮影したのは、社員旅行とか大学山岳部のOBとの登山やスキーとかで、そういうものはひどく退屈だった。

部屋数の多い家に住みながら、父は自分の書斎を持とうとはしなかった。応接間のソファに深々と掛け、時には絨毯(じゅうたん)に寝そべりながら開くのは大型のカメラ雑誌、写真入りの旅行記、『キング』とか『日の出』などの気楽な雑誌であって、母のように単行本の小説に読みふけるという姿を見た記憶がない。そのくせ、応接間の壁をうずめるガラス戸付の書棚には、白地に黒文字で子供にはいかめしく見える『世界文学全集』や、だいだい色の葉模様の目立つ

『現代日本文学全集』、革装も豪華な『近代劇全集』、金の箔押しの綺麗な『トルストイ全集』、とくに石鼓文の拓本から取られた鮮かな緋の『漱石全集』など、ぼくが文字を読めぬときから見慣れた書物が、知識の宝庫を誇示するようにずらりと並んでいた。ぼくはそういう本を抜き出してページを繰り、金粉や革の粉が手につくのを払いながら活字に未知の物語の予兆を見、著者の写真に物語を生みだした天才の、どこか普通の人と異質の風貌を見出し、早く文字を覚えてこれらの本が読めるようになりたいと夢見た。ぼくにとって本とは物語を詰め込んだ収蔵庫であって、そう思わせたのは母である。母は父の蔵書にこっそりと読みふけり、ぼくが、五、六歳の頃には、すでにあらかた読み終えていて、本の中の物語について語るのだった。「これは何が書いてあるの」と質問でもしようものなら、母は大喜びで目を輝かし、お勝手仕事などするときとは別人のように美しくなって、「それはね、こういうお話よ」と話してくれ、こうしてぼくは日本や世界の名作の要約をつぎつぎに母から聞き、ずっとあとでこれらの本を読んだとき、すでに知っている物語に出遭った思いがしたものだ。そんな母も父の前では、まるで何も読んでいないような顔をしていて、あるとき客の一人が、本の内容について不躾にも父に尋ね、父が答えられずにいたときも、押し黙っていて父に加勢する素振りも見せなかった。そう書いて思い当るのは、これらの本が並べてあったのが応接間の正面の客に対して最も目立つ場所であって、父はそれらを装飾用に購入したらしいのだ。すでに家にある本を読み終えていた母は、晋助にねだっては単行本や文庫本を借りていた。思うに、小説本などを買って父に見付かるのを母は極度に恐れていて、誰かに借りるより仕方なく、身近にいる晋助が頼りにされたらしい。事実、晋助は中学生でありながら、すでに大の読書家で本を沢山持っていた。

母は時々脇に行った。細い坂道、それは両側に塀高（へいだか）のお屋敷が続き、森の下道のような仄暗（ほのぐら）い坂道だったが、そこを登った先の高台に脇の家があった。それはぼくの家など比較にもならない宏壮（こうそう）な邸宅で、赤い巨石の門柱から奥の玄関へと歩いていくまでが立派な庭園となっていた。玄関の脇の小部屋に常時書生が二人ほど詰めていて、母とぼくを見ると一人が奥へ駆けていき、すぐ晋助が現れて、ぼくたちを自室へと案内した。幅一間の廊下は幹が枝を出すようにいくつかの半間廊下を分岐しながら奥へ奥へと伸び母屋（おもや）に達するのだが、ぼくらは最後に枝分かれの方へむかって離れに到着した。そこからは目隠しの生籬（いけがき）越しに母屋——公園のような庭や夕映えの水面のようなガラス窓——が望まれ、大勢の客や書生や女中がうごめくのが見え、政治家脇礼助の威勢がうかがえた。もっとも、ぼくが母屋の中へ入ったのは、脇礼助の葬儀のときが最初で最後であって、そこを禁断の不思議な場所として、いつも遠くからあこがれていたに過ぎなかった。離れに晋助は女中のはるやと——伯母は来客の接待の用で母屋に出突っ張りであったし、敬助は聯隊にいたので——二人で生活していた。母は座敷ではるやから茶菓のもてなしを受けたあと、二階の晋助の部屋にあがり本を二、三冊借りて帰るのを常としていた。母と一緒に晋助の部屋に何度も行きながら、ぼくはその当時の、つまり中学生時代の彼の部屋の様子をさっぱり思い起せないでいる。それどころか離れ全体の様子がぼんやりとしていて、ある極小部分、晋助の書棚にあった岩波文庫の天の不揃（ふぞろ）

いな紙の感じ、彼の部屋に充ちていた中学生らしいインクの臭い、はるやが剪定鋏をパチパチ鳴らして切った枝の落ちる音（それが庭木だったか鉢植だったかわからないが）などが明瞭であるだけ、他の部分がぼやけていて、ぼやけているだけに途轍もなく大きな邸宅に思われるのだ。そうして、この離れは、脇礼助が死んだあと、母屋と繋いでいた廊下を毀し、独立家屋として伯母が息子たちと住んだので、とすれば今ぼくが隅々まで思い浮べられる脇の家そのものであるのに、離れと脇の家とは全く似通った所のない別なものとしか感じられない。小学生のときだが、ぼくは脇の家をしげしげと見ながら一体、幼いときのあの巨大な家はどこへ消えてしまったのだろう、今見る家は昔の家をほんの何分の一かに縮小した贋の家ではないかなどと思ったものだ。

　義理の伯父である政治家脇礼助については、彼の葬式の場面の断片しか覚えていない。それは母屋全体を用いた盛大な儀式で、政友会幹事長兼内閣書記官長として政界を左右する実力者であった以上、各界のお偉方が雲集したであろうけれども、そういうことは何も覚えていず、背の高い動物のようにそびえたつ大人たちの脚や尻がうごめいたこととか、目の前の男がズボンのポケットから金時計をそっと出して見、また急いで仕舞いこむ動作とか、狭い頭上の空間に大広間の高い天井に吊りさげられたシャンデリアが見え、それが風もないのに揺れ動くのを不審がったこととか、伯母や晋助と並ぶカーキ色の軍服を着た敬助が、まるで初めて会った人のようによそよそしい目付きをこちらに向けてぼくを失望させたことなどが思い出せるのみだ。

敬助とはごくたまにしか会わなかったが、会えば〝高い高い〟をしてくれた。地上近くにあった視点が、いきなり大人の頭上へと飛翔（ひしょう）する快感は子供なら誰でも体験するのだろうけれども、敬助の〝高い高い〟は激しくて、物凄（ものすご）い速さで上昇させられた最後にポンと抛（ほう）りあげられ、つぎの瞬間両手を持たれてぶん回されたあげく、「山登りだぞ。さあのぼれ」と言われて、ぼくは敬助の腹から胸へと足先をかけ、くるっとデングリ返しをするのだ。伯母は、はらはらして、「もうおやめ。あぶないよ」と止めるのだが、デングリ返しが終るまでは敬助は離そうとしなかった。そのあと遊んでくれるかと思うと、もうぼくの存在を忘れたように知らん顔で、まるで今のは、軍人敬助が小さな子供にあたえた特別の恩恵で、二度とはあたえられぬという態度だった。でもぼくは敬助が嫌（きら）いではなく、重い軍刀を持ち、軍帽をかぶって〝シッケイ〟をし、肩章の星に触ってみ、陸軍将校の気分をちょっぴり味わったり、着流しでせかせか足早に散歩するあとをつけたりした。彼はぼくを構ってはくれなかったが、別にうるさがりもせず、それが子供を一人前の男として遇する態度として好ましく思えたのだ。

敬助も晋助もはるやを家族の一員扱いにしていた。伯母は「はるや」と呼び捨てにしたが、兄弟は「はるさん」と呼んだ。そうして何か物を頼むときには、敬助は、「……してくれませんか」と敬語を使った。おそらく、陸軍幼年学校から士官学校へとずっと寄宿生活をして家を離れていた彼には、はるやが目下の女中というより、家に居付いている年上の女性として、また政治家の女房として母屋で忙しく立ち働き息子の面倒をみる余裕のなかった母親のかわりとして、感じられたのだろう。これが晋助となると、「ねえ、はるさん、あれやってよ」とあからさまに母親にでも甘える口調になった。ある日、母とぼくが訪ねると、はるやが父親の病気で郷里に帰っていて、家中が何だか投げ遣りな気配で、晋助は、かわりに母屋から派遣された女中の作る食事がまずく、何を命じても気がきかないとこぼしていた。

ところで、その頃、ぼくの家にはときやがいた。ぼくが幼稚園に入った年の初めに、三十ぐらいで結婚するため栃木県の田舎に帰ったから、そのころの彼女は二十代の後半だったろうに、随分年輩の、〝婆や〟と呼ぶのははばかられるが、母よりはずっと年上のおばさんに感じられた。ときやは背が小さく肥っていて色が黒く、よく父が〝家の炭団〟などとからかっていたけれども、そう言われても一向に腹を立てた様子もなくにこにこしていた。もっとも、母は、子供たちにはこの〝炭団〟という綽名を言うのを禁じ、うっかり冗談のつもりで口にすると、「ときやは、立派なお百姓さんの出でね、そういう変な言葉をあの人に投げ付けては失礼なんだよ」と叱るのだった。しかし、その母も父の〝炭団〟をやめさせることはできず、そうとは知らぬ父がそれを口にすると、にこにこしているときやに、〝本当に、旦那さまときたら、世間知らずの坊っちゃんなんだよ。まあ許しておくれ〟というように軽い目くばせを送った。

ときやは二畳の女中部屋に寝起きしていた。台所に隣接している湿っぽい部屋で、半畳分の押入れが畳の上三尺の高さに突き出していたから実質上一畳半の広さしかなく、寝具は足のほうを押入れの下に突き入れて敷くのだった。もっとも、ときやがそういう具合に寝るのを知ったのは、一度彼女がインフルエンザで臥せったときで、氷嚢の氷を替えに入った母にぼくはついて行ったのだ。いつもは、ときやは蒲団や持物一切を押入れに仕舞ってしまい、綺麗に掃除した室内を、そこに誰も住んでいないような模様にして、襖を開け放しておくのだった。が、家の中のいたるところを遊び場としていたぼくらは、ときやの部屋だけは他人の領分として尊重し、足を踏み入れようとはしなかった。まして、彼女の押入れの中を覗いてみようなどとは思ってもみず、今この手記を書いていて、あの中はどうなっていたかとやっと興味をそそられる始末なのだ。

ときやは早起きの働き者であった。朝、まだ両親もぼくらも床にいるときに、早くもときやの起きた気配がした。主家の人々の目を覚さぬようにそっと、菜を刻んだり、井戸のポンプをこいだり、遠くの部屋に叩きをかけたりするのだが、むしろそのひそやかな感じが、時々ぼくの目を覚させ、もう朝なのだと告げるのだった。やがて母が起きあがる頃には、ぼくはまた眠りに落ちてしまい、今度目を覚すのは、母の命令でときやが勢いよく雨戸を押し開けるときで、この音と光で父も子供たちも蒲団から身を起すのだった。

洗面をすませたぼくは台所を覗きに行くのが好きだった。そこは半分が板の間、半分が土間で、土間の部分に土饅頭のような竈が三つ並び、二つは炊事用、一つは風呂沸し用で、すべて薪を焚くので、それのための薪束や火吹竹や火付用の木の皮、それに炭や炭団などが壁に積みあげてあった。天井には煙逃しの天窓があったが、明り取りを兼ねているガラス蓋が煤けて黒く、したがって台所は薄暗く、昼間でも裸電球——何だか夜の誘蛾灯のようにわびしげに孤独な光だった——がつけ放されていた。

尻はしょりをして丸い大きな尻を突き出したときやが竈にむかう姿をきのうのことのように思い出せる。気取り屋の母は、そういう恰好をしなかったから、そのときやの大胆な姿態が面白かったのだ。新しもの好きの父が買ってきた圧力釜は、羽釜の上に、針金の輪に繃帯を巻きつけたパッキングをのせ、木蓋をアルミのタガで緊縛し、蓋の穴に、アルミの安全弁をさしこむ仕掛だった。安全弁は中央に鉄の丸があって、蒸気が噴き出すと、コロコロと音をたてた。このコロコロがぼくの朝の音だったのだ。ときどき、パッキングを越して米汁が泡となって吹きこぼれ、香ばしい飯の匂いを振り撒いた。ときやが、鍋の味噌汁をかきまわすと、味噌の香が飯の匂いに混り合った。

冬だと、薪の火に炭をのせて炭火を作る。半分赤く爛れて青白い炎をあげる炭を十能に山盛りにしたときやについて、部屋から部屋へと火鉢に炭をいけていく。ぼくがときやの手腕に感心するのはお茶の間の長火鉢の扱い方であった。母や子供たちが終日いる場所だからか、ときやはこの長火鉢を重くみていて、特別念入りに火入れをする。炭の長さや形をあれこれ選んで組合せると、丁寧に灰をかけていき、灰ならしの歯のあとを灰の上にきちんと残し、あたかもギザギザの石の城壁に囲まれたような具合に作りあげ、丹精した細工物をすがめる職人のようにいっとき見入った。銅壺の水を取替え、猫板にかすかにこびりつく灰や煮こぼれも逃がさずピカピカに拭い、さて家の中心の神聖な場所の準備がなった、これで今日一日の生活はうまくいくというような満足げな顔付きで立ちあがる。

このように長火鉢を隅々まで整えるときやも、長火鉢の引出しは絶対に開かないので、そこにある判子、朱肉、硯と筆、父の眼鏡や母の櫛などは、女中の分際で手を触れてはならぬものと極めているかのようだった。

土間と板の間の境い目には井戸があった。緑色に塗られた鉄製のポンプは、柄をこぐとギッコンギッコンと特有の節を刻んだ。祖父の小暮悠之進が常よりも深く掘らせたという井戸は、水量が豊富なうえに澄み切って美味とされ炊事用はもちろん、健康にもよいというので風呂用にもされた。母は、ポンプを人力で動かすのは面倒だと水道の水を何かと言うと使用するほうが多かったが、ときやは、そういう母に当てつけるように、母に聞えぬようこっそりとぼくに、「水道の水なんて、臭くて穢くて使えやしない」と、せっせとギッコンギッコンやっていた。手こぎで浴槽に水を張るのは相当の労働だったろうに彼女は全く苦にせぬ様子で、それは、母が小暮家に嫁いでくる前から自分は小暮家にいてこうしてきたのだと、母に示すかのようだった。

井戸のあたりはコンクリートの流しが四角に打ってあり、ここに盥を置いて洗濯するのもときやの仕事であった。洗濯板に汚れ物をおき、硬くて魚のような臭気を発する洗濯石鹸で、ゴリゴリと引っ搔く。ぼくはこのセンタクセッケンが、よい香りのする柔かなシャボン、その香りが祖母との入浴を思いだすシャボンとは、何の関係もない別の物体だと長いこと思っていた。そう言えば、ときやの体から時折発散する魚くさい臭い、それはまたぼくの最初の記憶に出てくるミヤジという女性の体臭でもあったのだが、ともかくこの魚に似た腥い臭いが、ぼくの幼い心の一部に、しっかりと染み付いているのだった。

ときやの太い力強い手は洗濯石鹸を棍棒のように引っ摑み、洗おうとする布を敵のように荒々しく打ちのめすのだが、つぎの瞬間、薄紙を破らぬように気を付けて人形の下着を作る祖母の手のような優しくしなやかな動きをして、洗濯板の波形のついた布を撫でまわし、黄色い石鹸から生じたとは思えぬ純白の泡を、魔法使いのように溢れさせて、シャラシャラと快い音をたてるのだった。そして、ポンプを一こぎ、水をさっと流すと、泡は消えてしまい、洗濯板の木肌が何かを食べ終えた唇のように濡れて光るのみであった。

コンクリートの流しは、水気が絶えぬため一面に黴が生えて、ぬらぬらとした緑に覆われており、よくナメクジが発生した。茶色っぽい体に黒いブチブチを染みだした、のっぺらぼうの小動物を見ると母は金切声をあげてときやを呼んだ。こちらは平気でナメクジをつまみあげて外に投げ、塩を振りかけた。小動物はとたんに体を縮めて生気を失ない、ときやの言う、「ほら融けてしまった」となる。死んだ小動物をときやは素早くどこかに捨ててしまうのだが、ぼくには本当に融けてなくなったように見えた。

ある日、流しの下水口から鼠が出現した。ぼくは母の金切声で、またナメクジかと行ってみたところ、母から、「戸を閉めて。鼠が逃げるわよ」と叱りつけられた。大きな灰色の、子供のぼくには猫ほどにも思えた溝鼠が、薪の一本を木刀のように構えたときやに追い詰められていた。そこは台所の北の隅で、味噌樽や醬油瓶や砂糖壺が並び、鼠は何とかそれらの裏に回り込もうと焦って、無理に体をこじ入れては失敗を繰り返していた。ついに追い詰めたときやが薪で一撃しようとしたとき、鼠がキーと鋭い叫びをあげて跳躍した。五十センチほどだったろうが、ぼくは自分の背の高さを飛び越えるほどにも感じられた。ときやがひるんだ隙(すき)に、鼠は板の間で観戦していた母にむかって、まっしぐらに駆けて行った。母は、これ以上はないと思われる、鼓膜を突き破るような悲鳴をあげたが、あんなにオクターヴの高いソプラノを聞いたのは、後にも先にもこのときだけだった。母に気を取られて、決定的瞬間を見落したので、気がつくと鼠は頭を割られてときやの足元に倒れていた。「まあ、何を盗み食いして、こんなに肥えやがったものか」と言いつつ、ときやは、鼠の尻尾(しっぽ)をつかんで吊り下げた。まだ生きている鼠は、牙(きば)のような歯を剝(む)きだし、全身を電気でもかけられたように震動させ、やがてぐったりと動かなくなった。ときやは誇らしげに母やぼくに鼠を見せつけたが、早く捨ててきてくれと母が懇請したので、何だか惜しそうにやっと自分の獲物を捨てに行った。

都会育ちの母には欠けている、ある種の野性的な能力をときやは備えていて、ぼくを感心させ、それだけによく覚えているのだが、その能力の一つに鶏(とり)つぶしがあった。

あるとき、急なお客さんがあって鶏小屋の鶏をつぶすことになった。鶏をつぶすというのは、わが家ではまずは例外的な出来事で、と言うのも鶏はもっぱら卵を取るために飼っていたからである。なぜそうなったか不明だが、察するに、そのすこし前に駿次が鶏小屋の金網に近付きすぎて左の目を突かれ、さいわい浅い傷ですんだものの、あやうく失明する騒ぎがあって、元兇(げんきょう)の鶏を処刑したのではなかろうか。もっとも、それは生きた鶏の料理を苦手とした母（母は生きた魚の料理もできなかった）の意志ではなく、「坊っちゃまの目を突っついたあの雄鶏は生意気なヤツでしてね、餌をやると卵を生みもしないのに真っ先に当然の食事だという風にやってくるんです、ずうずうしいったら、ありゃしない」と怒っていたときやが言い出した気がする。

鶏をつぶすと聞いたとき、ぼくは、鶏を大きな石で押し潰すさまを想像した。母は子供たちには内緒で事を運ぶつもりだったらしいが、ぼくは台所裏での母とときやの会話を盗み聴きしてしまい、そっと鶏小屋までときやの跡をつけたのだ。ときやはぼくに気付くと、ちょっぴり困ったという様子で立ち止ったが、「まあ、いいわ。男の子なら見ても平気にならなくちゃね」と笑い、むしろ、「よく見ておきなさい」と念を押した。

鶏小屋に入るなり、ときやは両手で雄鶏の首をつかまえ、手拭のように絞って、出てきたときには死んだ鶏の両脚を持って提げていた。鶏を追って大立回りがあるものと期待していたぼくは、鳥肉屋の店先から買ってくるような呆気無さにがっかりしたので、そのあと台所で羽を毟り、首を落して逆吊りにして血を取る作業の簡単なのにも同じ思いがした。ときやにとっては必要なときに必要な動物を殺すことなど当然のことなので、ぼくがこの手記にそれを野性的な能力などと書いたと知ったらびっくりするだけだろう。もっとも母がそういうものを怖がって見せるのは多分に、ときやの前で〝都会の奥さま〟を演じてみせたせいもあるらしく、三田の祖父の病院へ行くと、とたんに大胆になり、祖父のする外科手術に立ち合ったり、祖父が研究用におこなう白鼠の解剖を見たりするのは平気なのだった。それで思い出すのは、三田でのある夕方、炊事場の外にある風呂場の焚口で母がしゃがんでじっと火の奥を覗いていた光景である。

母がなぜ竈の火を覗き込んでいたか知りたくてそばに行くと、母はあわててぼくをさえぎろうとした。が、ぼくは見てしまった、炎と煙の渦のなかに黒い長い異様な物を、いやそれが物なのか、炎が疎になった間の闇なのかも不分明な黒い色を見たのだった。「あれ、なあに」と尋ねると母は「何でもないのよ」とぼくの手を引いてその場を離れた。けれどもぼくは、すぐあとで風呂焚きを受持っていた運転手の浜田から、それが人間の片脚であることを聞き出してしまった。その日の午後、祖父は壊疽をおこした脚の切断手術をし、消毒のため浜田に焼却を命じたのだ。どういう動機からか、母は不意に人間の体の燃える様子を観察しようとして、ぼくに邪魔されたわけだ。

ときやは、洗濯、掃除、料理と家事の万般に通じた働き者ではあったけれども、子供と付き合うのは下手だった。母が留守の折など子供たちの相手をせねばならなくなると彼女は明らかに困惑した様子で、すこし離れた所に坐ってぼくらを見ていた。ぼくらも、ときやがそばにいると何となく気詰りで、三田の祖母に教わったあやとりやおはじきや千代紙細工をひっそりとした。こういう遊びをしていると、母だとすぐ仲間に入ってきておはじきの競争相手になったり、あやとりを向きになってやったりするので、そのときも何とかときやを誘い込もうとするのだが、おはじきを握らしても、あやとりの紐を「取って」と差出しても、彼女は頭を振るのみで、一緒に遊ぼうとはしなかった。そういう遊びを知らなかったのか、子供と遊ぶのが嫌いだったのか、ともかく自分と子供たちの間に一線を劃する様子であった。ぼくらも、ときやと遊ぶのをあきらめ、子供の常として、やがて遊びに夢中になり、ときやの存在など忘れてしまい、ふと気がつくと、もう彼女はそこにいなかった。

ある夕方、ときやは竈にむかって天麩羅を揚げていた。ぼくは駿次と二人で白い粉をまぶした海老や魚が黄色く変色していくのを珍しげに眺めていた。母が来て、ときやに何か話しかけた。その隙に駿次が、自分も真似して天麩羅を作ってみようと鍋に近付き、金箸で具をつまもうとして、鍋を引っ繰り返してしまった。煮え立った油がキラキラ光りながら弟に注がれるのを、ぼくは非現実の出来事のように無感動に見ていた。それはありえない現象で、目で見ていても信じられなかったのだ。弟が泣き、母が悲鳴をあげ、ときやが飛んできただろうが、ぼくは何も思い起さない。つぎに浮び上るのは右腕全体に繃帯を巻いた駿次を母が抱きかかえて玄関口へ出た姿と、ときやが自分の不注意をくどくどと母に謝る姿である。この事故で駿次の右腕は肩から肘のあたりまで、ひどい火傷で引き攣ってしまった。その後、腕の屈伸は普通に出来るようになったが、赤黒く爛れた皮膚は元にもどらなかった。

ときやが家を去ったのは、この事件のすこし後で、だから彼女が責任を取って辞めたようにぼくは思っていたが、この手記を書くので母に確かめてみると、どうもそれは物事を思い出すときよく人がするように、首尾一貫したお話を作ってしまったせいだったらしく、結婚のため故郷に帰ったというのが真相のようだ。

ときやの結婚写真の一枚がぼくの手元にある。訪問着に角隠しの新婦は、顔が真っ白なため雪達磨みたいで、紋付羽織に坊主頭の、いかにも質朴な村夫と言った男のそばで今にも融けてしまいそうに恥かしがっている。写真師は新婦の手まで注意がいかなかったのか、骨太な荒れた手指は顔と不相応に黒い。

2

ときやがいなくなった頃、近所の高千穂学園付属幼稚園に通うことになった。学園の徽章を光らせた鍔広帽子をかぶり、白いエプロンの胸に名前入りのハンカチをさげ、弁当入りの籐製のバスケットを持って外へ出ることが、そしてバスケットという軽快な響きのある言葉が、その中にある弁当の匂いや、振って歩くときの籐の色艶とともに、ぼくを嬉しがらせた。

最初のうち母が送り迎えをしてくれたが、ある日、母が、「あしたから一人で通うんだからね。練習しましょう」と言い、家から幼稚園まで付き添って道筋を教え、とくに大通りを横断するときは気をつけよと注意し、脇道にそれると〝怖い人〟がいるから絶対に決められた道を歩くようにと言い含め、最後に家と幼稚園のあいだを、遠くから見守りつつ、ぼく独りで往復させた。翌日からぼくは単独で通園するようになり、ほかの子は大抵大人と一緒に来たから、何だか自分だけが急にえらくなった気がした。ともかく幼稚園というと、この独りで街の中を歩く感じがまず甦ってくる。

家の前の、見慣れた改正道路とちがって、目印のタバコ屋の角を曲って幼稚園へ行く小路に入ると、さまざまな珍しいものに出遭った。まず現れてくるのが消防署の火の見の鉄塔だった。わが家の二階からも望めるこの望楼は付近でもっとも高い建造物であって、てっぺんの回廊を制服の警官（念のため註を入れると、その当時、消防署は警視庁の管轄下にあった）が常時めぐり歩いていた。冬だろうが夜だろうが、いつでも監視の役目につく制服の人を、その高所に行き着くまでの長い鉄梯子とともに、忍耐と勇気のある男子の見本として、ぼくは仰ぎ見たものだった。一度でいいからあんな高い所に登って街を見渡してみたいものと熱望する一方、自分などは梯子の途中で目がくらんで落ちてしまうだろうとあきらめの思いにとらえられた。交替の時刻に行き合せでもすると、登っていく人、または降りてくる人をじっと見詰め、その場を動けなくなった。

すこし早目に家を出たときなど、消防隊の朝礼を見ることができた。直立不動の姿勢で居並ぶ隊員に隊長らしい年輩の人が何か訓示を垂れているそばでは、見事に磨きあげられた赤い消防車の鉄梯子やポンプや真鍮の鐘が美しく光っていた。隊長の話の断片が、意味は通ぜぬまま呪文のように耳底を打ち、ぼくは足早に通り過ぎるのだが、本心では立ち止ってずっと彼らのつぎの行動を観察したくて仕方がなかった。ポンプ車を作動させたり、ホースを引き出して水を通したり、鐘を鳴らしたりする様子をぼくがまざまざと想像できたのは、祖父から誕生祝にもらったブリキの消防ポンプ自動車で遊んでいたからで、それはゼンマイを巻くと鐘とサイレンを鳴らして走り、梯子を高く伸ばしたり、ハンドル操作で方向転換ができる精巧な出来だった。しかし帰り路にのぞいてみると消防署は鉄塔の監視人をのぞくと無人で静まり返り、ポンプ自動車は絵に描かれたように動かずにいた。ぼくは、それをよく見たくて、そうっと近付いて細部の構造に目を凝らし、ホースの巻き加減や梯子の組立て方が自分の所有する玩具より遥かに複雑で立派なのを讃嘆し、さらには大胆になって、ピカピカの車体にちょっと指をつけてみたり、心の中で運転台に坐ってみたり、自分が消防夫の一員として車上で黒い兜に紺の錣を颯爽とひるがえす様子を夢想した。家の中で遠くから近付くサイレンと鐘の音を聞くと、門まで飛んで行っては一台一台通り過ぎるのを眺めるのが毎度のことで、風のように目の前をかすめていく消防夫こそは、ぼくのあこがれの的だったのだ。消防自動車が目覚ましいのは何よりも速さにあった。あの頃の、すきすきの改正道路をおおっぴらな全速力で走りぬける赤い車は、戦車の重量感や軍用サイドカーの軽快さとは異なった、嵐のような力強い速さを備えていた。ある日の帰るさ、望楼で半鐘が鳴り、車庫のなかを人々がざわざわと往来し、ポンプ車や梯子車のエンジンが唸り、ただならぬ気配に、心おどらせて待っていると濃紺の装束に身を固め、例の兜をかぶった消防夫たちがつぎつぎに車にのりこみ、鐘とサイレンであたりをつん裂いて出動していった。「近いぞ」「すぐそこだ」と大人たちが駆け出したのでぼくも夢中であとを追ったが子供の足では遥かに遅れてしまい、やっと人垣に追いついたものの人の背ばかりで皆目見えず、それに「坊や、あぶないよ」とおせっかいな小母さんに手をひっぱられて連れ戻されてしまった。が、外れに来てよかったので黒煙の下に無数の赤い舌をチロチロ出す二階屋と消防隊の放水活動が手に取るように見え、一度は息絶えたかに見えた火がふたたび活力を盛り返し、やがて二階屋全体が炎の中に崩れ落ちる逐一を見物できた。すべてがおさまって群衆が散ったあとも、ぼくは藁縄で通せんぼの道の入口で、何とか焼跡を見ようと立ちつくした。おかげですっかり時間を喰ってしまい、幼稚園の近火を心配して迎えに出、散々探しまわった母から、こっぴどく叱られてしまった。

消防署の隣に幅広の広場のような砂利道が開けていたが、広いわりに薄暗いのは大木――檜か杉のような針葉樹だった気がする――の並木に左右から覆われていたからであろう。この薄暗い砂利道の奥に前田侯爵邸の門があり、門のむこう側に洋風の庭を持つ屋敷が開豁にひろがっていた。巡査も守衛もいない、あけっぴろげな構えは、ちょっとその気になれば忍び込めそうだけれども、ぼくは砂利道に入るのさえ畏れ多いような気持になって、通りから遠く眺めるだけだった。と言うのも、先年の元旦ぼくは父に連れられて駒場の前田様に初めて年賀の挨拶に行き、玄関や広間の結構の、脇礼助邸のように大仰ではなく、しかしどっしりと実質が詰り、むしろ簡素な外観ながら金目のかかったしつらえに子供心ながら感嘆し、本当の大華族というのが備える気品に打たれたからである。この西大久保の屋敷が駒場のそれとどのような関係にあるか知らないながらも、同じ前田様として一つながりの畏敬の念を覚えたのは、常々、小暮家が加賀の金沢藩士であって、祖父の小暮悠之進は御維新後も前田家の家扶を勤め、主家からは深い恩顧をお受けし数々の拝領品を頂戴したと父から聞かされていたせいでもあった。ともかく、この侯爵邸はこのあたり一帯のかなりの面積を占領し、大庭園の樹木は町内のいたるところ、道の果て、家々の上、市電の窓などに姿を見せて、その宏大さは、近所の大きな邸宅、たとえば脇礼助邸や平沼騏一郎邸などを遥かに抜きん出ていた。そして、何よりも塀も定かでない開放的な構えが、きっかりとした源氏塀をめぐらした脇邸や城砦のような黒い高塀で囲った平沼邸とは違って、主人の鷹揚な心意気を示していた。ただし、侯爵邸の入口脇にある消防署は、その望楼でもって邸内をかなり見渡せたはずで、火の見櫓は実のところ侯爵邸の監視塔をも兼ねていたと言えようか。

侯爵邸の先で小路は二股に分れたが、丁度小路を突き分けて進んでくる船のような形で家々が建っていた。三角形の地所を利用した各家は、いびつで不揃いで、しかも奥行が乏しいので家の中がまる見えだった。ぼくが特に好きだったのは、船の舳先の部分に当る鋭角三角柱の家で、大工のちょっとした思いつきなのか二階の窓が丸く、さらに屋上の物干台を船橋に見立てて作ってあって、ここの家々全体を船と感じるのは、この先頭の家のもたらす効果が大きかった。それが何を商売にした家か覚えていないのだが、朝、幼稚園児たちがぞろぞろと歩いているのを、〝船橋〟に立つ老婆が手摺にもたれて見下している姿は、顔や身形などはすっかり忘れてしまったものの、母が「あのお婆さん、魔法使いみたいで気持わるいね」と言った言葉とともに、無気味な陰影として思い出される。ぼくが子供のときに時々見た幽霊船の夢では、老婆は現れなかったけれども船全体が何となくここらの家々を連想させ、それは母の一言がぼくの心に沁みこんだせいと思われた。舳先の家に続いて、豆腐屋や駄菓子屋や文房具屋が並ぶのだが、中に一軒、騒音と火花を散らすちっぽけな鍛冶屋がぼくの好みだった。何を作っていたか定かではないが、赤い鉄塊を打つ鉄槌の律動音や、もっと抽象化して〝活気〟は、そこの親爺の骨格のがっちりした体とひげ面とともに心に刻印されている。その親爺はぼくが見た最初の鍛冶屋であって、小学校で『村の鍛冶屋』という歌を教わったとき思い浮べていたのもその顔だった。道端に立って仕事振りをそっと盗み見し、彼が振り向くとあわてて逃げ出していたのが、あるときむこうから、「坊や、見たければ中に入って見てていいんだよ」と声を掛けてくれ、以来仕事場の指定された椅子に腰掛けて見学するようになった。鉄の焦げたような匂いを嗅ぎ、親爺が「な、これがこうなるだろう」と解説しつつ灼熱した鉄をいとも簡単に変形さす手順を観察していると時の経つのを忘れてしまい、気がつくと母が、「何をしてるの、こんな所で……」と怖い顔で立っていた。

　鍛冶屋からすこし行った左手に、高千穂学園の正門があった。門から坂道を登って丘の上の中学校と小学校に出るのだが、幼稚園は途中の斜面にへばりつくようにして建っていた。山小屋を思わせる洋館の、羽目板のペンキが剝げていて、ひどく古びて見えた。それまで弟たちだけを遊び相手としていたぼくには、同年の女の子と一緒に遊戯をしたり折紙や黍稈細工をするのが珍しかった。中でぼくの注意を引いたのがチズカだった。肌の色が洗い落したように白くて、自分自身は浅黒いため、色の白い人、たとえば脇の伯母や三田の夏江叔母のような女の人の肌を美しいと見てしまうぼくは、彼女の頰や項に金色の生毛の光るのをことさらに美しく思った。それには母の、「あの子は西洋人みたいだね」という言葉がぼくに大きく影響したので、西洋人を身近に見たことがなかったため、彼女に、母が常々『世界文学全集』の要約で尊敬をこめて語ってきた西洋人という言葉の具現を見たのだ。真っすぐな鼻筋がつんと突き出したような隆鼻、茶色いつやつやした髪、靴下の上に真っすぐに伸びている細い足、そしてチズカという、あまり聞き慣れない、初江や美津やときやはるのような日本的な名とは違ったように思える名前……。

桜が散って暖い日が続き、新緑が萌え出る頃になっても、チズカは分厚い外套を着、首に繃帯を巻いて、お婆さんに手を引かれて通園していた。すでに独りで平気で通っていたぼくには、そんな女の子の様子が痛々しく見えた。子供たちが手をつないで遊戯をするようなとき、チズカは隅っこの椅子に腰掛けて寒そうに背を丸めていた。外で、みんながブランコや砂場で遊んでいても、彼女だけは日溜りに立って、じっと見ているだけで、みんなの中に入ってこなかった。先生が背中を押しても、誰かが誘っても、死んだ振りをしている動物のようにじっとしていた。そこでぼくは彼女が何かの病気で、みんなと一緒には行動できないのだと思っていた。

丘の上の中学校の校庭へ遊びに行ったことがある。校庭の端に松林に囲まれた空地があって、そこで駆けっこをしたり、鞠投げをしたのだ。こういうとき運動神経がすぐれ、すばしこく動きまわったのがテツオという子で、背が高いうえに、物をはっきり言う子で、みんなのがき大将になって威張っていた。鉄棒の逆上がりや蹴上がりを見事にやってのけ、競走も鞠投げも腕立て伏せも一番という工合で、運動が苦手のぼくなんか、彼の前ではすっかり萎縮してしまった。テツオは先生の目を盗んで、ひっそりと、みんなの後に隠れるようにしてしゃがんでいたチズカにちょっかいを出し始めた。どうして走らないのか、その首の繃帯は何のためかと問いつめ、彼女の手を引いて立ちあがらせようとしたため、とうとう女の子は泣き始めた。そのとき、女の先生が気がつき、男の子を追い払ったのだが、ぼくは彼女のために迫害者に敢然と立ち向っていかなかった自分を、卑怯な臆病者として責めていた。いや、そういう自責の念よりも、がき大将をやっつける自分の姿が、空想のなかだけにしか存在しないのを口惜しく思っていた。

　そんなぼくが、テツオにまさったのはクレヨン画であった。今から思えばぼくのは、絵画の美からはほど遠く、単に事物を念入りにわかりやすく表現した見取図のたぐいだったのだけれども、ほかの園児たちのは、この年齢の絵の常として、大小の比較がとぼしく、物と物との関係もばらばらであったから、ぼくの軍艦のように煙突や大砲の数まで正確に描いたり、消防自動車のようにホースとポンプの関係を的確に絵解きしたものが、先生たちを感心させて、特別に貼り出されたり、ほめられたりしたのだ。ところが、ある朝、園児たちが庭で遊んでいるちょっとの隙に、ぼくの軍艦の絵が、ずたずたに破られてしまった。先生たちが、どのようにして犯人を突き止めたのか知らないが、とにかくテツオが叱られ、すると彼は、聞いたこともない激しい泣き声をたて、みんなが逃げまどうほどの勢いで机や椅子を倒してあばれまわり、ついには引付けを起して、男の先生にかかえられて別室に連れて行かれた。そんなことで二度と幼稚園に現れないかと思うと、その翌日、けろりとして現れ、相変らずがき大将振りを発揮するのだった。ただ、ぼくに対して前よりも遠慮深くなり、通園の途中に出会ったりすると、むこうからぼくの機嫌を取るように、何か話し掛けてくるようになった。

　彼の母は息子に似て、口数の多い人で、ぼくにいろいろと問い掛けてきた。名前、生年月日、住所から、兄弟の数、父の職業とつぎからつぎにと質問され、父の職業は、「会社に行ってるの」と答えたものの、息子から評判を聞いたらしく、「悠太ちゃんは絵が上手なんですってね。誰に習ったの」に対しては、「誰にも習わない」と答えても納得せず、「教えてちょうだいよ。先生は誰よ」と執念く問い詰めてくるのには、閉口した。一度、テツオの家へ遊びに行ったことがある。それは、あとでぼくが通う大久保小学校の、すぐ裏手の家で、庭に鉄棒がしつらえてあり、テツオの上達の秘訣はこれだったかと思い当った。そこで、彼の母から絵を描いてみろと迫られ、仕方なしに戦艦長門を克明に描いてやると、彼女は息子を、「テッちゃんも、こういうふうに描かなくちゃ駄目じゃないの」と叱りつけていた。

　引け時になると幼稚園の前には迎えの母親や女中が待っていて、園児が出てくると連れ立って坂を下っていく。ぼくのように一人で通園していた者は、ほかの者が付添いと一緒になるためもたついている間に、外へ飛びだし、坂を飛行機にでもなった気持で走りおりて、どんどん先に行くのが習いだったが、ある日、忘れ物を取りに引き返して遅くなった。土曜日でお弁当はなかったのに、宿題の黍稈細工を入れて持って行ったバスケットをうっかり忘れたのだった。ふと前を見るとチズカがお婆さんに手を引かれて歩いていた。門を出て、ぼくは右に行くのに二人は左に曲り、急坂を登って行った。思い出したが、その日はすごく風が強くて、その方向には若葉の茂みが大波が崩れるように揺れて、何か素晴しい未知の世界が開けているような勢いがあり、ぼくは思わず二人の後を付けた。付けると決心すると、これはもう忍術つかいの境地で、気付かれぬように距離を保ち、歩度を等しくして、そちらの方向がわが家であるかのような振りをした。二人は、電車通りを向う側に渡り、やがて右に折れて見えなくなった。見失なっては大変と走って行くと、すぐ角でチズカが咳込んでお婆さんが背中を撫でていたのに、ばったり出遭ってしまった。チズカはぼくを見て、きまり悪げにお婆さんの後に隠れてしまった。お婆さんは、ハンカチにあるぼくの片仮名の名前を読み、「コグレ　ユウタちゃん、どこへ行くの」と尋ねた。「家に行くの」とぼくは咄嗟に答えた。

「おや、ぼくのおうち、こちらだったっけねえ」とお婆さんが首を傾げるのを、嘘がばれやしないかとぼくは睨みつけた。が、お婆さんは別に疑う様子もなく、チズカの手を引いて進んだ。

　だらだら坂を降りていくと、長い築地塀の寺がいくつもあって、風の吹きつける斜面に伽藍や墓地や竹藪が見え隠れし、何だか物恐ろしい感じだったが、やがて石垣の上に赤屋根のお伽話に出てくるような洋館が現れた。壁がなかば以上蔦に覆われ萌黄の若葉が一杯に吹き出ていて、建物全体を脹らますようなピアノの音が風の音を抑えていた。母の「あの子は西洋人みたいだね」という言葉が思い出され、チズカの両親は本当に西洋人かも知れないと好奇心を抱いた。ともかくその洋館は、ぼくの家の近所に建つ家々とまるで趣きが異なって異国風だった。チズカとお婆さんは家の玄関口で立ち止った。

「ぼくの家、どっち」とお婆さんが、すこし心配げに尋ねた。

「あっち」と顎を前のほう、下り坂のほうにしゃくった。ぼくが、行こうとすると、意外にも小さな声が追ってきた。

「ねえ、いらっしゃいよ」と薔薇色の顔を恥かしげに俯けている。

ぼくが躊躇していると二人は玄関のドアを押して中に入りかけていた。（その頃の普通の家は玄関が格子の引戸だったのに、それはドアだった。しかも西洋人の家のように内側に開くのだった。）ぼくは走って二人の後から中に入った。お婆さんは驚いていたが、チズカがにっこりしたので、ぼくは安心した。

ピアノの音は体の芯が震えるほどの大きさだった。チズカは、「ママが弾いてるの」と言い、演奏の邪魔をしないよう静かにしろと言うように、スリッパを滑らせて忍び足をしてみせ、ぼくも真似をした。ぼくらはぱあっと赤い感じの彼女の部屋に入った。たぶん壁やカーテンや沢山の縫いぐるみが赤かったのだ。

そう躾けられているらしく、女の子はエプロンと上着とスカートを脱ぎ、不断着らしいのに着替えた。彼女は人が見ているのに平気だったが、ぼくのほうは女の子の下着や靴下がまぶしく、太腿の付け根に靴下止めの跡が赤くついているのを、ひどく悪いことでもしているような気持で見詰め、ふと母がぼくの帰りを待っていると思い、「もう帰る。おかあさんに、おこられるもん」と言った。

けれども、女の子はぼくの言葉にまるで無頓着で、「何して遊びましょ」と楽しげに言った。幼稚園ではいつもおびえたり泣いたりしている顔を見ていたので、彼女の明るい笑顔はぼくをうっとりとさせ、何でも彼女の言う通りにしたい気にさせた。

「何でも」とぼくは答えた。

「あたし、男の子の遊び知らないのよ」

「ぼく、女の子の遊び知ってるよ」とこちらは喜んだ。おはじき、鞠つき、千代紙細工、折紙、あやとり……みんな祖母が教えてくれた。二人はあやとりをすることにした。ぼくが器用に取るので、チズカはくやしがって、かえってちぐはぐに取って形を崩し、こぐらかり、

「これはやめよ。一人あやとりなら負けないわ」と始めたが、今度もぼくは得意で、四段梯子、六段梯子を作ってみせるうち、彼女は、もうすっかり感心して、「悠太ちゃん、テンサイよ」と言った。「テンサイってなあに」「上手にできる人」ぼくはお返しに、「チズカちゃんだって、いろんな言葉知ってる。テンサイよ」と褒めた。彼女は何がおかしいのか笑いだし、「あらいやでございますわよ」と手の平で口に蓋をし、両肩をきゅっとあげて身をくねらし、そのませた動作がおかしくてぼくも笑い、二人して笑いが止らなくなった。そこへ、チズカのおかあさんが現れたのだが、西洋人かと思っていたのが日本人なのでぼくは意外に思った。ただし、おかあさんはやはり色白で茶色の髪に、夏江叔母の目を大きくしたような顔付きをし、洋服を着ていた。ぼくはあわてて立ち、ちょっと寄っただけだからすぐ帰ると玄関へ小走りに出た。チズカは、「また来てね」と手を振った。家の前まで追ってきたおかあさんはぼくがまた忘れたバスケットを手渡してくれた。

うっかり長居をしてしまった。心配している母の姿が目の裏に彷彿として、心を急き立てた。さっき来た道を引き返そうとして立ち止り、幼稚園から坂を登ってきたのだから、坂を降りれば幼稚園の方角、つまり家に近付くはずと単純な考えで、チズカの家の前の坂を駆け降りた。随分下って行った先は見知らぬ街並が続いている。あわてて引き返したのに、最前の坂道は一向に現れず、いつのまにか未知の商店街に迷いこんでいた。パン屋のショーウインドーにチョコレート・パンやクリーム・パンを見たとき、自分がすっかり腹を空かせているのに気付いた。昼飯時で、店屋の奥では母と子が食卓を囲んでいるのが、うらやましくてならない。やがて、遥か彼方に電車の通るのが見え、電車が通るのなら大通りで、大通りなら改正道路とつながっていると考え、せっせとそちらへ歩いてみたが、行けども行けども電車通りは遠ざかり街の様相もすっかり変で、工場や倉庫やトタン塀が深閑として続き、薄ぎたない大人たちがうろついて、こういう所にこそ人さらいが出ると思い、引き返した。泣きも走りもせず、何気ない風でいたのは、迷子と知られたらすぐさまさらわれると怖れたためで、交番の前も、寄り道した悪い子とわかったら大変と振り向きもせずに通り過ぎた。道はあがるとさがり、坂道がくねくねと伸び、ふと懐かしい感じで見ると、長い築地塀で、チズカの家の間近かの寺のような気がして、塀添いに登るうち、原っぱが明るく開けた。と、原っぱのむこうを女の人が通った。母だと見ると、ぼくは夢中で駆け入った。おかあさんと何度も呼んだ。が、女の人はぼくを無視してずんずん遠くへ行ってしまい、ここらあたりかと見回していると、もう姿が掻き消えていた。そこは野放図に風が吹きつけ、ひゅうひゅうと鳴っていて、何だかひとりぼっちで、捨てられてしまったような気がしてぼくは声を出して泣き、ひとしきり泣き終えると、腹が減って疲れてもう動く気がせず、しゃがみこんだ。目の前にまっ黒な水を湛えた池があり、苔むした石橋があってそこが廃園だと見極めたのはしばらく経ってからだった。家の残骸らしい柱や瓦があちこちに転がり、古い礎石が地面に顔を出している。どこかに死骸でもあるのではないかと思ったらもう我慢ができず、原っぱから外に逃げようと走り始めた。しかし、どの方角から入ってきたかわからない。やっと門らしい柱の外に石段を見つけて走り寄ると、ぬっと大男が出現した。すすけた顔の中で、黄色い眼がこちらを睨んでいる。人さらいだと思い、大あわてで逃げると、大男は追ってきて、転んだぼくが必死で起きあがった上に立った。

「坊や、どこの子だ」と男は意外にもやさしく言い、大人のやさしい声に騙された経験から、ぼくが黙りこくっていると、男はしきりと首を振り、「あの池は、底なし沼だから、あぶねえぞ。あんな所で遊ぶもんじゃねえ」とつぶやき、何を話し掛けてもぼくが黙っているので、やがて草藪のような頭を振り振りむこうへ行ってしまった。ぼくは、必死に走り、いつしか道に出ると、もう方向などどうでもよく、男から離れたい一心で駆け続け、ふと神社の鳥居を見ると、ここなら安全だと石段を一気に馳せ登った。

拝殿の上を巨木が覆い、枝葉が動物の群のようにひしめき合っていて、赤塗りの鳥居のトンネルに人影はなく、その先の小さなお稲荷さんでは沢山の幟がちぎれるようにはためいていて何かが飛び出してくる恐怖をあたえたけれども、神様のいるこの神社の境内には悪い人は来ないと考えたし、それにここは見晴しがよく、家の二階からも見える新宿のビルが望め、家の近くにいる安心感も覚え、ここで待っていれば母が来てくれる気がした。ブランコやシーソーのある遊園地の、ベンチに坐って、ぼくは待った。太陽がじりじりと移っていくのを見ていると心細く、母に捨てられた子供の気がして、涙が流れ出た。何度も、神社から出て街の方へ、たとえば新宿の繁華街の方へ出て、何とか改正道路を見付けて家に帰ることを考えたが、もう動く気力はなかった。母から呼ばれたのはそのときであった。

　母は走り寄ってきた。が、あんまり絶望しきっていたので、目の前の母が本当の母とは信ぜられず、一瞬幽霊か何かのように見え、ぼくは逃げ出そうとした。母は、泣いてくしゃくしゃになった顔に笑みを浮べ、ぼくを抱いてくれた。そのあとの記憶は急にぼやけてきて、どうやって家まで母に連れ帰ってもらったか思い出せない。ただ、母からきつく問い質されたのにもかかわらず、ぼくがチズカの名前をただの一言も洩らさなかったのは鮮明に覚えている。女の子の後をつけた事実は、ひどく後ろめたい、母にも言えぬ秘密に思えたのだ。

　このことがあってから、母は幼稚園の送り迎えをするようになり、ぼくは以前のように寄り道や回り道ができなくなった。むろん、チズカの家を訪ねるなど論外で、幼稚園の門のところで左右に別れることしかできず、ときどき彼女の後姿をこっそり見送るだけとなった。相変らず、幼稚園ではチズカはおとなしく、ほかの子と遊ばずに、ひとりぼっちでいて、ぼくを見ても知らん顔をしているので、ぼくのほうでも近付こうとはしなかった。それに、男の子は男の子同士という工合に、男女が別れて遊ぶ場合が多くなったせいもある。

その後、幼稚園の思い出のなかにチズカは登場せず、むしろテツオや男の友人たちと遊んだ記憶だけが残っているのだが、たった一つ、クリスマスの集りで、チズカがピアノを弾いた場面だけは、裾長のドレスをかわゆく着た少女が、軽やかに巧みに演奏をやってのける姿と、いつもオルガンを弾く女の先生が、「すごくお上手ね。もう立派なピアニストよ」と言った言葉とともに、浮び上ってくる。そのとき、ピアニストという英語が、快い響きとともにぼくの胸に沁み込んだのだ。

ぼくが小学校にあがったとき、チズカは、どこか遠くの学校に行ってしまい、二人は別れ別れになってしまった。そして彼女と再会するのはずっと後のことになる。

3

ある夕方、ぼくは応接間の窓から父のゴルフの練習を見ていた。会社から帰った父は、ゴム紐をつけた球へクラブを振るのを常としていたから、その夕方も、別にいつもと変った点はなかった。ところが、どうした加減か、父の振ったクラブの先が窓からすこし首を出したぼくの額を強打したのだ。その瞬間は何度努力しても思い出せない。ぼくが覚えているのは頭全体に詰っていた黄色い粉が流れ出し、腥い臭いがしたことである。痛みも叫びもなくて、ただただ、強烈な臭いが鼻を突いていた。

それが相当の重傷であったのは、今、頭蓋骨のレントゲン写真を撮ると左前頭骨が五センチにわたって陥没しており、それを皮膚の上からはっきり触れうるのと、額に残るかすかな傷跡から明らかである。

母の膝の上に抱かれてタクシーに揺られているあいだ、ぼくはずっと腥い臭いを嗅いでいた。随分と泣いただろうが、そちらのほうは記憶になく、母が、ぼくを抱きしめながら、しきりとぶつぶつとお祈りをしていたのを覚えている。三田に着くまで、母はずっと祈り続けていて、ぼくは母の気が変になったのかと心配した。

治療室に運ばれたぼくを祖父が治療したのだが、多分麻酔でも掛けたのであろう、ぼくが気がついたとき、頭には何重にも繃帯が巻かれ担架の上で揺れていた。祖父が、「わかるか、わかるか」としきりと話し掛けてきたのが不思議だった。祖父のうしろに白髪の仙人のような老人がいた。この老人は、唐山先生と言って、祖父の親友で脳神経系の専門だったそうだ。担架がおろされたのは、祖母の〝お居間〟であった。

その夜、痛みのためひどく苦しんだ。頭が割れてしまったようだった。それにも増して苦痛だったのは、祖父が来ては、「指が何本あるか」とか「自分の名前を言ってみろ」とか知能テストのような質問を繰り返すことだった。けれども、痛みが薄らぐにつれて、ぼくは入院生活を楽しむようになってきた。祖母は、ぼくの隣に寝て、母の幼いときの逸話や昔の病院の様子などを話してくれた。母が三味線と踊りの名手だったとか、祖父が日本海大海戦のとき大勢のロシア兵を治療したとか、祖母の話の種は尽きなかった。祖母は、蜜柑ジュースを作って吸い呑みで飲ませ、アイスクリームやスイートポテトなど、ぼくの好物を買ってき、食事も寝たままで食べられるよう、卵入りの粥や短く切った饂飩や一口カツなどを工夫した。ぼくは頭を動かさぬよう天井を向いて絶対安静で、そういう姿勢のまま、いろいろと御馳走が食べられるのが、やんごとない王子様にでもなった気分であった。祖母や母や夏江叔母や、鶴丸という年取った看護婦がいつも付き添い、童話を読み、折紙を折り、曲の名前さえ言えばレコードを掛けてくれる、こんな贅沢な経験は初めてだった。傷が治らなければいい、いつまでも王子様でいたいと、ぼくは真剣に願ったものだ。

けれども、残念ながら傷は癒えていき、ある日繃帯を取る日が来てしまった。祖父と唐山先生の診察では、恢復は順調で、激しい動きさえしなければ、昼間は起きていてもよいとのこと、祖母は用心して蒲団をのべっぱなしにしてくれたが、王子様の権威はにわかに失墜したので、その最初の現れは、吸い呑みで蜜柑ジュースを飲みたいと誰かに言ったところ、「もう起きられるのだから、蜜柑は自分で皮を剝いて食べなさい」とすげなくあしらわれたことだった。

枕元でレコードをよく掛けた。西大久保では手回しだったのに、ここでは祖父の発明した時田式電動蓄音機がそなえてあり、スイッチさえ入れれば簡単に動くのだった。電動蓄音機は、腕をぐいっとあげると、盤上に針を落して演奏を始めるのだが、どうかすると急に回転むらをおこしたり、演奏を終えても腕をあげなかったりし、まるで祖父が上機嫌でぼくら孫に頰擦りしていたかと思うと急に誰かに癇癪玉を破裂させたりするようなお天気屋で、祖母は、自分が祖父にするように、蓄音機をさすったり吹いたり、つまりなだめたりすかしたりして、何とか機械の機嫌を直すのだった。

祖母が買い集めてくれた童謡には、明治時代の古いものが多く、桃太郎も浦島太郎も、母の買ってくれたものとは節も歌詞もちがっていて、それがいかにも三田らしかった。童謡に飽きると、史郎叔父の部屋のレコードを持ち出した。当節の流行歌が多かったらしく、「つきはおぼろにひがしやま、かすむよごとのかがりびに……」とか「よいやみせまればなやみははてなし、みだるるこころにうつるはたがかげ……」などと、意味はわからぬながら口ずさみつつ聞いていると、夏江叔母があわてて、そのレコードを片付けてしまい、かわりに自分のコレクションから子供向きのを持ってきてくれ、『チゴイネルワイゼン』、『G線上のアリア』、リヤドフの『ネニー』、ドリゴの『セレナーデ』などにぼくはすっかり魅せられてしまい、将来は音楽家になりたいなどと本気で思い、チズカの家にあるピアノをうらやんだものだ。まだ曲名など読めはしないのに、ぼくが正確に目当てのレコード盤をえらびだすので大人たちは驚いていたが、おそらくラベルの色や盤の傷など子供だけが注目する印で見分けたものだろう。ぼくがあんまりレコードに熱中して朝から晩まで聞いているので、最初は子供のよい趣味として肯定していた祖母も、「悠ちゃん、すこし、ほかのことをしなさい」とレコードを片付けたりするようになった。

ぼくの看病のため母は、弟たちを連れて三田に泊っていたので、駿次を相手に存分に遊ぶことができた。お居間のほか夏江叔母や史郎叔父の部屋、祖父の書斎や寝室などがある二階(一階は職員用の食堂や炊事場となっていた)は、長年の増改築で複雑な構造となっていて、子供にとって恰好の遊び場であった。とくに、夏江叔母の部屋はお居間の横から三尺ほどの高みにあり、さらに押入れの中が三尺幅で階段状に迫り上っていて、鬼ごっこや隠れんぼにもってこいであった。紙箱や蒲団のあいだを、埃と樟脳の臭いを掻き分けて進み、目の前の引出しを開くと香の匂いの染みた端切れがあふれ出、その匂いにつかって、身をひそめたり、天井のあたりで、節穴からのびる光の線の中に長持を見つけ、蓋をあけてもぐりこんだりした。叔母がいないあいだに押入れに弟と二人で入りこみ、そうとは知らぬ叔母が母と話しこんでいる所へ、突然おどり出てみるのがぼくらの大好きな遊びだったが、そのときの叔母の驚きようがあまりに大袈裟であったところから推すと、叔母は子供のたくらみを察知していて、わざとぼくらに呼吸を合わせていたらしい。

史郎叔父の部屋のむかいの急階段をのぼると三畳ほどの隠し部屋があった。それは女学生時代の母の勉強部屋だったが、今は納戸となっていて、大小の簞笥が窮屈そうに肩を寄せ合っていた。階段はあまりに急なため幼い子には登れなかったのが、その頃ぼくは〝登攀〟に成功し、そこに独りで入りこむ楽しみを覚えたのだ。

階段口の襖を締め切れば、薄暗い中はぼく独りの王国だ。埃を払いつつ、簞笥の上に這いあがると、屋根で斜めに下半分を切り取られた三角形の窓から沢山の屋根が見渡せた。思い思いの形をした屋根はその下に住む人の心をしのばせ、煙突の煙は仕事や団欒のさまを想像させた。左手の高いところに寺院の大屋根があって、おびただしい瓦の海に鳩が群がっていた。ぼくは人っ子ひとり見えない、この街の光景がたまらなく好きで、見飽きなかった。一つ一つの屋根は個性を持ち、ゆがんだの、まっすぐなの、古いの、新しいの、投げ遣りなの、破れ放題なの、洗い流したように手入れよく光っているのと、実にさまざまで、ぼくの夢想を誘った。軒端から樋づたいに一所懸命登ってきた猫が、目を細めて日なたぼっこをしだすと、ぼく自身が猫になった気持で、ぽかぽかと温みを感じ、のんびりした気分になった。夕暮れともなると、鬼瓦の彫刻は立体性を増し、桟瓦の重なり工合は明確化し、要するにすべての屋根がにわかに生き返ったように身動きを始める。やがて、寺院の大屋根がウームと呻くように鐘が響き、夕焼けの空をさまざまな鳥がよぎっていくのだった。

納戸の中の探索をぼくはあきらめていた。簞笥の引出しにはすべて鍵がかかっていたし、桐箱の中の和綴本も四角い字の行列で読めなかった。紙箱の蓋をとっても出てくるのは古い布地ばかりでぼくの興味をひかなかった。

けれどもある日意外な展開がおこった。納戸の奥に立ちふさがるように立つ桐簞笥に乗って遊んでいるうち、肩が壁に触れ、それが紙のような音をたてた。それは疑似壁の襖で、簞笥の裏側に手を伸ばすと引手が触り、ゆっくり引きあけたところ、広い倉庫がいきなり目に飛びこんできた。隠し戸の先の秘密の部屋という物語めいた出来事に興奮したぼくは、桐簞笥からむこうに身を滑りこませ、埃のつもった階段を注意深く降りて行った。もし、そこが暗かったらそんな勇気はおこらなかったろうが、屋根裏の中央に明り窓があって、納戸の中よりは余程明るかったのだ。目の前には、蜘蛛の巣と埃で繭のように覆われた雑多なものが並んでいた。木箱、紙の束、滑車、鉄棒、歯車、機械、行李、釣竿、釣針、網、古時計、セルロイドの人形、その他得体の知れぬガラクタ……。ぼくがまず目をつけたのは立派な鉄製の箱で、錠前が朽ちており、ちょっとこじあけると蓋が開いた。軍帽、短剣、軍服など、祖父が海軍軍医だった頃のものらしいが、布は虫がくってぼろぼろ、短剣は錆びついて引き抜けなかった。箱の底にはノートや手紙が詰っていた。祖父のらしい、豆粒のような文字で黒々と記してあった。何か失敬するものがないかと物色したが、触れれば触れるほど物は粉となって四散するのみだった。ぼくは溜息をつきつつ蓋を閉じ、ノートと手紙だけは将来取り出して読んでみようと心に決めた。

派手な赤や黄のビラが束ねて沢山積んであった。ぼくにも読める文字は〝時田病院〟〝時田利平〟などで、それらは祖父が飛行機からばら撒いた宣伝ビラの余りであった。ずっとあとで解読したところでは「外科内科小児科胃腸科花柳病科レントゲン科歯科――とくに胃潰瘍と肺病と性病に優秀な技術あり　胃洗滌設備サナトリウム完備　院長北里研究所研究員　時田利平」というので、その当時医学博士論文の準備をしていた祖父がもうすぐ取得するはずの医学博士の肩書のない宣伝ビラは無用と仕舞いこんだものらしかった。

セルロイドのキューピーの片腕のもげたのや等身大の人体模型などの陰から骸骨がにゅっと現れたときは本当にびっくりしたが、それは寄木造りにペンキを塗ったもので、一目で贋物と見破れる代物だった。と言っても、それが薄気味悪いことには変りはなく、いきおいぼくの探索は用心深くなり、物陰や薄暗がりに目を配るようになった。

その後、この秘密の倉庫には何度も忍び入ることになり、とくに小学校の高学年になると、遊び道具や工作のちょっとした部品を探しにきた。そのうち、倉庫内のどこに何があるかを大体知悉してしまったので、最初の頃に何をどう発見したか、実はあまりはっきりしないのだ。

ぼくが好んで訪れたのは、機械や器具がごたごたと並べられた一角だった。喇叭形の拡声管を持つ蓄音機やラジオ、沢山の滑車のついた柱、柱時計や砂時計、そして古い医療器具。さすが医者だけのことはあって、この医療器具は数も種類も多かった。こわれた体温計が何本もあって、ぼくはそれらの水銀を集めては持ち帰ったものだった。

ところでこの倉庫は、丁度食堂の真上になっていて、食堂の天井にある高窓は、倉庫の明り取りを兼ね、換気口と見えた窓の四囲の隙間は倉庫と空気が通い合っていた。そのため、食堂の話し声は天井裏に反射して倉庫内に降ってきた。それは声と声とが混ったざわめきだけれども、大きな声だとかなり内容を聞き取れた。散々探しまわったすえに発見したのは、食卓のあたりを見下す節穴で、食堂から見上げると大きな振子時計（近所の酒屋から贈られたもの）の横にポツンとある黒点にすぎなかった。あるとき、例によってガラクタを物色していると、祖母がしきりにぼくの名を呼んでいた。「おかしいね、どこへ行ったか知らないかえ」誰かに尋ねている。節穴から覗くと祖母は菓子折らしいのを持っていた。やがて姿が消え、階段をゆっくりと（体の悪い祖母はゆっくりと階段を登るのが常であった）あがってくる気配だ。大急ぎで納戸に飛んで帰り、そこがぼくの遊び場だと知っている祖母が呼ぶと、「なあに」と何喰わぬ顔で出ていった。

この秘密の倉庫は、炊事場の裏手に入口があったのを拡張工事の際に入口を閉じてしまい、不用品置場だったため、そのまま打ち忘れられてしまったらしい。納戸を通る間道が残されていたが、時田家の住居である二階にあがれるのは限られた人たちだけだったろう。母に尋ねたところ、むろん倉庫の存在を知っていた。「ああ、あそこは埃だらけの場所でね、不潔だから一度しか入ったことはないよ。でも、いいことにはね、あの三畳で勉強していると、食事の匂いがもろに通ってきてね、夕食のお数は何かなんて、すぐわかっちまったものさ」

入院病棟には、「肺病の人がいるからうつる」と母に禁じられていたので足を向けなかったが、外来のあたりには、患者が帰った頃合を見はからって時々行ってみた。消毒薬の臭いのするタイル張りの部屋の、黒い手術台や銀色の器具の光るガラス戸棚のそばで、看護婦たちが、使い古しの、黄色い染みのある繃帯を手回しの巻取機で巻いたり、湯気の立つ箱から鋏やメスなんかをピンセットでつかみ出していた。ぼくは繃帯の巻取りが好きで、よく手伝うという口実で巻取機を回し、長い長い繃帯が小さな円筒におさまるのを嬉しがった。

待合室のまんなかに軍艦が置かれてあった。ガラスケースの中に大事に仕舞われた精巧な模型は、煙突、排気孔、砲塔、船橋、マスト、ボート、錨と、実物そっくりの入念な造りで、水に浮べると三本の煙突から黒煙を吐いて進みそうだった。祖父はこの装甲巡洋艦八雲に軍医として乗り組んで日本海大海戦を闘ったので、この模型こそ病院の表看板であった。八雲の後の壁には、東城鉦太郎画く有名な『三笠艦橋の図』の油彩模写と軍医少監の軍服を着た時田利平院長の写真とが並べて掲げられ、あたかも時田軍医は、東郷司令長官に従う伊地知艦長や秋山参謀と同輩であるかのような感じをあたえていた。

　しかし、白衣姿の祖父にはめったに出遭わず、たまに遭っても忙しげに診察室や手術室に消えるところ、あるいは中林代診や間島婦長をお供に病室に去るところであって、そういうときの祖父は孫など眼中になく眼光炯々として戦陣にのぞむ武将さながらであった。事実、白衣の祖父は厳格な院長で、看護婦の誰かれを怒鳴りつけ、時には患者さえも仮借なく叱りつけるので祖父が姿を見せたとなると、ぼくは立ちすくみ、あわててどこかへ逃げこむのだった。そんな人が、ドライヴのときや外出のときは優しく、ギョロ目で笑ってみせるので、白衣の祖父は、院長になりすました替え玉のように見えるくらいだった。

　待合室の真向いの薬局から、女薬剤師のお久米さんが、ぼくを手招きで呼び入れた。と言って別に構うでなし、天秤で薬を量ったり、乳鉢で薬を混ぜたり、おのが仕事を続けている。仕事が一段落すると白粉を塗りたくった顔を笑いで一杯にして、「さあ」と言う。お久米さん（それが名前なのか姓なのかぼくは知らなかった）は左の頬の痣を隠すためいつも厚化粧していて、そのためかえってぼくは痣に目が行き、それを見て見ぬ振りをしなくてはならなかった。お久米さんが「さあ」と言って出してくれるのは大抵はオブラートで、彼女はこの透明な丸い薄紙に丸い目玉をヨジウムチンキでつけ、掌の熱でくるくると巻いて、小動物が踊り狂うさまを演じて見せる。それから、オブラートに乳糖を包んで〝飴〟を作ってくれる。彼女の手は絶えず動いて子供を飽きさせない。薬包紙の鶴や花、油紙の船、コルクの家と、ありあわせの材料で上手に細工して見せる。とくにコルク栓を剃刀の刃で削った小さな家は、煙突や窓や入口をそなえた細密な作りで、もらった家を並べて、ぼくは街を作って遊んだものだ。

薬局は要の位置にあり、職員も患者もこの前を通らないとどこにも行けなかったから、ここで見張っていれば院内の人々の動静は手に取るようにわかり、事実お久米さんは院内切っての事情通であった。彼女は目の前を通っていく人の品定めを、子供のぼくの理解力におかまいなしに、まるで独り言のようにつぶやいた。「鶴丸さん。年をとったね。すっかり瘠せて猫背で、よぼよぼだねえ。もう先は長くないね」「おや、間島婦長だ。胸なんか、キュンとつきだしちゃってさ、若い子気取りだからねえ。威張りくさって、この病院で一番偉いと思ってるんだから。ちょっと、やっつけてやろうか」事実、時々、彼女は間島婦長と喧嘩腰で言い合い、そのあまりの激しさに驚いているぼくに、あとで、「あんなの喧嘩でもなんでもない。ちょっと、じゃれてみただけよ」と言った。「中林先生、最近、鼻が赤くなってきたねえ。赤っ鼻につける薬がないかなんて、医者のくせに聞きに来るんだから。そんな薬ありゃしないよ。あれは酒飲みのかかる病気なんだ」「岡田の爺さんが行くよ。また建増しかねえ。あの頑固爺さんが勝手気儘に金槌をふるうもんで、この病院は気が狂ったような建物になっちまった。そろそろ死んでくれりゃ、病院も静かになるんだけどねえ」

ほかの職員はぼくにむかって〝坊っちゃん〟とか〝悠ちゃま〟とか呼び掛けるのに、お久米さんだけは、祖母や叔母と同じように、〝悠ちゃん〟と言った。そして、ほかの職員が母を〝奥さま〟と呼ぶのに、彼女だけは〝お嬢さま〟で通していた。つまり自分は母が結婚する以前からの古い知合いだと吹聴し、〝お嬢さまの息子〟であるぼくを馴れ馴れしく〝悠ちゃん〟と呼ぶのであった。

医師であろうが婦長であろうが平気でこきおろすお久米さんも、時田家の人々に対しては口を慎んでいた。もっとも黙過するわけではなく、あれこれの懸念は表明した。「夏江お嬢さまは、おやつれになったねえ。何か心配ごとがおありなんだろうが、言って下さりゃ、このお久米さんが何とかしてあげるのにね」「史郎坊っちゃまが医者をおいやがりになった。これが心配の種なんだ。この病院は後継ぎがいないんだよ。ねえ、悠ちゃん、大きくなったらお医者様になって、この病院を継いでおくれ。そのときはお久米さんのことを忘れないのよ」ところで祖母の病気が重いことを最初にぼくに告げたのは、お久米さんだった。「おお奥さまは随分と弱ってらっしゃる。もしものときは、この病院はどうなるんだろうねえ」「〝もしも〟ってなあに」とぼくが聞き返すと、彼女は、「ああ、もしもだよ。この世の終りだよ」と涙を流した。気性の起伏の激しいお久米さんの涙を見て、ぼくも何だか悲しくなった。

ぼくが入院していたのは十一月中旬から十二月中旬の、まるひと月で、翌年の二月末に祖母は死んでいるから、入院中に会っていた祖母は死の三、四箇月前の人だったわけだ。けれども祖母は、とてもそんな重病人には見えなかった。ふくよかな質のためやつれが目立たなかったせいか、それとも、思いがけず孫たちと一緒に暮せたため元気を取り戻したためか、ともかく祖母は、ぼくらと遊び、その世話をするので生き生きとしていた。

ぼくの傷はすっかり癒えたが、左の額の傷跡は、そこにみみずでも貼り付いているように残った。母は床屋に命じて、前髪を垂らして傷跡を隠すようにした。この傷跡の色は年々褪せてきて、今ではそうと注意しなければ気付かぬほどになったが、長い間、ぼくの容貌上の欠陥となったのだ。けれども、母が心配したように、ぼくはこの傷のことで父を恨みはしなかった。第一に、その瞬間を覚えていないし、三田に滞在した一箇月間が、あまりにも楽しかったので、楽しさの原因を作った傷に感謝の念すらいだいていたからだ。

もう西大久保に帰る直前だったと思う。祖母は、ぼくと駿次を風呂に入れてくれた。ぼくの髪を洗う段になって、ぼくの頭をすぐにも毀れてしまう薄ガラスのように扱いだした。「痛くないかい」「大丈夫かい」とあまり何遍も祖母が問い質すので、ぼくは気を悪くして「大丈夫だよ」と強く答えた。祖母は、やっと安心したらしく、「それだけ元気がよければ大丈夫だろうねえ」と、そろりそろりと洗い出した。そしてシャボンをお湯で流すのも、以前のようにざっと桶を傾けるのではなく、用心しながらほんの少量の湯をかけて、ぼくがじれったくなったほど、ゆっくりとした。つぎの駿次の場合は、右腕の火傷の瘢痕に怖気立った。シャボンを泡立てた手拭を、ちょっと当てて「沁みないかい」「こうやっても平気かい」と聞きながら、小手、二の腕、肩の順に触って行き、やりすぎたと思い返すとあわてて、「あ、これじゃ沁みるね。痛かったろう」と湯でシャボンをすっかり流して、また最初からやり直した。そんなこんなで、祖母はすっかり疲れ果ててしまい、湯船に孫二人をつけると、溜息ともとれる深い息遣いで、「男の子は怪我をするねえ。悠ちゃんも、駿ちゃんも、これからは気をつけるんだよ」としみじみと言った。祖母の顔は孫の将来への思いやりに充ちていて、そのときの言葉をぼくは遺言のように思い起すのだ。ともかく、祖母に風呂に入れてもらったのは、それが最後であった。

　正月になってから雪が何度も降った。朝、女中のなみやが、「雪ですよ」とでも言おうものなら、寒さもものかは飛び起きて外を見る。白一色の冷え切った景色である。建仁寺垣の柱の上にできた丸い帽子、重く垂れた木々の枝、様変りしてしまった屋根、そして交通の跡絶えた大通りから漂ってくる静寂、何もかもがきのうとは違って珍らかである。朝食もそこそこに外へ出て、雪掻きをするなみやの後を追う。目当ては掻き集められた雪で、みんなで雪合戦、そしてお定まりの雪達磨である。こういうとき、なみやは子供たちにとって恰好の遊び相手で、門までの道をつけてしまうと、待ちかねたようにぼくらと一緒になって騒ぎ、あまりにはしゃいでは母からきつく叱責されるのだった。

　ときやが去って、しばらくしてなみやが来た。ときやが、母より年上で、したがってぼくにとって随分のおばさんであったのに、なみやは、まだほんの小娘で、おねえさんという感じであった。それに、陽気で活潑で、子供たちとお喋りし、一緒に笑い、むきになって駆けっこなどをし、ときには喧嘩さえした。ぼくが覚えているのは、幼稚園に鼻紙を持って行くのを忘れ、仕方なしにハンカチで洟をかんだところ、洗濯するのが大変だからやめてくれと文句を言い、ぼくが「ときやは洗ってくれたよ」と答えると、「わたしはなみやなんだからね」と歯軋りして怒り、その形相にひるんだぼくが泣くと、むこうも泣き、二人して泣き叫んだので母をすっかり驚かせてしまったことである。

ある大雪の日、なみやは吹き溜りの雪を集めて〝おうち〟を作ってくれた。高さ一メートルほどの壁で囲った上に、板を渡して屋根としただけの物だったが、ぼくらには立派な家に見え、かわるがわる中にしゃがみこんでは、〝家に住む〟感じを楽しんでいた。そこへ母が呼びに来た。「みんな、すぐ三田へ行くのよ。おばあちゃまがキトクなの」キトクという言葉は知らなかったが、母の顔付きでただならぬ事態が生じたことは察しられた。単純に三田行きを嬉しがっている弟たちを、母は、「おばあちゃまが死にそうなのよ」と憂い顔で抑えた。途端になみやが、「ヒャー」と大声を出し、母がぎくりと振り返ると、大粒の涙を噴き出して泣いていた。おはじきのような粒がころころと頰を伝わり落ちるのがめざましく、女の涙とはすごいものだとぼくは魂消ていた。

急いでいたためタクシーで行こうとしたのが間違いで、吹き曝しの中で長い間待たねばならず、歯の根の合わぬほどの寒さであった。母に命じられて、ぼくは車道に出て車が来ると手を伸ばしたが、繃帯を巻いた霜焼の手が痛み、そのうえ、霙が首筋からどしどし流れこんで凍える思いだった。ぼくが弱音を吐かなかったのは、母のきびしい表情に気圧されたためだった。

やっとつかまえた車の中は暖く、ぼくと駿次は補助席にひざまずいて街の夜景に目を凝らした。暗闇から忽然と大勢の兵隊が現れ、おびただしい剣付き鉄砲が柵のように前を鎖す、それではと引き返すと、また前方に兵隊が幾重もの黒い波となって襲い掛ってくる、どこへ行っても武装した兵隊の群にはばまれる、そんな感じだった。「怖いわね」と母が言った。「あの兵隊さん、怖い人」とぼくは尋ねた。母は答えず、窓ガラスに額をつけて熱心に外を見ていた。ぼくも真似をすると霙がガラスに砕け、兵隊たちの姿が融けたようになった。彼らが幽霊になったような恐怖でぼくはのけぞった。家の前の大通りで、いつも見慣れている兵隊が、このときは死神の集団と見え、〝銃殺〟という言葉が夜の中に鎌のように光っていた。本当か嘘か知らないが、軍隊の行進を横切ると銃殺されると常々晋助は言っていた。車が向きを変えて、兵隊たちから遠のいたとき、母が、「ああ、よかった」と胸を撫で下したので、やっとぼくもほっとした。

祖母はお居間で目を閉じていた。人々が泣いているので、てっきりもう死んだのだと思ったが、眠っているだけだった。鶴丸看護婦が、「むこうへ行きましょう」とぼくら子供たちを広間に誘った。史郎叔父、風間の大叔父や大叔母、それに松子、梅子、桜子の三姉妹がいた。松子と梅子は顔がそっくりの双子で、唇の左に黒子のあるほうが松子だと母に教わったのだが、どうかすると、黒子のあるのが梅子だったような気がして、ぼくはまごつくのだった。それが面白いと、梅子など、わざと眉墨で付黒子してぼくをからかった。たしか、その日もそうで、ぼくは松子と梅子の当てっこをした。末っ子の桜子がトランプをしようと言ったが、松子か梅子が、「こんな場合に遊んでいては申し訳ないでしょう」と止めた。トランプがしたかったぼくは、ちょっと残念で、桜子と目くばせし合った。風間の姉妹とは夏の葉山や風間邸の新年宴会で会うだけだったが、それだけに会うたびに年齢による成長をはっきり見分けえた。長姉の百合子はつい最近、脇敬助と結婚して、ここにはいないが、正月に会ったときはすでに結婚した若奥様のような振舞いを示していた。松子と梅子は、夏江叔母と女学校の同級生である以上、当然、夏江叔母が最近身につけていた、娘が大人への変り目に見せる、すこしぎこちない仕種や、一見不機嫌とも見えるすました態度をとり、一方桜子は、まだほっそりした小娘の体形ながら姉たちに負けまいと、妙に背伸びした生意気な発言をし、それが愛敬があって周囲を笑わせ、本人もその効果を意識してますますそうするのだった。「ねえ、おばあちゃま、どうなすってた」と桜子がぼくに尋ねた。「寝てた。でも、死んでるみたい」「まあ」と桜子は、ぼくをたしなめるようにかぶりを振った。「そんなふうに言っちゃ駄目」「おばあちゃま、死んじゃうの」「まだわからないのよ」と桜子は、しかつめらしく言い、「お元気になっていただかなきゃ大変。まだそんなお年じゃないんだもの。ああ、伯母さま、死んじゃ、いやいやいやいや」と大声を立て、今度は「しっ」と姉たちから制せられていた。

出たり入ったり、忙しげにしていた史郎叔父が一同を呼びに来た。母を先頭にぼくら兄弟、そして風間家の人々が続いた。母がぼくと駿次にささやいた。「いよいよ、おばあちゃまとお別れよ。よーく、おばあちゃまを見ておきなさい。そして、お大事に、早くよくなってね、と言うのよ」

祖母は目を開いていた。母は何か言おうとしたが涙に咽び、結局言葉にはならず、かえって祖母のほうが明瞭な発音で話していた。自分は遠い所に旅に出る、さようならと言ったと思う。ぼくと駿次は期せずして「おばあちゃま、さようなら」と言った。こんなに元気な祖母が死ぬとはどうしても信じられず、きっとあすには病気が軽くなるような気がした。が、それが祖母と言葉を交した最後だったのだ。翌日の早朝、母に揺り起されたとき、祖母はもう死んだあとだった。母は白布を取って死顔を見せてくれた。今にも話し始めるように唇は赤く艶(つや)やかで、ふっくらとした頬は頬笑むように目に引き寄せられていた。それが死化粧の効果だと知らぬぼくは、「おばあちゃま、起きなさいよ」と思わず言ってしまい、母の新たな涙を誘った。

　お通夜(つや)から葬式へと進行した、あわただしい出来事はあまり覚えていない。知らない大人たちが、まるで病院が破裂してしまいそうなほどぎっしりと集り、芝の増上寺での葬式ではあの大寺にも入りきれぬ人々が長い行列を組んで待っていたことを、祖父の威勢のせいもあったとは思いつかず、祖母の人徳のみのせいだと信じて感心していた。母が人々の接待にかまけていたため、鶴丸看護婦や夏江叔母などがぼくらの面倒を見てくれた。それにつけても思い出すのは、秋葉いとという女性が、にわかにぼくに対して親しげに近付いてきたことである。

　秋葉いとをぼくが知ったのは祖父の武蔵新田(むさしにった)の別荘においてであった。当初、いとを留守番の女、地味な着物(今から考えればモンペだったらしい)を着て、真っ黒になって畑仕事をし、掃除洗濯風呂沸かし食事の世話、一切を一人で切り盛りする働き者、ぼくを〝坊っちゃま〟と、祖母を〝おお奥さま〟と尊敬をこめて呼ぶ女中だと思っていた。しかし、いつのころからか、いとが元看護婦で、祖父の博士論文の研究を手伝い、なかなかの勉強家で物知りだと知るようになった。ある晩、祖父が私設の天文台で、ぼくに星空を見せてくれたとき、いとは望遠鏡を赤道儀の操作で正確に動かしたばかりか、祖父に適切な指示さえあたえていた。天文学にも詳しく、膨張する宇宙や何千万光年むこうの星雲や巨大星についての祖父の話の誤り——とくに数値の記憶間違い——をただしていた。いとのことを、ぼくは祖父を真似て、〝いとや〟と呼んでいたのが、段々に〝おいとさん〟という呼称を用いるようになったのは、彼女の学識に敬意をおぼえたからである。

もっとも、いとはぼくを、以前と同じように〝坊っちゃま〟と呼び、一種の冷やかな礼儀正しさで接するのであった。お八つのときにお菓子を出してくれても、「はい、どうぞ」と言うだけで、祖母のように、これは銀座のどこぞの店で買ったと自慢し、このつぎはあの店のあれにしようと話し続け、熱い紅茶をふうふう吹いてさましてくれたりする〝伴奏〟がまるでなかったし、まして一緒に遊んでくれることもなかった。たまに、三田にも来て、廊下でばったり遭ったりすると、まるで他人行儀に、深々と頭をさげて通り過ぎるので、ぼくは呆気(あっけ)にとられるのだった。

そのいとが、突然、ぼくに全く違った態度で接してきたのは祖母が死んだ夜のことであった。通称を〝花壇〟という院内の大広間で大人たちが酒盛りをしていた。駿次と研三は隅(すみ)っこの座蒲団(ざぶとん)の上で眠ってしまったが、ぼくは思いがけず自分を取り巻いた変動に興奮して目が冴(さ)えてしまった。相変らず母は遠くにいたし、夏江叔母も鶴丸も客の世話でてんてこまい、風間姉妹のそばにいたが姉妹は子供に通じぬ話に熱中し、ぼくは置いてきぼりをくって退屈してしまった。そこで、勝手知った院内を、独り、あちらこちらと歩き回った。〝花壇〟の付近の病室は何か催しものがあると患者を移動させて、携帯品置場や控室とされる。〝花壇〟に並べてあった鉢植(はちうえ)を運びこんだ部屋もある。禁断の病棟へ入っても今晩は誰からも咎(とが)められない。寝巻姿の患者たちがベッドにおのがむきむきの姿態でいる。地位も年齢もさまざまな人々が病人という定義のもとに集められている様子、みんなが祖父の支配下に従順に服している感じがぼくには快く、まるで王国を視察する間諜(かんちょう)になったような気分で、見て回った。奥へ奥へと、廊下や階段を進む。病室かと思うとリネン倉庫、先があると思うと行き止り、迷路を何とか通り抜けたと思うと元の場所に戻っている。いくら迷っても病院の中だから何とかなるという安心も手伝って、次第に大胆になり、とある薄暗い階段をのぼっていくと屋上に出た。木造の一軒屋から明りが洩(も)れている。急に怖くなって引き返しかかると女の人が「だあれ」と言って外へ出てきた。秋葉いとだった。

「なあんだ悠ちゃんか。そんな寒いとこに立ってないでお入りなさい」と、ついぞぼくには示さなかった親密な笑いをこぼれんばかりに浮べている。それまでの〝坊っちゃま〟が急に〝悠ちゃん〟になったのにも、ちょっと薄気味悪い思いもしたけれど、知らぬ人ではなし、言われるままに中に入った。試験管やビーカーがテーブルに連なり、ガラス戸棚(とだな)には銀色の器具が詰っている。壁に渡した紐(ひも)には、ネガフィルムが沢山つるされていた。「これなあに」とぼくは得体の知れぬ物が写っているフィルムを見上げた。「鼠(ねずみ)よ。鼠の歯」「歯をどうするの」この頃、乳歯が時々抜けるぼくは興味をもって、フィルムを見たが、どれが歯なのかわからない。「それね、レントゲン写真。こちらは顕微鏡……」いとは解説を始めたが事柄がぼくの理解力を越えていると気付くと、すぐやさしく言い直した。「みんなね、おじいちゃまのハカセの研究。ほら、この前、ハカセのお祝いの会があったでしょう。あの研究ね、みんなこのおいとさんがやったのよ」「ほんとう……」ぼくは目を輝かした。祖父の博士号取得が大変な盛事であることは子供心にも納得された。三日前の祝賀会も多人数が、大鏡なんていうお相撲さんまでが集ってお祝いしたし、何よりも当の祖父が博士博士と得意満面で、ぼくなんかにまで写真入りの新聞記事を見せびらかした。「そりゃね」といとは急いで訂正した。「研究をなさったのは、おじいちゃまよ。このおいとさんが一番沢山お手伝いしたわけ。この写真だって、わたしが撮ってね、現像したの」

　いとはストーブに石炭をくべ、火搔き棒で一時に火を燃え立たせた。何だかやけっぱちな勢いがゴーと振動するストーブ全体から立ちのぼり、横顔を赤鬼のように照らしだした。

「むこうじゃ、大人たちがお酒飲んで騒いでるんだろうね。おばあちゃまが亡くなられたのにお酒のむ。ひどいよねえ。そして子供なんか、ほったらかし。可哀相だねえ」

　いとの発言が独り言のようだったので、ぼくは黙っていた。すると「悠ちゃん」と話し掛けられた。「中村屋のスイートポテトがあるんだよ。おばあちゃまの代りに買っておいた」いとは皿の上にスイートポテトを出した。御馳走で腹が一杯だったけれど、食べないといけないような先方の気魄に押されて食べた。いとは紅茶をいれてくれた。匙の上に角砂糖をのせて融かす手付、熱いのを一匙すくっては吹いてさます方法、すべてが祖母とそっくりだったのでぼくはすっかり感心して、「へえ、おばあちゃまみたい」と言った。するといとは、「わたし、おばあちゃまだもん」と、祖母がよくやったように、ぼくの顎を人差指の先でピンとはねた。いとが将来祖父と結婚して、ぼくのおばあちゃまになることを、むろんぼくは予測できなかったけれども、今までと全然違って、ぼくに親しげに接してきた彼女の変化にびっくりし、今でもそのときのいとの言動をありありと思い出すのだ。

　祖母の火葬のときの情景も、そこだけがぽっと照らし出されたように浮びあがってくる。お棺が炉に滑りこみ、黒いピカピカの鉄扉が閉じられたとき、人々が一斉に泣きだした。とくに母が、「熱いでしょうねえ。熱いでしょうねえ」と大声をあげて夏江叔母と抱きあって慟哭するさまがぼくの心を打った。そのように悲傷をあからさまに表す母の姿を美しいと思った。祖母の骨は、体全体の形を崩さずにいた。頭蓋骨も脊柱も両の脚も、あるべきところに行儀よく並んでいた。それを見た母は、「ああ、おかあさま。まあ、こんなにきちんとなさって、おかあさま」と叫んで、今度はもう立っていられなくなって泣き沈んだ。風間の四姉妹が母を助け起した。ぼくは史郎叔父と一緒に、初めて人間の骨を箸でつまんだ。人は死ねば骨になる、自分もいつかはこうなるという思いがぼくの胸を一杯にした。その後多くの近親の死に遭ってきたが、この祖母の死が、最初で、もっとも印象深い、人間の死であった。

　祖母の位牌のため、祖父は、自分の居間に仏壇を置いた。それを買うとき、ぼくは史郎叔父と一緒に浅草までついて行った。大小の仏壇を見較べているうち祖父の目は、段々に大きく立派なもの、金色燦然と荘厳された派手なものに移っていく。すると史郎叔父が、「こんな大きなものは部屋に入りませんよ」と反対する。祖父は叔父の声を上まわる声で、「なあに、入らなきゃ、入るように改築すればええんじゃ。これがいい。このくらいのものでないと、医学博士夫人らしゅうないわ」と言い張る。二人は何度も押し問答したが、結局祖父の言い分が通り、かなり大きな、子供の目には家みたいに見える仏壇に決った。そして、それを置くため居間の壁をぶち抜いて隣の部屋を削る普請を大工の岡田にやらせたのである。

4

祖母の死からしばらくして、大久保小学校の一年生となった。男の子だけのクラスだった。ぼくは背が高いほうで後から三番目の席だった。幼稚園で一緒だったテツオがぼくの左隣にいた。ほかの子は初めての顔ばかりだった。担任は吉野先生で、髪の毛がブラシの毛のように立ち、何だか変に角張った面立ちをしていた。

幼稚園で集団に馴れていたせいか、ぼくは大勢の子供たちといるのが苦にはならなかった。むしろ、いろいろな家庭の子が集っているのが面白かった。

ぼくの後に、柳川という子がいた。顔色の悪い子で、青洟の二本棒を垂らし、のべつに鼻水をすすっていた。授業中はひっそりとしていたが、休み時間になるとそれを待ちかねていたように話し掛けてき、ぼくの顔を覚えている、幼稚園に通っていたろうと言った。聞くと、彼は幼稚園の正門前の洋服屋の子で、店から門を出入りする園児を毎日観察していたという。するとテツオ、松山哲雄も見知っていたろうに、なぜだか彼にはそっぽを向いて、ぼくばかりを相手にした。洋服屋の息子だけあって、小学生には珍しい羅紗地の洋服をりゅうと着こなしていたくせに、垂れた洟を決してかもうとせず、いよいよ鼻汁が口まで流れてくると、親指で鼻孔を押え、鼻汁を床に飛ばし、それは狙った方向へと正確に飛んで行った。ぼくが感心して見せると、彼はしんから嬉しげに笑った。痩せて皺くちゃな感じの顔が、笑うと猿そっくりになった。

彼は、前田侯爵邸に忍び入った話をした。奥には海のような池があり船が浮んでいて、美しいお姫様が乗っている、橋なんか黄金でできているという。ぼくはこの話をすっかり信じてしまい、〝前田様〟の屋敷が、絵本に出てくる大名の城みたいに思え、侍女を大勢従えたお姫様が遊ぶ様子を思い描いた。もっとも柳川は、空想にふけっているぼくを莫迦にした風に、「お殿さまなんて、くだらねえ。金なんか、いくらあったって、退屈なだけだ」と言った。「どうしてさ。お金があれば、何でも好きなことができらあ」とぼくは反論した。しかし、柳川は、「金があっても面白いことってのは買えねえんだ」ときっぱりと言った。およそ子供らしからぬ発言にぼくは、気圧されて黙った。実は言葉の意味がわからなかったのだ。

ある日、柳川は欠席した。一週間しても現れないので病気かと思っていたら、吉野先生から、「みなさんのお友達、柳川君が亡くなりました」と告げられた。ぼくは心臓をぎゅっと摑まれたような気分だった。すでに祖母の死を見て、人は年老いれば死ぬものと知った。しかし、子供の自分が死をむかえるのは遠い遠い将来で、したがって安心していた。それが不意に、子供でも死ぬと思い知らされたのだ。自分が明日にでも死ぬという考えがぼくを打ちのめした。しばらくの間、ぼくは後の席を振り向くのさえ恐かった。柳川がいなくなった席に、蒼白い、猿の顔をした亡霊が坐っているような気がした。

春の運動会のときだったと思う。校庭を一周する競走がおこなわれた。アスファルトで舗装された校庭は随分広く、走っているうちぼくは息切れして歩き出した。一等になったのは愛知という一番小さな子だった。駆けっこを得意としていたはずの松山哲雄は、ほかの子にどしどし抜かれ、十等ぐらいにしかなれず、すっかり気落ちしていた。

愛知は、どこかでおこなわれる小学生大会の代表選手にえらばれ、毎日放課後、上級生に混って走った。まるで幼稚園児のような子が、大柄な子を引き離して飛んで行く不思議な光景を見て、人の運動能力は、体格の大小に関係ないものだと知った。陽のあたる明るい中を、颯爽と走っていく愛知の姿を、ぼくは今もはっきりと思い出す。彼と言葉を交したことはない。そのうち、一年生の終り頃、彼は他の小学校に転校していき、その後二度と会う機会はなかった。

谷という子は、いつも薄汚れた継ぎ接ぎだらけの上着とズボンを着ていた。愛知の横、つまり、小さい子が坐る前方の席にいたが、後頭部に大きな白癬があって、短く刈り上げた髪の中に白い斑点が鹿の尻のように目立った。時々、痒い頭を掻くと白い鱗粉が散るのが、ぼくの席からも見えた。勉強はまるでできない。先生のほうもあきらめているのか当てようともしない。

この子は、遊びのときも味噌っ滓で、一応ジャンケンには加わるものの、遊戯もボール投げもできず、みんなの遊ぶ様子をぼんやりと眺めていた。そんなとき、不断でも笑っているように見える細い目が一層細く、眠っているかのようだった。誰かに足払いで倒されても、わざとボールをぶつけられても、反応がない。まるで人形のように倒れたり、じっとしているのみで、いたずらっ子のほうも張り合いがなく、彼を構うのをやめてしまうのだった。

ある日のことだ。吉野先生が、宿題のノートを机上に出すように言った。教科書の片仮名の文章をノートに写すだけの簡単な宿題だったが、忘れた者が十人ほどいて、谷もその一人だった。「忘れた者は廊下に立て」と先生が命令した。すると、いきなり谷が逃げ出したのだ。不断の薄のろな動作からは考えられぬ素早さで、はだしのまま外に駆け出、校庭を横切っていく。「愛知、追いかけろ」と先生の言い付けで、競走選手が追った。が、どうやら谷のほうが速く、やがて玄関から見えなくなった。結局、愛知は途中で相手を見失い、汗みずくで息を切らして帰ってきた。翌日、谷は、また笑っているような細い目をして、前日の出来事などすっかり忘れたように、平気で席に坐っていた。もう彼が宿題をやってこなくても、先生は何も言わなくなった。

その頃、一家は新しい家に引越した。それまでの庭を半分に区切って建てた新屋は、部屋数が多くだだっぴろい旧屋にくらべると、必要最小限の部屋を備えた小体な二階屋で、掃除や子供の世話や客の接待のしやすい機能的な作りであった。台所と居間のあいだは近いし、何よりも子供部屋がコルク張りで、男の子が乱暴に動きまわっても叱られないのがぼくには嬉しかった。部屋の隅の机にむかい、腰掛けて勉強するようになった。玄関脇にあったため、友達が来て「小暮君、あそびましょ」と呼べば中からすぐ聞えた。

　最初のうちよく遊びに来たのは、幼稚園での付合いもあって、松山哲雄であった。彼もぼくも、母親から片仮名のほか平仮名を習っていたため、漫画や物語や絵本が読めた。友達が来ると弟たちは部屋から締め出され、二人は心おきなく本に向えた。本好きの母は、ぼくに本だけはふんだんに買ってくれていたので、松山は宝の山に来たような思いがするらしく、来るとすぐ書棚に手を出した。もっとも彼も負けていず、二冊三冊と脇にかかえて持ってきたから、二人が読むものに事欠くことはなかった。どうかすると松山は、本だけを相手にして、来てから帰るまでほんの一言二言しか口を開かず、母は、「何て無口なお友達なんだろうねえ」と驚いていた。お八つになると紅茶と菓子、大抵は卵パンという楕円形のビスケットが運ばれてくる。松山は、「いただきます」「ごちそうさまでした」と丁寧に頭をさげるので、母は「いい所のお坊っちゃんなんだねえ」と感心し、「お前もよそさまに行ったら、ああいう風にご挨拶するのよ」とぼくに言い含めるのだった。

　が、段々と来る子が増えて、みんなで遊ぶようになると松山の腕白振りが露呈してきた。二階の屋根の上にあがって富士山を眺めたり、唐楓の梢までのぼったり、ほかの子が後込みする行為を彼は平気でやり、ぼくが負けずに真似しようとするものだから、母は気苦労のし通しだった。ある日など、軒端から庭の芝生に松山が飛びおりてみせ、誰も続こうとしないので、ぼくが進み出た。芝生は遥か下にあって、落下の恐怖が胸を締めつけた。松山は、下で「やあい、出来ないじゃねえか」とはやし立てた。ぼくが、ようやく決心して進み出た瞬間、母に気付かれた。「悠太……」と悲鳴に近い叫びとともにぼくは飛びおりていた。膝頭で胸を強打し、頭がもげそうに芝生に倒れこみ、ちょっと気が遠くなった。気がついてみると縁側に横になったぼくの頭を母が濡れ手拭で冷していて、腹立ちまぎれに松山に何か激しい言葉を浴びせていた。松山は泣きながら帰っていき、ほかの子もこそこそと姿を消した。母は、なおもぼくに向って、「あんな乱暴な子と付き合っちゃ駄目。お前は、頭を怪我してるんだからね、もう一度ひどく打ったら脳が毀れちゃうのよ」と叱りつけた。よほど母が怖かったのか、松山もほかの子も、しばらくの間、遊びに来ようとはしなかった。

ぼくは大の頭痛持ちだった。いつの頃からかはわからないけれども、発作が始まるたんびに、母が、「やっぱり、あのせいだね」とか、「ほんとうに可哀相なことをしたね」とつぶやくので、頭痛は例の事件が原因で発生するものと思いこんでしまい、あまり痛みがひどいと頭蓋骨の変形部分から脳がバターのように流れ出す恐怖にとらえられた。それかあらぬか、額のへこんだあたりがズキズキと疼き始め、骨の内側から脳の芯へと針を突っこまれたように痛むのだ。そうなると、額から胸のあたりを汗が生温い膜のようにべったりと覆い、何もできず、横になって喘ぐのみとなる。学校でおきた場合は、先生に断って洗面所へ行き、水道の水で額を冷すとすこし気持よくなるが、もう先生の声も耳に入らず、机に突っ伏している。家であれば母があわてて蒲団をのべ、濡れ手拭を額にのせてくれる。半日も寝ていると頭痛が去るのが常だが、天気の悪い日（どうやら湿度とこの偏頭痛とは密接な関係にあるらしいのだ）などは長びいて、一晩過ぎた翌朝もまだ鈍い痛みが残り、重い石でも頭に入ったようで、何を考えるのも億劫だった。そんなとき、ぼくが「頭がグシャグシャになっちゃった」と表現すると母の懸念は一層つのるので、母に看病してもらいたさに殊更にそう言えば、母はおのれ一人では持ち堪えられず、三田の祖父に電話を掛けて指示を仰いだ。としても、祖父の治療方針は、子供に鎮痛剤は毒だから、ただただ冷すべしと言うので、母は祖父のお墨付きの濡れ手拭を、今まで以上にもったいぶった手付でぼくの額にのせるのだった。

父が世界一周旅行に出発したのは、梅雨明けの近い頃で、曇って蒸し暑く、例によってぼくは頭痛に苦しんでいた。東京駅のプラットホームには大勢の見送りがあった。父にむかって、「おとうさん、お土産買ってきてね」と母に言われた通り言い、「お元気でね、さようなら」と言ったあと、吐き気をもよおし、夏江叔母にかかえられてベンチに行き、何度ももどした。水道の水は見送りの人々の真ん中にあったので、恥かしくてそこまで行けなかった。汽車が動き出す直前、叔母はぼくの手を引いて車窓の近くに連れていってくれた。

父は子供部屋の壁一杯に世界地図を貼って旅程を赤線で書き入れて行った。毎日、父の居場所にピンを刺すのがぼくの日課になった。神戸港から船で大連に行き、鉄道でシベリアを横断してヨーロッパ、英国から船で大西洋を渡ってアメリカ、太平洋を航海して横浜という世界一周の旅だ。七月中旬に出立し、十一月中旬に帰国する予定だった。有難いことに欧米の都市の名は片仮名ですぐ読め、どの都市がどこにあるかを、そして父の旅程を、ぼくは覚えてしまい、母が「おとうさんは今どのあたりかしら」と問えば、たちどころに答えられた。もっとも、その都市がどんな所かは知らず、名前の響き工合で勝手な想像をしていたので、たとえばベルリンは電話のベルがリンリンリン鳴るようなうるさい町、パリはパリパリとした家々が並ぶ活気のある町と思っていた。

まだ見ぬ異国、大きくなったら行ってみたい国々、日本語以外の言語を話す人々、途轍もなく巨大な森、海のような砂漠……ぼくは地図の上に現れてくる世界を、自分であれこれ変形し修飾し合成しては楽しんだ。子供部屋が全世界を含んでいる、その狭い空間の中に広大な世界各国が凝縮されている、この感じは、地図を見ていると、まるで顕微鏡の倍率をぐんぐんあげていくように、ある国、ある都市や河や山が紙の上に現れ、さらに街や通り、河岸や船、絶壁や森が現れてくる経験から来ていた。ぼくが、ながいあいだじっと地図を見詰めているものだから、母が心配して、「どうしたの、何か染みでもついているの」と尋ね、ぼくは、「ここんとこに山があるでしょ。これ富士山よりも高くって氷が張ってるの。それが見えるんだよ」と答える。母は、「そうかしら。ああ、山の高さが書いてあるね」と言ってにっこりするが、ぼくが見ていたのは紙の一部の起伏が山そのものだったので、つまり母はぼくが〝ぐんぐん拡大する感覚〟をたのしんでいるとは知らないのだった。

時々晋助が来て、地図の前で国々の解説をした。「パリか。美しい街さ。セーヌ河が流れていて、両側に石の家々がびっしりと建っている。東京のような木造の家なんてパリには無い」「どうして、木が無いの」「木はあるさ。でも、木よりも石が多いんだろうね」晋助はパりの写真帳を持ってきてくれ、年少の従弟を教育しようと宮殿や教会堂や大通りを熱心に解説する。ぼくのパリパリした家々のパリは崩壊し、写真の冷ややかで静止したパリが何だか味気なく心に巣くう。しかし、晋助は、たしかに、ぼくの無知を啓蒙はしてくれたので、「見てごらん。世界で一番広い国はイギリスだ。あっちこっち世界中に領土があるだろう。二番目がロシアだ。そのつぎがフランスだ。この三つの国は他国を侵略して植民地にしたおかげで大きい。日本はちっぽけな国さ」「でも朝鮮と台湾持ってるじゃない」「いやいや、朝鮮は朝鮮に、台湾はシナに返さなくちゃならない。植民地なんて、今に時代遅れで無くなるものさ」「イギリスやフランスのも……」「多分ね」晋助は頷き他言をはばかる様子で言った。「日本が朝鮮と台湾を返すなんて誰にも言っちゃ駄目だよ。そんなこと言ったら怖いお巡りさんにつかまるよ」いつも快活な晋助が、この瞬間だけは、暗い顔付きになった。誰にも言うなと言われたのに、ぼくは祖父にそれを言ってしまった。「そんな莫迦なことはない。日本はな、朝鮮、台湾、樺太だけじゃなく、満洲だって持ってる。領土はどんどん増える。今に支那だって、オーストラリアだって日本の領土になるんじゃ」祖父は気焔をあげて、世界一の大日本帝国こそ、日本の目差す道だと言った。

ところで、父は世界一周のあいだ沢山の天然色の八ミリ映画を撮っていて、帰国後、例によって自分の編集による十数巻の旅行記録を作り、家族の前で繰り返し上映して見せたので、ぼくは旅の情景を詳しく知っている。とくにベルリン・オリンピックにおける日本選手の活躍ぶりは、八百メートル継泳の日本チーム、二百メートル平泳ぎの前畑選手、三段跳の田島選手などの、決定的瞬間をのがさずとらえている。各地の名所旧蹟も網羅してあり、同行した会社の山名課長の手を借りて、自分の姿を要所で写し込んでいた。逆に言えば、父が自分の姿を写したところは最重要な観光地ということになり、こうしてぼくは、ポツダムのサン・スーシー宮殿、ヴェニスのサン・マルコ寺院、フィレンツェのメディチ邸、パリのルーヴル宮や凱旋門を、旅の要所として記憶したのだ。ただ、父の目は、名所旧蹟以外には向かず、街、民衆、名もなき民家などはほとんど写さなかった。例外はニューヨークのネオンサインで、その複雑で動きの多い広告灯にはすっかり感嘆したらしく、ビルの屋上や街角や地下鉄の駅まで、赤ゲット丸出しで撮りまくっていた。

　横浜港に父を迎えに行ったことはうっすらと覚えている。父は、ひどく日焼けして肥って、別人のように見えた。父が買ってきてくれたお土産にぼくは夢中になった。ドイツ製の精巧なトラックは、運転席のハンドルを回すとタイヤが動くし、ハンドルの脇のボタンを押すと荷台がゆっくりと上り、もう一度押すとゆっくりと下り、ヘッドライトも点り、電池でエンジンが本物そっくりの音をたてて回転した。このトラックの前では、祖父の買ってくれた消防ポンプ自動車も粗雑な代物に過ぎなかった。同じくドイツ製の石の積木（〝積石〟では拷問道具みたいだからこう言っておく）は、大小の積木の大きさが精確で数多く積み重ねても、きっかりと端が揃った。石積建築とは石の重みだけを利用して高層の建物を出現させる技法だが、その初歩を、ぼくはこの石の積木で学んだ。楔形の石を用いて大小いろいろのアーチを何の接着剤も釘も用いずに作りあげてみたとき、ヨーロッパの伝統技術（重力を利用して重い物を積み重ねて重量感のある物を作り出す堅固な技術）を把握できた喜びを覚えていた。ともかく、トラックと石の積木は、子供時代を通じてぼくの最高の玩具となった。

父が帰国した日、正確に言えば翌早朝に、妹の央子が生れ、横浜まで遠出して父を出迎えた身重な母が埠頭で産気づいたというのは、あとで聞いた話なので、ぼくには二つは相互に無関係な出来事のように思い浮べられる。とにかく、突然、妹が天から降ってきた、そんな感じなのだ。弟たちと違うのは、妹の赤ん坊のときから思い起すことができることで、きょうだいの年齢というものは、すこし離れていたほうが面白いのかも知れない。ぼくにとっては生れたての赤ん坊を間近に見、触るのが初めての経験で、妹を見るのが珍しくてならなかった。

それに女の子の体がおかしい。とくに、局所におちんちんが無く、跡は平らですべすべした割れ目だけなのにびっくりした。おむつを取り替えるとき、ぼくは妹の顔付きや手足の動きを見る振りをして、こっそりと股のあたりを観察する。央子が眠る、欠伸をする、乳を吸う、「オクーン」「ウーン」と声を立てる、そして笑う、それが面白くて、いつまでも見ている。音に敏感な子で、そっと近付いてもぴくっと肩をあげるし、襖の閉まる音などで泣き出してしまう。童謡のレコードを掛けてやると、じっといつまでも聞き入っているので、レコード好きのぼくは、わざわざ妹のそばへポータブルを運んで掛けてやる。いつしか、レコードによる子守を母から言い付けられるようになった。

娘の誕生を何よりも喜んだのは父だったかも知れない。母に聞いたのだが、父は男の子三人にいささかうんざりしていて、研三が生れたときなどスキー場から戻ろうともしなかったそうだから、央子こそは待望の子であった。央子の二皮目のぱっちりした目は母親似だが、肌の白さや顔かたちは父親に生き写しだというのが父の自慢で、そのことを誰彼かまわず言いふらすのであった。桃の節句には、浅草橋で八段の雛人形を買って、座敷の床の間から外へと溢れるように飾りつけた。長持、挟箱、鏡台などの調度が入念な細工なのも、御駕籠や御所車が内部まで本物そっくりなのも、ぼくら子供たちを讃嘆させたが、父がとくに指差して見せたのは内裏雛の顔で、女雛は央子にちょっと似通って愛らしいのだった。初節句とあって、大勢の人々を招いて祝いの宴を張ったが、そもそも自宅での招客を嫌い、麻雀友達以外は人を呼んだことのない父にしては、破天荒の催しであった。父の客嫌いは、本人によれば下戸のためだが、母に言わせると締り屋のせいなので、それが証拠に人から呼ばれた宴席には喜んで出向き、なかでも時田病院や風間邸での新年宴会などは欠かしたことがないのだった。春先の庭を見渡す座敷には、雛人形を中心に、央子を抱いた母を囲むように親戚一同が居並んだ。しかし百合子と結婚して所属聯隊が渡満中の脇敬助はおらず、中林医師と結婚した夏江叔母は夫を同伴せず、秋葉いとと再婚した祖父は新婦を連れて来ず、何だかチグハグな集りだったし、宴果てて後、父が得意満面と披露した世界一周の八ミリ映画はあまりにも単調で、出席者を退屈させるだけだったと、後年母は語った。

祖母の死に引き続き、引越し、入学、父の世界一周旅行、央子の誕生とめざましい出来事がひしめいて、夏江叔母の結婚も祖父の再婚も、印象がかすんでいた。三田へはときどき行きはしたが、祖父の新夫人いとを母が嫌悪していたため、お居間のある二階にもあがらず、夏江叔母の新居で母と叔母がひっそり話をするそばで遊ぶだけでは、ぼくら子供は手持無沙汰で、結局、「もう帰ろうよ」と言い出す始末だった。しかし、新しく祖母となったいとは、ぼくらが来たことを、どこからか嗅ぎつけて、子供が遊びに出そうな場所、軍艦八雲の模型のあたりとか、お久米さんの薬局とか、祖父の居住区へあがる階段口とかに、何気ない風で姿を現し、「おや、悠ちゃんたち来ていたのね。二階に遊びにおいで」と誘いを掛ける。ぼくにはシャープペンシルや漫画本、駿次にはゴムボールや風船、研三にはブリキの汽車や縫いぐるみのキリンといったあらかじめ用意しておいたプレゼントを、「あっ、そうそう、あなたたちに、あれをあげようかしら」と戸棚の奥を散々掻き回したすえに、やっと探し出す体をする。もうぼくには、そんな大人の嘘が見破られるのに、子供を持った経験のない彼女は、小学生のぼくをまるで幼児みたいに思っていた。「ありがとう、おいとさん」とぼくが言うと、「おいとさんじゃないのよ、悠ちゃん、おばあちゃまよ」と訂正する。ところで、いとからもらった物を見せると、母はきまって不機嫌になり、「〝ひとさま〟から物をいただいてはいけません」と叱りつける。いとからもらうなとは言わず、〝ひとさま〟と一般化して言うところに母の屈折した気持が表れていた。

　央子が風邪をこじらせて肺炎となり、三田に入院したとき、病室をどこにするかで、母といとは真っ向から対立した。母は、夏江叔母の所に寝かせると言い、いとは、お居間だと言い張った。日頃は、母に対して遠慮気味で、あえて逆らわなかったいとが、このときは負けていなかった。「あそこでは目がとどきません。夏江さんは事務長のお仕事があって、昼間はいらっしゃいませんし……」「鶴丸さんに看てもらえばいいでしょう」「それはできません。鶴丸はもう看護婦ではなく女中頭で内々の仕事がありますし、第一、夏江さんのお部屋に勝手に出入りするなんて失礼に当ります」「じゃ、一般の病室で結構です」「病室はこの節満員です。入院できずに予約待ちの患者さんが大勢います。お居間なら、わたしも鶴丸もいますし、初江さんだって自由にお入りになれますから」「でもねえ……」いとの部屋になっている所に娘を寝かせるのが身震いするほど母には嫌なのだ。いとは、母の気持を和めるように静かに言った。「考えてごらんなさいませ。央子ちゃんの病気を治すのが先決でございましょう。わたしなら、今暇ですから央子ちゃんの看病に集中できます。それに……この世で央子ちゃんを最初に取りあげたのはわたくしですし……」母は真っ赤になった。央子の生れるとき産婆役を勤めたのはいとだったのだ。この言い合いのあと、母が独り言のようにしていとへの憤懣を洩らしていたのをありありと思い出す。「ほんとに、はしたない。子供の前でお産の話をするなんて、何て人だろう」

結局、母は折れて、央子はお居間に寝ることになった。そのため久方ぶりに、ぼくは二階にあがり、元の夏江叔母や史郎叔父の部屋や例の秘密の倉庫に入りこんで遊ぶことができた。亡くなった祖母は、ぼくが倉庫にひそかに出入りしていた事実に、ついに気付かなかったのに、いとときたら、たった一回ぼくが忍び入っただけで、服についた埃に目を付け「おや、悠ちゃん、あそこに入ってきたね」と見破ってしまった。彼女は納戸から倉庫へ降りていく通路をとっくに探索していて、ぼくがあれこれのガラクタに興味があると知ると、納戸の桐簞笥を取り除いて出入りを容易にし、ある日などは、箒と叩きを持ってきて、倉庫までの廊下や階段を掃除し、ぼくが汚れないよう、スリッパや手袋を入口に揃えてくれた。もっとも、いとがそれを知ってしまったため、ぼくにとっては、秘密の場所へ行く喜びが半減してしまったわけだが、彼女は、すぐさま、こちらの心を見抜き、「あそこはね、悠ちゃんとおばあちゃまの秘密の場所にしておきましょうね」と言った。「誰にも教えないでね」とぼくは念を押した。「教えないわよ。指切りげんまん」いとの太い指にぼくは自分の指をからげた。

母は看病のため三田に泊りこみ、ぼくは学校があるため西大久保に帰った。ある夜、父が、「央子があぶない」と告げ、ぼくと弟たちを連れてタクシーで三田に駆け付けた。央子の枕元には母、夏江叔母、いと、鶴丸がいた。妹は、見るも憐れに痩せて、鼻のあたりは腐ったように水泡に被われ、せわしなく息をついていた。祖父が来て、太い注射針を幼児の尻に突き立てた。かすかな、溜息のような反応があっただけだ。泣いている母を、いとが励ましていた。央子、せっかくの妹が死んでしまうと思うとぼくは悲しくて、「いやだ、そんなの」と涙ぐんだ。その夜、母は妹につきっきりで、ぼくら兄弟は、以前夏江叔母のいた部屋にいとと床を並べた。「死んじゃうの」という問いに、いとは、「今晩がトウゲよ」と答えた。トウゲの意味がよくわからぬまま、砂の塔が波に洗われて崩れていく様子を想像した。翌朝、波に洗い流されたピカピカの砂浜が夢の中に現れてきて、央子が死んだと思って目を覚した。テレッテレッとうら悲しげに鼓を打っているのは軒のトタン屋根だった。雨が降っていた。

蒲団も畳もオネショでもしたようにじっとり湿って気持が悪かった。お居間におりていくと、祖父と父母といとがいた。「死んじゃったの」とぼくが言うと、母は唇に指を立て、小声で「大丈夫よ。熱が下ってきたのよ」と頬笑んだ。いとが、「悠ちゃん、トウゲを越したのよ」とぼくの頭を撫でた。熱が下ってから妹の容態はぐんぐんよくなり、しばらくして退院できた。ところで、この病気の効用は、母といととの間に、ある種の和解を生じさせたことだった。いとは付添いの母を助けて、一所懸命の看護をし、しばしば一睡もせずに枕元に坐りっ切り、疲労困憊した母に仮眠させたり、祖父との連絡をとったりしたという。「おいとさんてのは優秀な看護婦だよ」「まあ、よくやってくれたわ」と母は洩らし、以前のように、憎しみを燃やすような悪口は言わなくなった。と言っても、親愛の情を示すほどではなく、世話になった人に対する礼儀正しさを保つ程度ではあったが。祖父がいとと再婚してから、祖父の居住区である二階にあがるのを母はやめていたのだが、この機会から、割合気兼ねなく訪れるようになり、おかげでぼくら子供たちも、以前と同じように二階で遊べるようになった。

央子の入院したのは梅雨時だった。そして同じ頃に夏江叔母が中林医師と離婚したのだ。母に言わせると、「中林という人は大酒飲みで女たらしで、どうしようもない人だった」というのだが、この背の高い医師はぼくには優しい人で、よく肩車をしてくれたり、草笛を吹いてくれたりした。鼻の先が赤いのでピエロのように愛敬があった。が、山国の出身者のためか、どこかぞろっぺえで、歯はタバコの脂で黄色かったし、近付くとタバコと酒の染みこんだ奇妙な体臭が迫ってきた。お洒落で垢抜けしていて根っからの都会人である夏江叔母が、山出しの男を嫌った気持もわかる気がする。離婚により、中林医師は副院長も病院勤務もやめ、叔母は病院の事務長をやめて古川橋の近くに引越した。そして、いとは院長夫人であるとともに事務長も兼ね、つまり死んだ祖母と同じ立場と地位にのぼったわけだ。大人たちの複雑な確執や目まぐるしい境遇の変化は、子供のぼくにはさっぱり理解できなかった。母と一緒に、叔母の住む、暗い部屋を訪ねたとき、今までの広い住居を捨て、こんな陰気な陋居に引き籠る叔母の気が知れなかった。

その日も雨が降っていた。市電通りからはずれた裏町で、道がぬかっていた。長靴がぬるぬると滑って、倒れぬよう注意しながら母の蛇の目傘を追った。「ここだわ」と母は、とある二階屋を見上げた。窓の物干竿に女物の襦袢と男物の浴衣が干してあり、母は、「おや」と首を傾げた。裏へまわると羽目や腰板が毀れて中の壁土が濡れていた。木の階段が上に通じていたが母はしばらく躊躇していた。「ここだと思うんだけどね。間違ったかね」「見てこようか」とぼくは階段をのぼって戸の前に立った。破れた樋から雨しぶきが顔にかかってくる。すると、戸が開いて叔母が顔を出した。「おや、いらっしゃい」母もあがってきた。部屋一杯にまだ荷解きのしていない木箱が積みあげられ、坐る所もないくらいだ。「狭いでしょう」と叔母は笑った。「本当ね」と母はいたわしげに言い、「ちょっとびっくりしたわよ。男物の着物が干してあるんだもの」と、しきりと見回した。「あれ魔除けなのよ」と叔母はまた笑った。「だって女の独り住いなんて危険でしょう。だから毎日、男物を干すの。史郎にいさんのお古よ。手拭だって下着だって、魔除け用に揃ってるの」「なあんだ」母は納得して安心したらしく頬笑んだが、すぐ顔を曇らせた。「でもねえ、こんなとこじゃ夏っちゃん可哀相……」「これでもね、病院にいるよりは、よっぽどいいのよ。のべつに人は来ないし、仕事には追いまくられないし」「でも、北側でしょう、ここ。日が当らないんでしょう」と母は窓を開いたが、あわてて閉めた。向いの二階の窓が開け放しで、褌一つの男が団扇を使っていたのだ。「これじゃ、窓も開けられないじゃないの。梅雨が終ったら暑いわよ」「今年も葉山へ行くんでしょう。わたしも一緒にいさせてね」「どうぞ、どうぞ」と母は喜んだ。

二人は坐って話し始めた。央子の病気や祖父の近況が話題になった。ぼくは退屈してしまい、ふと片隅に電動蓄音機を見出すとレコードを掛けようとした。すると叔母があわてて止めた。「悠ちゃん、悪いわねえ。ここじゃレコード駄目なの。叔母さんも、一度掛けたら隣近所から、うるさいと文句を言われちゃった。でもね、みんな勝手なの。ラジオや三味線や夫婦喧嘩で、けっこう大きな音を立ててるんだけどね」ぼくは耳を澄ました。なるほど四方八方からの物音が遠慮会釈もなく侵入してくる。大通りの市電、犬の遠吠え、豆腐屋の角笛、汽笛、井戸のポンプの軋み……。とくに驚いたのは壁ごしに男女の話し声がはっきり響いてきたことだ。母と叔母とは夢中になって話している。大きく明瞭な母の声は隣に筒抜けに違いなかった。

この年は空梅雨に近く、七月に入ると連日の晴天で、酷暑となった。晴れていると言っても、靄が立ちこめて蒸し暑い。早く夏休みになって、葉山の海水浴を楽しみたい、それを唯一の楽しみにして、学校に通っていた。母はなみやとともに、蒲団を布袋に詰めたり、食器類を林檎箱に入れたり、荷物作りにはげんでいた。

夕立があった。雷が轟き、雨脚が庭を煙らせた。母は蚊帳を釣って、中に子供たちを避難させた。「こんなかにいれば大丈夫よ」と言った母自身が、つぎの落雷で一番の悲鳴をあげた。央子はむしろ母の声に驚いて泣き始めた。

朝は地面が濡れて、ひんやりと涼しい。しかし、油蟬の濃密な鳴き声とともにアスファルトの校庭は見る見る乾き、熱風を窓から送ってきた。蚊が脚を刺すので、教室内では平手打ちの音がしょっ中した。じくじくと滲みだす汗に、ぼくは背中に汗疹ができて痒くてならず、さっぱり勉強に身が入らなかった。

ある日、吉野先生は、中華民国全図を黒板に掲げて言った。「きょうは戦争の話をする。最近、シナで戦争が始まった。ここと、ここのあたりだ。日本軍は何にもしないのに、シナ軍が攻めてきた。日本の兵隊さんは強いから、すぐシナ軍をやっつけたが、敵はまだ降参しない。そこで、きょうは、お国のために戦っている兵隊さんに慰問の手紙を書くことにする。いいか、兵隊さん、ありがとうという言葉をどこかに入れて、がんばって下さいと書くんだぞ」吉野先生は突っ立った頭髪を振り立て、地図を拳で殴り付けるようにした。

5

カランコロンと木のサンダルを引き摺って歩く音を聞くと、夏のひとときが浮び上ってくる。乾いた土を木の底が引っ掻いて砂埃が立つ。麦藁帽子をかぶり、タオルガウンを肩にかけたぼくは、母や風間の姉妹たち、つまり、大人たちの真似をして、いかにも今から海水浴に行くんだぞと告げるかのように、素足にわざとサンダルを大袈裟に響かせて行く。あたりの熱気は、水の冷えを渇望させ、風に乗った海の匂いが鼻孔を開く、あの夏の歩行が、サンダルの音とともによみがえってくる。

あるいは、暑さにうだり、蟬時雨に体の隅々まで包まれて、襲い来る蚊や蠅を払っていると、誰かが訪ねてくる、その喜びと期待がサンダルの音にはともなっている。それは風間の姉妹だったり、脇の兄弟だったり、時には夏江叔母だったりする。

幼い頃、ぼくら兄弟は母と一緒に逗子の脇の別邸に滞在していた。木の門から奥へと緑濃い道が伸びて、左右に別荘風の家々が並んでいる。芝生やハンモックやパラソルなど夏めいた光景が続くと、不意に開豁な平地に出、洋館風の建物が何か特別な、それまでの家々とは別格の雰囲気で納り返っていた。門から連ってきた家々は脇家の貸家であり、それらの奥におのれの別邸を建てたのは脇礼助の意図であった。貸家に政党関係の人たちを住まわせ、おのれを守るとともに交友や事務を円滑にするためだった。しかし礼助自身は多忙のためほとんど別荘を利用できずにいて、ようやく二箇月半ものあいだ滞在したのは死の直前だった。政治史上にも名高い、「アジアに還れ」という大演説のあと、病気療養のためにここまで来て、結局一生を閉じたのだった。

　玄関口からすぐ板敷の広間に出、そこに十数人は会合しうるような五角形の大テーブルが置かれてあった。おそらく重要な政談用にしつらえられたらしいテーブルは、子供にとって広い屋根を持つ家になり、鬼ごっこの場となり、晋助が考えだした〝ゴリョウカクごっこ〟のお城になった。その星を連想させる奇妙な形は、今でもきっかりと思い浮べられる。

　幼いぼくから見ると晋助はもう大人びた少年だったが、子供好きでよく遊んでくれた。東京では考えられぬほどぼくらは二人きりでいる機会が多く、それは、西大久保の脇家をはるやが、小暮家をときやが留守番し、海水浴と日焼け嫌いの美津伯母は逗子へは時たましか姿を見せず、晋助とぼくの世話を母がしていた事情によるので、何かの用で母が外出すると、広い家の中に晋助と二人だけが取り残されたためらしい。裏の小川に入って沢蟹を獲ったり、手製の水車を回したり、鳥黐竿で蟬を追ったりするうちはよかったが、誰もいないとなると時として晋助は思い切った行為に走った。

　あるとき、彼は窓の下に伏せろと言い、ぼくが床に腹這いになっていると、家の外に向って誰かをののしりだした。すると部屋の中に小石のようなものが飛びこんでき、壁や家具にバラバラと当った。おそるおそる窓から覗いたところ、川向うの家から少年がさかんに空気銃を撃っていた。「あぶない」と晋助は叫んでぼくを引き戻した。「当ったら怪我するぞ」事実、相手の射撃は正確で、戸棚の人形ケースを破ったほどだった。いつのまにか晋助も空気銃で相手を狙(ねら)っていた。しばらく銃撃戦が続いた。粒弾があたりに豆を撒(ま)いたように転がってくる。ぼくは怖くて夢中で、窓ガラスの一枚が破れて落ちてきたときなど、泣き出しそうだった。そのうちふいに静かになった。晋助は、「しまった、お巡(まわ)りに見付かった」と言い、空気銃を戸棚の奥に隠し、「お巡りが来て、何か尋ねても、知らないと答えるんだぞ」と言った。晋助はガラスの破片を拾い集めたり、窓を閉めたりし、広間のソファにぼくを腰掛けさせ、何気ない振りをしろ、と言った。お巡り、制服を着てサーベルを吊(さ)げた大男が、今にもぼくらを捉(とら)えに来る、恐怖と期待の半々に混った気持で、ぼくは絵本を眺(なが)めていた。玄関口に足音がして、現れたのは母だった。母は何にも気付かずにいた。ぼくは晋助と秘密を共有しているのが素晴しいことに思え、破れた窓と彼とのあいだに視線を往復させて、彼から睨(にら)み付けられた。

　別なときだが、悪漢ごっこの最中、晋助が突然ぼくを素裸かにして縛りあげたことがある。パンツを剝(は)がれるだけでも嫌なのに、後手に縛られたうえ、それに両足を連結された恥かしい形でテーブルの上に置かれてしまったのだ。むろんぼくは泣き叫んだ。晋助は、「さあ、オチンチンを切っちまうぞ」と大きな鋏(はさみ)を片手に、恐怖のあまり滝のように汗を流しているぼくに迫り、いきなりペニスをつかむと刃ではさんだ。ぼくは力一杯にもがいて叫んだが、刃がペニスに喰(く)い込んできた刹那(せつな)死んだように動かなくなった。驚いたのは晋助のほうで、「どうした。大丈夫か」と訊(たず)ねてきた。晋助がなぜあんな行為をしたのか、むろんぼくには理解できなかった。もう一つ、彼にタバコをのまされたのを覚えている。「吸ってみろ」と言われて、何気なく吸ったぼくは、咽喉を掻きむしる強い刺戟にむせた。「だらしがねえな」と晋助は笑うと、自分はうまそうに吸って見せ、子供には無理だと嘲ったが、大人(伯母だったと思う)が帰ってくる気配に大あわてで火を消し、窓から煙をのがした。

広間を五つの部屋が花弁のように囲んでいた。南側の明るいのが、脇礼助終焉の部屋で、故人の写真が掲げてあり、ベッドも調度もカーテンも、すべて当時のままだという。ときどき来る敬助はこの部屋に寝泊りしたが、常在する次男の晋助はそこを使わせてもらえず、そのことを大いに不満に思っていた彼は、ぼくの母にねだって伯母に隠れて部屋を使っていたようだ。

私家版『脇礼助伝』を読むと、昭和七年の夏から微熱があり、体調をくずしていたのが、九月十八日の夜の演説で一時に悪化したとある。当日は柳条湖事件によって満洲事変が勃発した一周年の記念日であり、新聞社主催の演説会が日比谷公会堂で開催された。三十八度の熱があったのに礼助は熱弁を振い、アジア・モンロー主義を叫んで、満席の聴衆の嵐のような拍手を浴びた。が、西大久保の自宅に帰った夜は、美津夫人がこれまで見たことのない苦しみようであった。熱は三十九度を越え、はげしい喘息の発作がとまらない。東京帝大内科の教授が診察して、肺炎とわかった。絶対安静を必要とする肺炎と、その安静を乱す喘息の発作の合併症に対して、当時の医学では治療法がなかった。病床で礼助は、しきりと鎌倉の海浜ホテル行きを主張した。主治医も夫人も反対であったが、本人は言い出したら聞かない男で、結局、九月末、自動車に三時間の余も揺られて鎌倉に行った。いよいよ死期が迫ったとき、逗子の別邸に移ったが、十二月中旬、死去するまでの二箇月半、苦しみ抜いた。高熱はますます募り、咳はいよいよ猛り狂った。しかし、自分の病気について、たとえば脈、熱、医師の見立てについて、一切誰にも問わず、床頭に詰めている美津夫人や看護婦に対してすら、政治、軍事、外交問題のみを話し、家族の面会謝絶の壁を破って訪れてくる政党人とは、満洲国の将来、米英両国と日本との海軍力の比較、北支における日本権益の擁護など、おのれの信念を披瀝してやまなかった。

政治家として、脇礼助は、満洲事変の裏工作にかかわっていた。五・一五事件のときは首相の側近として事件の収拾に尽力した。日本が大陸に雄飛する基盤を作ったという自負の念は、瀕死の病床にあっても、いささかも揺るがなかった。そして、志半ばで死ぬおのれを嘆くよりも、おのれの死後の日本の将来のみを憂えていた。

彼は海が好きであった。看護婦や美津夫人に背中を支えられて起き、窓の外、遥か彼方にひろがる水平線を飽かず眺めていた。朝焼の波間に出航する漁船、白の目に沁む帆掛船、そして夕暮時の富士と赤い波……。

生来の潔癖からオマルで大小便を取るのをいやがり、介助されながら便所まで歩いて行った。ついに、歩く力も無くなると、椅子に穴をあけて下に便器を置き、それにまたがって用を足したが、ベッドから椅子までおりるのに三分の余もかかる始末であった。

ある夕方、礼助は嘘のように元気になり、自力で起きあがると、「大命が下ったぞ。これより参内する」と言い、ベッドからおりて部屋の隅まで歩き、「車を回せ」と言った。看護婦が気転をきかして、車椅子を押していくと、自動車に乗るような仕種をして腰掛け、そのまま意識を失なった。総理大臣になって日本を動かすのを生涯の目標としていた男らしい、夢寐の行為であった。そして数時間後、五十歳の政治家は息を引き取った。

ところで、元気なときの脇礼助は、稀にではあるが、別邸に泊ることがあったらしい。母によると、別邸は政界の大物たちや新聞記者の来訪でごったがえし、ぼくら親子と晋助は貸家の一つに追い出される羽目になったという。客の世話に奔走した伯母は、夜ともなると疲れはててぼくらの前に現れ、広間の床が汚れていたとか飾棚に埃が積っていて客に恥をかいたとか、母の言だから大分誇張はされてはいるだろうけれども、ともかく文句の言い通し、母は謝りのし通しとなり、もうこんな家を二度と借りるもんか、別にこちらから願った訳でなし、晋助の身の回りの世話をして欲しいとあちらから出た話だったのに、と腹を立て、時として伯母と険悪な仲になった。が、翌年になると、伯母はそ知らぬ顔で晋助をよろしくと頼みにき、父もわが家の経済力には一軒家を借りる余裕はなく、ただで一夏過せる贅沢はありがたいと思うべきだと主張し、結局母は逗子行きを決心するのだった。

父の十六ミリ映画に、脇礼助に抱かれた二歳ぐらいのぼくが映っていて、何が嬉しいのか全身をのびのびしては笑っている。政治家はテラスの柱を巻いている朝顔の花を一輪とってぼくの手に握らせるが、ぼくは放りだしてしまう。すると政治家はもう一輪とり、ぼくはまた放りだす。こうして三輪目に、政治家はぼくの頭を撫でるのだ。父の映画は通常一カットが短いのに、このシーンだけは二分近くのロング・ショットで、周囲にいる大勢の顔もとらえられている。五・一五事件で暗殺された犬養首相と大叔父の風間振一郎が親しげに話している情景は、その部分だけを引き伸して、のちに風間振一郎が代議士に打って出るときの宣伝用写真に利用された。また当時は貸家もまだ建てられず、あたり一面は田圃で、松林のむこうに海が望めた事実も映画は忠実に記録している。

海水浴をしているぼくも撮られている。最初のうち、ぼくはまだオムツを当てられていて、母の手で水に浸けられると怖がって泣いている。晋助と風間の四姉妹が浜でゴムボールを投げっこしているが、みんな子供子供している。とくに晋助と桜子は、まだ小学生くらいの少年少女で、飛びあがって手を叩く様子がかわいらしい。敬助と百合子だけは、大人びた態度で、恋人同士のように並んで砂に足を投げ出し、しきりと談笑している。彼らが後に結婚する兆しが、すでにこの頃から見出されるようだ。それから突然、ぼくは大きくなって赤ん坊の駿次が現れ、ぼくと駿次が波打際を駆け回るむこうで、幼い研三が母に抱かれている。海岸はなかなかの人出で、ビーチ・パラソルが林立し浜茶屋が並ぶ風俗は現代とそう変らない。ただ、男女とも胸を隠す黒っぽい海水着を着ていて、沖に手漕ぎの和船や帆掛船が去来し、水が澄明なため泳ぐ人の手足が鮮かに透けて見えるのが珍しいと言えようか。

ところで、幼稚園に通う前年あたりから、ぼくらは葉山で夏を過すようになった。理由を母は言わなかったけれども、中学高学年の晋助はもうすっかり一人前の男だったから、若い母が一緒の暮しをはばかったせいか、それとも晋助が高等学校の受験勉強のため静寂を必要としたせいかと思われる。母が借りたのは漁師の家で、ぼくらに母屋を貸している夏の間、彼らは庭の端の隠居所で暮すのだった。

もともと、葉山に家を借りて夏を過すのは、時田家の習慣であった。関東大震災の思い出を母から聞いたことがある。丁度、菊江祖母が、昼食の支度で、縁側の火鉢に鍋を掛けて鉄火味噌を作っていた。突如ドンと突きあげ、ガラガラと物音がした。屋根の上から瓦がずり落ちて庭先に降ってきた。祖母は鍋を持ったまま、鞠のように下に転がり落ちた。家主が、「危いから外へ出て」と怒鳴ったので、母は夏江叔母と一緒に走って、庭の物置のそばで縮こまっていた。ドーッと裏で物凄い地鳴りがしたと思ったら海水が庭先から縁の上へと押寄せてきた。「津波だ」「山へ逃げろ」と誰かが触れ回っていたので、みんなは、川のような道を踏んで山の上へ逃げた。午後、戻って見たら津波の引いたあとは、家中がびしょ濡れ、しかも柱が傾いでいて、住める状態ではなく、長者ヶ崎の知人の庭に、樹と樹とのあいだに蚊帳を吊って寝た。翌朝、莫迦に息苦しいので目覚めると、濡れた蚊帳が顔の上に垂れ下っているのだった。何もかも湿って寒かった。ラジオのまだ無い時代で、新聞が来ないので、地震の規模や被害の程度については何もわからなかった。ただ砂浜が急に広くなり、沖にあったエビ島がぐっと近付き、今まで無かった岩が三つ四つ波打際に顔を出していた。

多分この地震の経験からだろう、母が選んだ家は、山のほうにあがった日影の里の松林のなかにあった。高台のため海風をもろに受けて涼しかったかわりに、海まではかなりの距離を歩かねばならなかった。町を横切り、御用邸沿いの木の下道を行くのだが、小川あり橋あり畑ありで変化に富み、沢蟹を獲ったり鬼ごっこをしたり花をつんだり、子供には楽しい道程であった。

　同じ家に、毎夏、滞在したので、まるで自分の家のように間取や周囲の景色などはっきり思い浮べられる。逗子と言うと、門から奥へ伸びる道や五角のテーブルや川に向った窓など、ある小部分だけが、まだ読まない物語の挿絵（さしえ）のような不思議な光景として浮遊するのだが、葉山では、空間はぐんと拡（ひろ）がって相互に結びつき、しかもぼく自身の経験としての性質、照りつける暑熱、海藻（かいそう）の匂い、そして何よりもサンダルの気だるい音などを、そなえて思い出される。

　近くには時田家の借家があった。祖母、史郎叔父、夏江叔母、女中たちが滞在していたが、職員の保養所も兼ねていて、医師や看護婦たちが十数人泊りに来ることもあった。祖母は大勢をもてなし共に騒ぐのが好きで、ぼくや弟たちも呼ばれて行っては御馳走になったり、花火大会や盆踊りに参加したりした。

　浜辺に裏門を開く風間家の別荘には、藤江大叔母のもと四姉妹が数人の女中や書生たちに仕えられて、住んでいた。ここで行われるのは西洋風の集りで、専用コートでのテニス試合、ダンスパーティーや庭でのビヤパーティーなど、若い姉妹を中心にともかく諸事が派手であった。

　長者ヶ崎の海岸に小暮家、時田家、風間家の一同が繰り出すと、砂浜の上に、ほかの海水浴客とは画然と違う別世界が現出したかのようだった。風間家のテントを建てる場所には、常時、名前入りの杙を打ってあり、おのが領土権を主張していた。紅白の縞模様のテントは、更衣室や仮眠所や食堂までそなえ、ちょっとした一軒屋なみの広さと設備で、にわか雨のときなど大勢の退避場所ともなった。このテントのそばに、母はビーチ・パラソルを立てたが、紅白の水玉模様はテントの一部のように見え、ぼくらもおのれの家のようにテント内に自由に出入りしていた。ところが時田家のテントは、風間家のにあきらかに対抗する形で建っていた。それは〝時田病院〟と屋根に染め抜いた白いテントだった。白いテント……運動会や葬式のときに使う柱に屋根だけの大テントでおよそ海水浴場むきでない実用品が、風間家の派手なテントに拮抗して独特の存在感を誇示していた。

風間の姉妹に看護婦たちと、とかく女が多く目立つ海水浴ではあった。浜辺で西瓜割りなど始めると、黄色い歓声がほかの海水浴客の耳をそばだて、どうかするとエビ島の岩場あたりはぼくらの一行で占領されてしまった。

しかし、祖母が死に、史郎叔父が就職し、夏江叔母が結婚して、時田家の借家住いも終りとなったし、風間の姉妹も、百合子、松子、梅子の順に嫁いで、風間邸もさびれて、海浜での以前のような賑わいは消えてしまった。そしてぼくが小学四年生になった頃には、ぼくら一家と夏江叔母が一緒に住み、時々父や史郎叔父が来るだけの、何だかひっそりとした夏に変っていた。母は、「このごろは淋しくなったねえ。昔はよかったねえ」と嘆いていた。

ぼくに水泳の手ほどきをしてくれたのは母だった。三年生のとき、ふと体が浮くようになり、平泳ぎを母から教わった。同じ頃、駿次も泳ぎを覚えたので、二人して競い合いながら泳ぎを習っていった。ところで潜りの先生はなみやだった。千葉で海女をした経験があるため、数メートル潜水して海底の珊瑚や貝をとる方法など、彼女のお手のものだった。そして、矠で漁をする方法を教えてくれたのが、昭二という子だった。

彼は家主の漁師の子だった。昭二という名前から推測すると、多分昭和二年生れで、ぼくより二つ年上だったろうが、背はぼくよりも低かった。しかし、贅肉を削いだような細身の体は硬く締っていて、赤銅色の肌は、叩くとカンと金属性の音がしそうな感じだった。エビ島から沖へとむかって矠を手に泳ぎ回っていて、刺した魚を腰のビクに溜めては、ざっざっと岩場に上ってくるのを、ぼくは羨しげに眺めていた。しかし、土地の子とぼくとは、越えられぬ一線が画されている気がして、おたがいの交流は無かった。彼は狭い隠居所に祖父母や両親と雑魚寝をし、ぼくらは母屋を占領して悠々と暮していたので、別世界の人間同士なのだった。

ある日、庭先で矠の刃を研ぐ昭二を、遠くから見物していた。昭二は矠を槍のように構え、ぼくがびっくりして飛びのくと、笑いながら、「これでよう、魚とってみてえかよ」と言った。ぼくはおずおずと頷いた。翌日エビ島に行くと、昭二はぼくを誘って、海に入った。最初はガラス底の桶で海中を覗き、垂直にかまえた矠で突くのだった。岩と海藻で彩られた海底の美に魅せられながら、ぼくは練習を積んだ。数日して、海面突きから、潜水突きへと進んだ。水中では、地上で槍を投げるようにしては水の抵抗でうまく突けず、胴から肩へと力を移して、腕に集中した力で一気に突き出すのがよい。何日か練習するうち、ぼくは大体の要領を会得した。もっとも、母はぼくが昭二と付き合い、危険な矠などをもてあそぶのを喜ばず、「気をつけなさい」「危いよ」「もうやめなさい」としきりに牽制していたが、ぼくは初めて漁師のように振舞えるのが嬉しくてならず、母の目を盗んでは昭二と一緒に潜っていた。

　エビ島のあたりは水が澄み切っていて、大小の岩が海中に突出し、色とりどりの藻が茂って、さまざまな小魚が群れ泳いでいた。豊富な小魚を狙って沖から出向いて来る魚、メバル、カワハギ、イサキなどが矠漁の獲物だった。荒れたあとなどは、キスやスズキなど大振りの魚に出会うこともあった。

　あるとき、岩のアーチを泳ぎ抜け、頭上の水面が黄色い光を暈のようにひろげている様子を楽しんでいると、目の前を蛇に似た魚がにょろにょろと横切った。海蛇だと思い、ぞっとしたが、離れて見たところ美しい銀色の大カマスだった。先まわりして小魚の溜り場で待つうち、カマスが来た。ぼくが押し出した矠は、意外に素早い魚の尾の近くを突き抜いて、血を吹き出させた。浮きあがって岩の上に魚を放り出すと、ぼくはつかまえにかかった。が、魚の鋭い歯に右手の小指を噛まれてしまった。昭二が飛んできて石で魚の頭を砕いたとき、ぼくの小指の先はちぎれて失せていた。血、痛み、繃帯、三田での祖父の治療という一連の出来事をぼくはぼんやりとしか覚えていない。ともかく、ぼくの右の小指は、現在、左より五ミリほど短く、奇妙に曲った爪が生えていること、その後カマスという魚だけは食べる気がしなくなったことは事実である。

　この事件のあと、母はぼくにきっぱりと申し渡した。「もう絶対にやっちゃ駄目よ。あの子は、根っからの漁師で、海から生れたようなもんなんだからね。東京っ子のお前に真似はできませんよ」母は声をひそめて付け加えた。「あそこは不潔で臭いでしょう。わたしたちとは世界が違うのよ」母の言うのは、昭二が仮住いとしている隠居所に漂う生臭い悪臭のことで、おそらく漁網やゴム合羽にこびりついた魚鱗や海藻が腐敗して発するものらしかった。大病院のお嬢さんとして漁師——悪臭、不潔、動物的な体力、荒々しい生活——への異質感を表明する母は、にもかかわらず、士族の血統、それも金沢藩二千石の家老の血筋を何かと言うと鼻にかける脇の伯母に反撥し、「士族が何よ。三田のおじいちゃまは漁師の八男だけれど、ああやって立派な病院長になられた。血筋なんてもので人の価値なんて定まりやしない」とぷりぷりして言うのだった。母の言い分は矛盾していたが、ともかく、ぼくは稽の使用だけでなく昭二との付合いも禁じられてしまった。

学生時代に器械体操の選手であった史郎叔父は、運動なら何でも得意とし、飛込台からの飛込み、長者ヶ崎の鼻まで往復するクロールなどで、みんなを見惚れさせていた。そして、あるとき会社の遠泳に参加しないかとぼくを誘った。逗子の新宿海岸から葉山の三ヶ岡海岸まで四キロを泳ぐのだと言う。海岸からエビ島まで、せいぜい五十メートルぐらいを往復していたぼくには到底泳げそうもない距離である。「なあに、船が付き添うから、疲れたら、いつでも乗ればいい」と叔父は言った。母に相談すると、「逗子と葉山のあいだなら、わたしも子供の時、泳いだことがあるわ。史郎叔父さんがついてるなら大丈夫よ」と事も無げに笑うのだった。当日、行ってみると、参加するのは大人ばかりで、子供はぼく一人だった。

列の中ほど、叔父の前を泳いだ。初っぱなには二、三百メートル泳げればいいと思ったが、存外にすいすいと進め、気が付くと逗子は後に遠ざかり森戸神社の鳥居が目と鼻の先に近付いてきた。芝崎のあたりは岩礁で波が荒ぶれていたので水を飲み、もう駄目かとあきらめたところ、見覚えのある長者ヶ崎が見え「あと一キロ」の声が掛り、すでに三キロ泳いだのならあと一キロは何でもなかろうと自信が出てきて、ついに最後まで泳ぎ切ってしまった。浜にあがったとき、体が重く、立つのがやっとなほど疲れていたが、この遠泳のおかげでぼくは物事を為し遂げる心構えを、つまり一旦事を始めたら、あきらめず、すこしずつでも進んで行けば何とか目標に到達できるという自信を学んだように思う。

父は土曜日の午後に来て、日曜日の夕方に東京に戻るのを常としていた。泳ぎと言えば、犬掻きで二、三メートルがせいぜいだったので、ボートを借りては乗り回していた。父が来ればボートに乗せてもらえるのが子供たちの大きな楽しみだった。そしてある日変事がおこった。

上天気で風の強い日だった。むろん、炎夏の真昼の海上、周囲は激しい陽光に溢れていただろうが、オールを漕ぐ父の生っ白い手とふっくらとした頬とが特に記憶に焼きついている。舳先には研三が、ぼくと駿次とは並んで艫に父と向き合って坐っていた。

不意に「ああ」と父が言った。「空から何か降ってきたぞ」「どこ」とぼくは振り向いた。青空は透明で鳥一羽飛んでいない。「ああ大変だ。降ってきた、降ってきた」とまた父が言った。「おとうさん、何も降ってないよ」と異変に気付いたぼくは父を励ますように言った。

父が狂ってしまったと思ったのだ。「悠太」と父は弱々しく言った。「目がおかしい。左がよく見えない。お前、ボートを漕いで帰れるか」「はい」船底に左目を押えてうずくまった父のかわりにぼくはオールを持って漕ぎ始めた。ボートはエビ島から沖に流されていて波のうねりが大きい。必死に漕いだが風と流れに曳かれて、沖へ沖へと向っている。エビ島には母と央子と叔母がいたが、あらぬ方を見ている。「オーイ」という叫びは風に吹き飛ばされた。「駄目か」と父は起きあがり、オールを漕ぎだしたが、「いかん。ますます目が見えない」と手を離した。「おとうさん、ぼくがやる。駿次も手伝え」ぼくと弟はオールを一本ずつ持って漕いだ。やっと船はわずかながら岸の方向に動きだした。そのとき母が気付き、央子を叔母にあずけると海に飛び込んだ。母が来た。が、ボートが顚覆しそうで上に乗れない。ぼくらが漕ぎ、母が後押しして、やっとのことでエビ島に辿り着いた。

　父は鎌倉の医者から〝眼底出血〟と診断され、ただちに東京へ帰り、帝大病院に行った。母は荷物をまとめて、西大久保に戻る決心をした。いよいよバスが出るとき、見送りに来た人々の中に昭二がいた。ぼくは彼に手を振った。葉山の海にむかっても手を振った。父の病気が治ったら、また泳ぎに来たいと切に思った。が、実際は、ぼくら一家が葉山に滞在したのはその瞬間が最後になったのだ。それは昭和十四年の八月半ばで、ぼくは小学四年生、駿次は二年生、研三が一年生で、央子は数えの四つであった。

　会社を休んだ父は、二階の八畳間を病室にして籠った。医者の意見では別に終日安静にする必要もないとのことだったが、父は蒲団を敷きっ放しにし、パジャマを着て病人の生活を始めた。そんなふうに毎日父が在宅するのが物珍しく、ぼくはしばしば二階に行ってみた。

　首振りの扇風機に当りながらぼんやり天井を見ている、ラジオの株式市況にいつまでも聴き入る、目が疲れるからと活字類を一切遠ざけて母から新聞を読んでもらっている、そういう父の姿は、映画制作、現像、ゴルフ練習と絶えず忙しげに活動していた人とは思えぬほど病人染みていた。

　父が好んでしたのは、卓袱台に向い、ひろげた方眼紙をじっと見詰めながら鉛筆を動かすことだった。出血によって欠損した視野を記録していたのだが、何だか大切な地図でも描くように、真剣に慎重に筆を動かして図形を完成し、それを前の記録と比較し、すこしでも縮小した部分には青、拡大した部分には赤で色分けした。母は、「あんまり根を詰めてこんな面倒な作業はなさらんほうがいい」という意味の忠告をするのだが、一旦記録にかかった父は異常に熱心で、三十分もときには一時間もかかって精密な出血模様を描きあげるのだった。

　母は、父が〝ノウイッケツ〟になるところだったと言い、ノウイッケツの意味はわからぬながら、それが死病だという恐怖は伝わってきて、ぼくは心臓をぎゅっと鷲掴みにされたような不安に襲われた。祖母の死の記憶がまだ生々しいときに、父までが死んでしまう……そして、自分もいつかは死なねばならない……人が死ぬという事実をぼくは子供心に何とか納得させようとしては失敗し、一層大きな不安に胸を締めつけられた。

6

朝は物売りの声で始まった。

「ナット、ナットー」は甲高い子供の声で、これが聞えてくるとぼくは幾分後ろめたかった。自分と同い年ぐらいの子が早朝から働いているのに自分はまだぬくぬくと蒲団にもぐっている。母によると、肺病の母親のために学校へも行かずに、一番汽車で田舎から来る、大変孝行な納豆屋だそうだが、そう言ってほめるくせに、納豆を買ってやったためしはなかった。

「可哀相だけど、肺病の黴菌のついたのは食べられないものね」というのが母の言い訳だった。

「オアッサリヨ。エー、ムキミ、カラッキ、オアッサリヨ」は潮風に荒びたようなどす声であった。えらく威勢がよく、ゴム長靴でコンクリートを打つ、ボスッボスッという足音もはっきり聞えた。これは浦安の漁師で、母はときどきは買付けていた。

午後に来る竿屋や梯子屋や金魚売りや羅宇屋、夕方に来る煮豆売りや豆腐屋とちがって、朝の納豆売りと浅蜊屋は、人の寝ているあいだに働き出す甲斐甲斐しさをそなえていた。もっとも、ぼくは彼らを見たことがなかった。そして、ながい間には彼らの人も変ったろうに、未だに思い出すのは少年と中年の声だけなのだ。

雨戸の隙間から洩れた光線が障子を照らしている。何かの拍子にこの照明は倒置した景色となりまるで映画のように木々のそよぎや垣根を渡る猫などを、映し出した。ぼくは枕から頭を落し、顔を逆さまにして眺めるのが好きだった。やがて、この投射の原理を知るようになると、雨戸に適当な穴をこっそり穿ち、障子のあちらこちらに異なった映像を楽しんだ。まだ夜を保存している暗い室内で、すでに明け放たれた朝を覗き見ているうち、眠りや夢の残滓が頭からふっきれていった。蒲団の中という狭い場所から世界がじわじわ拡がっていく快感があった。

　新しい家に越してから、台所と寝室とが近くなって、菜を刻む音や味噌汁の匂いが手に取るようにわかった。母となみやが話している。やがてなみやが、「さあ、起きなさい」と雨戸を開け、まぶしい光が射しこんでくる。ぼくは弟たちと争って洗面所に駆け出した。央子まで負けずに走るのだった。

　庭を見渡す八畳間で一家は揃って食事をした。祖父小暮悠之進が、坐る人の背筋を伸ばすために作らせたという背高な卓袱台に向って正座するのだが、央子には高すぎて、やっと首が出る程度であった。父は新聞を読みながら、また眼を悪くしてからは母が読んだ新聞の、要点を子供たちに話して聞かせた。こうして支那事変の戦況や、五月におきた満蒙国境ノモンハンでの日ソ両軍の衝突や、九月におきたドイツ軍のポーランド侵攻などのあらましをぼくは知っていた。父は子供部屋の壁に支那全土やヨーロッパの地図を貼り、皇軍やナチス・ドイツ軍の占領地区に留針を刺して示した。皇軍とナチス・ドイツ軍は無敵の精鋭であって、この両軍が世界の地図を塗り替えるだろうというのが父の信念であったけれども、ノモンハン事件だけは戦況が混沌としていて、留針の位置が一進一退するので、父は首を傾げていた。

「どうもわからんな。新聞では多大の戦果をあげた、敵機を数百機撃墜した、敵機動部隊を殲滅した、赫々たる大戦果だと書きたてているが、戦線は膠着状態らしい」「相当の激戦のようですね」と母が溜息をついた。「そうだ。ソ聯軍は近代的装備を持っていて手強い。支那軍のように簡単にはいかんようだな」

　新聞の報道はかなり抽象的でどのような戦闘がおこなわれているかは不明だったけれども、「ホロンバイル高原上空に展開された壮烈なる空中戦」「驕慢なる外蒙ソ聯軍」「ホロンバイル沙漠草原に彼我空陸軍の壮烈極まる近代機械化立体戦」「敵は執拗にも空陸より一挙逆襲に出る」などから、空陸にわたって死闘が続けられていることは充分推測できた。

　敬助の噂もしばしば出た。彼は大尉となって満洲の歩兵第三聯隊にいた。支那事変の初期には北支侵攻作戦に参加して、万里の長城を突破して大活躍をしたというのは美津伯母の自慢話で何回も聞かされたところだ。ノモンハン戦線に参加しているかどうかは不明だったが、関東軍の有力部隊である以上、おそらくは出動しているだろうというのが父の臆測であった。

「こんなに激戦じゃ、敬助さん、心配ですわ」「大丈夫さ。敬ちゃんは武運が強い。今度も大手柄を立てているさ」「何ですか、あっちこっちで戦争がおきて、いやですわね」「なあに、戦争のおかげで日本もドイツも好景気だ。――国家の繁栄のためには戦争が必要なんだ。ドイツなんかヒトラーのおかげで大国家になってきたじゃないか」そんな両親の会話をぼくは何度も聞かされた。

　ところで、ある日、母は、日ソ両軍の紛争解決のために、モスコーにおいて会談がおこなわれ、停戦協定が成立したという記事を読んだ。

「ドイツ軍に備えるためソ聯は大急ぎで停戦に応じたな」と父が言った。「敬助さん、どうだったんでしょうかね」「無事だったらしい。ねえさんが言ってた。手紙が久し振りに来たんだ」「まあ、よかった」「やっぱり大変な戦争だったようだ。大きな声じゃ言えんが、皇軍は大分の苦戦だったらしい。そうそう敬ちゃん帰ってくるかも知れん。麻布の留守部隊に配属になったようだ」「まあ、久し振りにお会いできますわね」

　ぼくら兄弟はランドセルを背負い草履袋を提げて、「行ってまいります」と外に出た。夏休みのあと、しばらく燃えたつようだった残暑も終り、ひんやりとした秋めいた風が爽(さわ)やかだった。ぼくらは同じ大久保小学校に通っていて、同時に家を出るのだが、歩度が違うし、途中で出会う友達も別々だったから、いつしかバラバラになった。

　小学校は北西の方角にあった。改正道路を北上し、鬼王様通りという商店街を西行し、途中で北にのぼれば着く、子供の足で十分ほどの距離であった。しかし、改正道路の途中から小道に入って、裏町をくねくねと縫って行くほうが変化に富んでいたし、友達に会える率も多かったので、時間の余裕があるときはわざと回り道をした。

　板塀(いたべい)、建仁寺垣、芝垣、生籬(いけがき)、ガラスの破片を埋めこんだコンクリート塀、住む人の心を表して、おのがさまざま、塀が連なっていた。異様に高い黒塗りの板塀は平沼騏一郎(ひらぬまきいちろう)邸であった。この一月、近衛内閣のあとを受けて、つい、八月末に総辞職するまで首相だった人は、人を寄せ付けぬ高塀と巨大な猛犬で護られていた。むろん門前に警官が常駐し、周辺の警邏も密だった。ぼくら小学生は小走りに警官の脇を通り抜け、門の奥の閉ざされた玄関を盗み見るのだった。どうかするといたずらな子が塀にそっと近付いて反応をためす。塀の内側で動物の走る気配がし、猛烈な唸りが聞えると、つぎの瞬間、腹に沁む吠え声におびやかされるのだった。

　この猛犬がフジという名のシェパードであると教えてくれたのは美津伯母だった。伯母は故脇礼助が平沼騏一郎と昵懇の仲であったため、以前から平沼邸に出入りしていたが、当主が総理大臣になると、風間振一郎代議士をともなって、より頻繁に訪れるようになり、何かの折に邸内の様子などを話してくれた。「平沼はね……」とか「風間がね」と首相や代議士を呼び捨てにするような話し振りの裏に、もし礼助が生きていたならば、平沼より先に首相になっていただろうにという意中がほの見えた。

　鬼王様通りは、鬼王神社を中心に東西に伸びる狭い道だが、両側に店屋が櫛比していた。〝伊勢米〟という酒屋と〝玉建〟という材木屋が別格に大きいほかは、一様に二階屋の小店舗で、八百屋、魚屋、肉屋、パン屋などの食料品店をはじめ、下駄、蒲団、染物など、およそ人間の生活に必要な物なら何でも売っていた。まだ閉っている店屋の前を登校の子供たちがぞろぞろと歩く。鬼王神社の真向いの小路を入ったところに小学校があった。

　放課後は真っすぐに、家に帰った。一年生の頃は学校の帰途、ランドセルを背負ったまま街の中をうろついて遅くなり、母から叱られ通しだったが、それと言うのも独りで外出を許されるのが通学の往還だけだったからで、三年、四年ともなると、もう単独行はお墨付きで、強いて学校帰りに道草する必要もなかった。それよりも一刻も早く帰宅して宿題をすませたあとの楽しみのほうが大事だった。

　幼稚園時代から絵本や童話が好きだったが、学年が進むにつれてぼくは読書を第一の楽しみとするようになっていた。まずは、子供向けの冒険小説に読みふけった。山中峯太郎、南洋一郎、海野十三、高垣眸などの作品がぼくの愛読書だった。正義の味方の日本男子が、日本の、大陸や南洋への膨脹政策のために、アジアに植民地を持っている列強諸国、ソ聯、アメリカ、フランス、イギリス、オランダの謀略と闘う。最新の兵器、ロケット、噴射推進式飛行機、テレビ風の電波映像機、地底戦車、酸素を燃料とする大潜水艦などが大活躍する。こういう子供向けの読物には、新体制、非常時、国民精神総動員などで日本の中華思想を鼓吹していた大人たちの影響が正直にあらわれていた。そのほか、少年講談や翻訳や翻案の世界名作など、ぼくは手当り次第に読んだ。そうして、四年生になると、応接間に飾ってあった『世界文学全集』にも手を出すようになった。最初は、黒々とした漢字の列やむつかしい言い回しに梃摺り後込みしたが、そういう所を飛ばして読んでも結構意味が通じることを発見してからは、街の複雑な迷路を探検するようなつもりで読み進んだ。夏休みが終る頃には『モンテ・クリスト伯』を半分ほど読み終え、牢獄だの密輸入者だの山賊だので頭を一杯にしていた。かつて父の世界一周で知り、八ミリ映画で見たパリが、今度は活字の一行一行から小説の舞台として、と言うより物語のために存在する都市として、ぼくの心に鮮かに定着した。

ぼくにとっては、小説の世界のほうが、日々の生活よりも、はるかに現実的で生彩に富んでいたので、弟や妹が話し掛けてきて、狭い子供部屋に意識が引きもどされると、何だかおのれ自身が貧相であわれな子供に思われたものだ。自分が友達とともに瓶に詰めて埋めた宝物——ビー玉やメダル——などダンテスの発見した黄金の地金や金貨や真珠やダイヤモンドの素晴しさにくらべれば何物でもない、幼い自分の夢は今や死んでしまい、自分は大人の世界に一歩を踏み出した（あるいは踏み出したい）と思った。夕食のときなど、半ば物語の世界に浸ったまま返事もろくすっぽしないぼくに、父は、「本ばかし読んでいると頭が変になるぞ」と注意し、本を読みすぎると近眼になり、近眼は軍人になれず、これからは軍人の世の中だから、あまり本を読まぬがよいと、繰り返して言った。父は、ぼくを脇敬助のような軍人にしたいと考えていて、ぼくが運動神経が鈍く、引っ込み思案で、本好きなのを心配していた。もっとも父が、そんな風に考えるのは、多分に美津伯母の影響を受けていたからで、伯母には何かと反撥する母は、「悠太は軍人には向きませんよ。この子は本が好きなのだから、学者が向いてますよ」と反論するのだった。

本を読むため、弟や妹を避けて、ときどき二階にあがり、父の寝起きしている八畳間に隣接する応接間に籠った。ここからは唐楓の梢越しに四谷第五小学校の白いビル、さらに新宿の伊勢丹や三越のビルが見えた。南側の家は一高の生物学の教授邸で、立派な梧桐の大木が枝葉を誇らしげにひろげていた。この家は広い庭に大小の樹木を一杯に植えて、まるで森の中の一軒屋のように見えた。教授というのは暇なのか、着流しのまま、ルーペを片手に花を観察したり、分厚い洋書を片手に邸内を散歩する様子が垣間見られた。長い髪を無造作に搔きあげては、鋭い視線を木々に注ぐ彼の姿から、学者というのはああいう人だという観念がぼくに植えつけられた。そして母の言うように、自分が将来学者になったら、あんな恰好で歩き回るのかなと思った。

教授の左隣、つまり改正道路に面したほうには、落語家が住んでいた。ぼくが応接間の窓を開けると、二階の座敷で咄の練習に余念のない師匠が見聞きできた。もっとも内容は聞き取れず、仕種のほうが明瞭に見えて、それがかえって可笑しみを誘った。師匠は有名な人で、内弟子も何人かかかえており、弟子に稽古をつけるときは、まるで人が変り、とげとげした啖呵を切るものだから、その唾がこちらまで飛んで来るような気がした。

ところで北側の隣家、つまりぼくが幼稚園のときまで住んでいた旧屋には、茶道の師匠が入っていた。部屋数の多い家とて、大勢の人々を教えるには都合がよく、二階は風炉点前の、下は炉点前の練習用に使われていた。師匠は四十年輩、端整な顔立ちに、腰の低い、おだやかな人で、ぼくのような子供にも丁寧なお辞儀をした。職業柄、いつも袴か十徳に白足袋で、歩き方も、上体を軽く前に傾け、何やらかしこまった風であった。お茶の道では高名な人で、何冊もの著書があると教えてくれたのは、先年の秋、入門した晋助であった。週一回のお稽古帰りに家に立ち寄った彼は、習ったばかりの作法を母に講釈し、ときにはお薄やお濃茶をたててみせた。父は抹茶の成分が眼病に悪いと飲まなかったが、母のほうは大いに関心を持ち、晋助の指導に従ってもっともらしく茶を飲んだ。晋助が来る日には茶菓子を用意し、風炉のかわりに古い鉄瓶を火鉢に掛けて待つのだった。

茶道がどういうものか、ぼくはまるで不案内だったが、若い娘たちが美人の奥さんの指導のもと水指や柄杓を運んだり、揃いの帯をきりりとしめた男たちが、今から思えば〝切り柄杓〟の型を一斉にとって、座したまま踊りをしているような様子を見せるのに目の覚める思いをしていた。

ところで、いくら本好きと言っても、ぼくは本ばかり読んでいたわけではない。そこは十一歳の子供で、どんなに読書に熱中していても、誰かが玄関口で呼べば、心はぱっとスイッチを切り替えたようにそちらに向うのだった。「小暮君、あそびましょ」と節をつけて呼ぶ声、一人のときもあれば複数のときもあったが、相手が誰で何をしたがっているかが瞬時にして推測された。松山哲雄であれば、自転車の遠乗り、香取栄太郎ならば、近所の彼の家で鬼ごっこか竹馬遊び、数人の声ならば、大抵、戸山ヶ原へ繰り出そう、というのだった。ともかく、友人の一声で、ぼくには、曲りくねった細い裏道、袋小路、庭、そして広々とした戸山ヶ原の光景が、生き生きと見えてきた。

戸山ヶ原は街の果てにあった。実際子供たちの感覚では自分たちの住む街はそこで不意に果ててしまい、広大な別世界がひらけてくるので、原に入る赤土の道は、その変化をもたらす魔法の掛け橋なのだった。土埃を蹴立てて我先にと駆けていきながら、一刻も早く別世界のあっと言うような眺望に再会したいとみんな願っていた。しかし時として、近くの蒲鉾形の陸軍射撃場から戸山ヶ原の松林や壕や丘には兵隊たちが散開して匍匐前進したり突撃したりしていて、そういう使用中はぼくらはあきらめて帰るより仕方がなかった。が、軍隊がいないとき、そこは一転して静けさと広がりの大地となり、まるで子供用に特別提供された不思議の国と化すのだった。

壕の中を兵隊の真似をして走ると、深い水溜りや寝床らしい窪みや時には十人が入って生活できそうなトンネルに出会った。〝胸墻〟には薬莢が落ちていて、これの蒐集をみんなで競い合った。

四年生になってから模型飛行機熱がクラスの中にはやりだし、上級生の作るように胴体を本物そっくりにヒゴで組立てた精巧なものはまだ無理で、割箸胴のを作っては、戸山ヶ原の隅の三角山から飛ばした。この丘は、笹や芒に覆われて身を隠すのに便利なうえ、崩れた斜面や横穴があって、兵隊ごっこの恰好な舞台となった。群れ飛ぶ赤トンボの中を走り、秋の虫が鳴く草叢に這いつくばり、遊びほうけているうちに、いつしか日が沈みかける。横穴から飛び立った蝙蝠が十数匹茜色の空に影を作り、遠く新宿のビルのネオンサインが光りだすと、子供たちは、来たときよりも一層大急ぎで、家へ駆け帰るのだった。

松山哲雄は、成績は組で一番、級長も二度ほどやり、運動も得意で、学校では級友たちの中心にいたが、遊ぶときもリーダー格で、時として十数人ものグループを手下のように従えていた。その彼が考え出した遊びにナイフ作りがあった。まず各自が五寸釘を持って集合する。戸山ヶ原の端へ行き、山手線の線路上に五寸釘を置く。一度に沢山置くと運転手に見咎められるから、間隔をおいて一つか二つずつ置くのだ。もちろん線路内は立入禁止だから、職員や線路工夫に見付からぬように、みんな協力して見張る。電車が来ると土手に伏せてやりすごす。轢かれた釘は平に延びている。延びた釘を叩いたり砥石で研いだりするのに好都合なのは廃品回収業の竹井広吉の家だった。射撃場の隣にあって戸山ヶ原から近かったうえ、商売柄、道具には事欠かなかった。鉛を融かすための煉瓦の炉を利用して整形した釘を赤熱させ、ついで水に入れて焼きを入れ、丹念に研いでナイフを作りあげる。木の柄をつけた完成品は、鋭利で鉛筆を削るのに持ってこいであった。

竹井広吉は、勉強はからっきし駄目だったし、宿題はやらず、授業中は行儀が悪く、担任の湯浅先生から立たされる常習犯だったが、一歩学校を出れば優等生の松山哲雄と対等に付き合い、奇抜な遊びを開発する才能もあって、むしろ松山を指導する風さえあった。松山哲雄が竹井広吉と並ぶ様子は、その対照の妙でぼくの記憶に印象深く残っている。本当に何から何まで違った。松山は、陸軍大佐の一人息子、イートンカラーの小学生服をきちんと着、背が高くて腕力も優れていたが、竹井は、廃品屋の六人兄弟の末っ子、兄たちのお古の継ぎ接ぎだらけのセーター、矮軀で非力だった。

竹井の考えだした遊び——と言うよりいたずら——にビルの屋上から癇癪玉を投げおろすというのがあった。この界隈でたった一つのビルは百貨店の別館で、鉄筋コンクリートの五階建て、二階屋が限度の、低い町並の中にあって、抜きん出て高くそびえていた。店員の隙を見て、一人二人と階段を駆け登って屋上に出る。鉛の粒を重しにした癇癪玉を路上に落すのだが、軍人や巡査の前に落したら大変だし、店員だと取っ掴まるから慎重に〃獲物〃をえらばねばならぬ。結局、若い女の子に悲鳴をあげさせるのが面白くて、二人ほど驚かしたところで、警備員二人が現れ、みんなあわてて逃げだしたところ、運動神経の鈍いぼくが掴まってしまった。薄暗い警備員室で泣きじゃくりながら待つうち、母が来て釈放されたが、友人の名はついに告白しなかった。母は始末書を取られたうえ、学校に通報すると脅されたのを、その百貨店のお得意さんの子だというので大目に見てもらった。

　ぼく独りで竹井広吉を訪ねたことがある。彼の百ヴォルトで動く電動モーターがほしくて、交換品として三田の秘密倉庫で発見したメスやピンセットの一揃いを持って行ったのだ。〃商談〃が成立して帰ろうとすると彼が自作のパチンコを見せてくれた。木の股に太いゴムを掛け、鉛玉を投ばす強力なもので、ぼくの輪ゴムで作った貧弱なものとは比較にならなかった。「これで猫をやっつけに行こう」と彼は言った。「やっつけるって……」ぼくは煮えきらぬ返事をした。猫にパチンコ玉を当ててもあまり面白くない。「猫が一杯いるんだよ。来いよ」と竹井広吉は、狆みたいな顔で頷き、ぼくにもう一つパチンコを渡してくれた。鉛玉を飛ばしてみると、ヒュッと唸って空気銃の弾のように飛んだ。「じゃ、行く」とぼくは、すこし嬉しくなって答えた。竹井広吉は、戸山ヶ原の入口近く、土管や廃品が積み上げられた場所に案内した。原っぱへの往復に横目で見て通りすぎる場所だ。大きな土管の上を渡って奥に行くと、いたのだ、猫が、無数に。

それは気味の悪い光景だった。土管の破れ目や毀れた家具の合間に群がっている。鳴き声から推すと、見えるのはほんの一部に違いない。ぼくらに気付いたヤツラは黄色い目を静止させて警戒の体だ。「すごいねえ」とぼくは感嘆したと同時に、ぞくっと寒気を覚えた。これだけの大群に襲われたら、骨までしゃぶられてしまう気がした。「大丈夫かなあ」とぼくは逃げ腰だ。「大丈夫さ」と竹井広吉は笑った。子供のくせに笑うと皺だらけになった。それから真剣な顔付きになって、「この猫のこと、誰にも教えちゃいやだよ」「うん」「じゃ、やりかた教えてやらあ。なるべく大きいヤツの目玉を狙うんだよ。仔猫はだめ。母親がおこるからね。それから、この土管からおりないこと」ぼくは頷いた。竹井広吉は戦闘を開始した。ぼくらを威嚇するように背中を丸くし、尾を立ててしゃしゃり出た肥った猫に玉を飛ばした。それは目に命中したらしく猫はギャッと身をこごめ、尻尾をさげると、よろよろと逃げて行った。

不穏な気配があたり一帯にみなぎった。低い唸りが地を這い、ガラクタの暗闇で無数の燐光がこちらを睨んでいる。ぼくは、身震いした。竹井は続けさまに三匹の猫に鉛玉を命中させた。ギャッと人間とそっくりの悲鳴をあげて、猫たちは姿を消す。が、すぐさま別なのが現れて、じりじりと迫ってきた。気がつくと夥しい猫にぼくらは囲まれていた。「何だか、すごい数だよ」とぼくは言った。「ちゃんと狙って撃てよ」と竹井が叱咤した。けれども、ぼくのはさっぱり当らないのだ。猫のほうが敏捷で、たくみに遮蔽物を利用して移動し、ぼくの鉛玉は金属やガラスに空しい音をたてるだけだった。すぐ足元に来た一匹の胸にぼくの一発が跳ね返った。が、相手は平気で、土管の上に飛びあがり、背を盛りあげる攻撃の姿勢で近付いてきた。まるで豹にでも襲い掛られたように、ぼくは悲鳴をあげた。と、竹井が撃ったのが、見事に相手の目玉に的中した。両目を閉じた大猫は、ずるずると腹で土管を滑り下りた。「さあ、逃げるんだ」と竹井が言った。ぼくは、泡を喰って彼を追ったが、丸い土管の上は不安定で、彼のように素早くは移動できない。今にも猫たちが追いすがって来るようで気が気ではない。やっと土管の端から地上に飛び下りたところ、石でしたたかに膝を打った。びっこを引き引き、無我夢中で走った。どうやら安全と思われる場所まで来たときには、心臓が破裂しそうに高鳴り、ぜいぜいと息を衝いた。

「こわいかい」と竹井広吉が笑った。「こわくないさ」とぼくは瘦せがまんを張った。「それじゃあな、猫をおどかす、オマジナイをしようや」「オマジナイ……」猫たちの方角に引き返し始めた竹井に、ぼくは、いやいやながら従った。破れた薬缶や毀れた自転車など、鉄屑の山に、竹井はどこからか持ち出した一升瓶を傾け、水のようなものを撒き散らし、最後に地上を十メートルほど濡らして瓶を捨てた。「一、二の三で逃げるんだぞ」と彼が言った。

「一、二の三」でオレンジ色の炎が地面を割って伝わっていき、鉄屑のあたりで、爆発したように燃えあがった。猫たちが炎の中から飛び出してちりぢりに四散した。「やったねえ」ぼくは感心しきって、この不思議に美しい炎上を眺めていた。「ばか、早く来い」と竹井が呼んだので、やっと逃げだした。打った膝の痛みを思い出したのは、大分現場を遠ざかってからだった。

竹井広吉と交換した電動モーターは、扇風機か何かについていたのらしく、百ヴォルトを通すと、ビューンと物凄い音をたてて回転した。この回転を利用して何か作れないかとぼくは考えたが、あまりにも高速回転で、危険すぎて手におえず、引出しの奥に仕舞いこむより仕方がなかった。彼からもらったパチンコは強力で、一、二メートルならガラスを粉々にするし、二十メートルも先の木の幹に当って、ガンと減り込むような音をたてた。しかし、ぼくの家の近所には猫はあまりおらず、パチンコの効果を試す機会もなく、つまりはおもちゃ箱に打ち捨てておく結果になった。

数日経って、ぼくが『モンテ・クリスト伯』に読み耽っているとき、母が、「悠太、二階へおいで、おとうさんがお話があるんですって」と言った。その変に優しい調子が常ならぬ気配なので、ぼくは心細くなった。果して、母と並んでぼくに相対した父は、いつになくきびしい顔付きで、詰問してきた。「お前、竹井って子を知ってるか」「知ってるよ」「よく遊ぶのか」「ときどき……」「その子と一緒に道に火をつけたことがあるか」「……」「どうなんだ」父は、泣くような甲走った口調になった。母がはたから言った。「大したことじゃないのよ。でもね、道の上で、ガソリンで火を燃やしたって、――いえいえ、悠太独りでやったんじゃなくって、竹井君と一緒にやったんだって、言う人がいるもんだから、心配でね……」ぼくは正直にありのままを話した。母は父と顔を見合せ、小声で何やら打ち合せると、二人してぼくに向いた。父は今度は、沈んだ顔で言った。「実はな、この件で警察に呼び出された。そのときの火が、コザイ――古い材木だな――に燃え移って、あやうく火事になるところだったんだ。古材の所有者の訴えで、警察が捜査したら竹井って子が、こいつは札付きの悪い子らしいが、目撃された。そして、お前の名前もあがった」「その竹井君が喋ったんだよ、小暮君と一緒にやったんだって」と母が言った。「ぼく、火つけてないもん」とぼくは言った。「それは、そうだったらしいけれど、竹井君と一緒にいたことは確かなんだから、お前も悪いことになるの」「……」ぼくは唇を噛んだ。「それからね、百貨店別館の癇癪玉の件もばれたんだよ。お前、あれ、竹井君とやったんだってね、松山君もいたんだって」竹井のヤツ、友人の名前を明かすなど、とんだ卑劣漢だと、ぼくは腹を立てた。以前読んだ少年小説に、いたずらして、友人の名を明かさず、全部の責任を独りで取った少年が登場してきて、えらい男だと、ぼくは感心していたのだ。

「子供のしたことだから、大目に見てほしいと警察に話して、きょうは帰ってきた」と父が言った。「癇癪玉の件は、これは単なるいたずらで、始末がついたことだから、もういい。ところが、ホウカ――火をつけると放火という罪になるんだぞ――こいつのほうは、警察も見のがせない。あやうく火事になるところだったうえに、あの付近には射撃場があって、火薬が沢山あるから、一歩間違えばな……悠太、お前の年では、もうわかるだろう」ぼくは頷いた。初めて自分が大変なことをしたとわかって、涙が溢れ出てきた。もう自分は駄目だ、お終いだ、石の牢獄に入れられ、『モンテ・クリスト伯』のダンテスのように、真っ暗闇の中で何年も暮さねばならないと思った。泣いているうちに、しゃくりあげてきた。母が慰めてくれた。「悠太、そう心配しなくてもいいのよ。警察では、今度だけは親に厳重注意するだけにしてくれたんだからね、ただね、学校にも一応通報すると言うの。でね、もしかしたら先生からお叱りを受けるかも知れない。そういうときは、隠さず、本当のことを言って、もう二度としませんと謝るのよ」「悠太」と父は、眼鏡の奥で目を三角にした。悪いほうの目蓋がすこし下って、恐かった。父は不断着ていた寝巻をきちんと背広に着替えていて、すこし前、警察署から帰ってきたところだった。「おとうさんは警察で謝ってきた。放火の件は、竹井君がやったことで、お前は見ていただけだと、むこうでも知っていたから、別に問題はない。ただ、むこうは時局柄、軍の施設のそばで火事がおきたことを気にして、二度とこんな無茶ないたずらをせんようにと言ってる。お前、二度としないと誓え」ぼくが黙ってこっくりすると、母が、「はい、と言いなさい」と言った。ぼくは、「はい」と言ったが、しゃくりあげたものだから、絞め殺される鶏のような声になった。

翌日、学校に行くのが嫌でならなかった。教室で先生から名指しで叱責されると思うと気が重かった。平沼邸のそばに住む、香取栄太郎の家の前でぼくは立ち止った。彼は、瘋癲玉事件で行動を共にしたので、警察に名前が通告されているに違いないからだ。角の洒落た洋風の二階屋を見上げていると、折よく香取が出てきた。色白の子で、ちょっと口を曲げて気取った話し方をする。並んで歩きながら、ぼくは当り障りのない話題を繰り出し、学校の近くで、「ねえ、別館の瘋癲玉でさ警察から何か言ってこなかった」と尋ねた。香取は、口を曲げ、「警察……おだやかじゃないね」とませた口振りで言い、「きみんとこに何か言ってきたの」と尋ねた。「いや……」とぼくはうろたえた。「そういう噂があるんだ。警察が調べてるって」「まさか。きみはあんとき、つかまってさ、あやまって、許してもらったって、言ってたじゃない」「でも情勢が変化したんだ」ぼくは、この友人と話すときついそうなる、むつかしい言葉遣いになった。「変化した……」「そう、誰かが警察に密告したんだ」「やだね」「やだろ」校門を入って左手に奉安殿があった。御宮風の屋根を持つコンクリートの小殿に、二人はぴょこんと頭を下げた。本当は最敬礼をする極りだったけれども、面倒くさくて、いつもちょっと礼をするだけだ。二宮金次郎の銅像前で、担任の湯浅先生を思い出した。つい、数日前、金次郎の話を聞いたばかりだった。職員室のドアが開いていて、先生たちが何か事件でもおきたように物々しい顔付きで出入りしていた。すくなくとも、そんな感じに見え、ぼくの気は滅入った。

二階の教室に松山哲雄がいた。「やあ」と快活な挨拶で、笑顔に翳りはなかった。竹井広吉が来た。「あれ、ばれちゃったんだって」と囁くと、「なあに大したことはねえよ」と答えた。「だって、警察が……」「心配ねえよ、あんなの」「そうかなあ」そんな話を交しているうち、朝礼のベルが鳴った。

湯浅先生の授業は常と変りはなかった。山梨県人で、富士山麓の山男を自任する先生は、すらりとした上背で、丈夫な両脚で教壇を端から端まで往復しながら丸い眼鏡をキラキラとさせた。出来ない子を無視して、中ぐらいの子、たとえば香取栄太郎に当てる。その子が出来ないと、もうすこし上の子に当てていく。松山哲雄を頂点にして数人の子が最後に正解を出す。通常のこの授業法を、時々先生は逆転させ、劣等生の谷進や竹井広吉にいきなり当てて、解答不能の子をつぎつぎに立たせたりした。とにかく、湯浅先生の授業では、成績の上下がはっきり明暗を分けており、人間の能力に格差がある事実を子供たちは骨身に沁(し)みて知るのだった。ぼくは、何とか上の数人の中に入ろうと努力していた。しかし松山哲雄を頭にする数人にはどうしてもかなわなかった。それに、課外の読書や、最近関心を持ち始めた天体観測に時間をとられて、学校の勉強はおろそかになりがちだった。その日も、ぼくは先生に当てられないよう俯(うつむ)いていた。それに、先生がいつ放火事件を持ち出してくるかと薄気味悪かった。一時間、一時間、身の縮む思いであった。

　昼休みにみんなは校庭に出た。秋のひんやりとした風の中で、全校生徒が遊んでいた。中央の広い場所は上級生のキャッチボールや〝水雷艦長〟遊戯に占領されるので、ぼくら四年生は、端っこの雲梯(うんてい)や肋木(ろくぼく)のあたりに溜(たま)って遊んでいた。遊びとなると、見違えるように元気一杯となるのは竹井広吉だった。それに、彼は無類の物持で、みんなのほしがるようなものをこっそり学校に持ちこんでいた。人気のあったのはピカピカに磨(みが)きあげたべーゴマだった。路上に置いたべーゴマを細竹で押して削りあげたこのコマは、ほかのコマを弾(はじ)き飛ばす絶大な威力を持っていた。それ一つが普通のコマの五個と交換された。

　竹井広吉こそはべーゴマの名手であった。バケツに茣蓙(ござ)を敷き、真ん中をへこませた舞台に、彼がプッと霧を吹きつけると準備がととのった。「いっせのせ」でみんな自分のコマを投げこむ。紐(ひも)をぐっと引く手腕と、コマの優劣が勝負の極め手だ。竹井の削りあげたコマは、腰が低いうえに回転むらがなく、ピンピン、ビューンとほかのコマを飛び出させてしまう。

しかし、松山哲雄なんかが竹井と交換したコマを用いても、竹井のコマ回しの技術が優り、結局は取り返されてしまった。こうして、彼は沢山のベーゴマを通貨として、薬莢やメンコや日光写真を買い集め、それらをまた他の〝商品〟と交換するのだった。もっとも、ベーゴマとメンコは、学校では禁止されていた。子供が物を獲り合うのは好ましくないという理由である。しかし、学校の前の文房具屋では、ベーゴマもメンコも堂々と販売していた。

その午後、ぼくは掃除当番で五、六人の学友と教室を掃除していた。すると、不意に湯浅先生が現れ、「小暮、ちょっと来い」と言われた。先生は大股で先に行く。追いついても何も言わず、なおも先に行く。職員室の隣の会議室に入った。先生は、優勝旗や優勝盾を背にして坐った。「御両親から聞いただろうが、例の火付け事件について、警察から学校に通知があった。お前が何をしたか、正直に言いなさい」「はい」ぼくは、きのう父母にした通りの告白をした。一度話した内容なので順序正しく、正確に話せた。湯浅先生は不断からヘヴィスモーカーであったが、そのときは立て続けに何本も吸い煙幕にでも包まれたようになり、しかも一言も質問せずに聞いていた。ぼくが話し終えても、じっと黙って考え込む体だ。しばらくして、「よし」と先生は煙の中から顔を抜け出させた。「小暮には罪はない。しかし、道の上にガソリンを撒いて火を燃やすのはいかん。竹井がやろうとしたら、やめさせるべきだった。ま、これからは二度と無鉄砲ないたずらはせんように」「はい」罪がないと言われたので、ぼくは安心して元気よく答えた。すると先生は、きびしい面持で付け加えた。「今回の件は、おとうさんとも相談のうえ、学校では本人に注意するだけにし、あとは記録に残らないようにした。しかし、お前は知らんらしいが、あのときの火は古材置場から射撃場の草原へ燃え移って、消防自動車が出て大騒ぎとなった。あれで火薬庫にでも火がついたら、えらい事件になっていた。子供のいたずらにしては度が過ぎる、スパイの仕業かというので憲兵が捜査に当り、警察を動かしたのだ。それが不問に付されたのは、お前の従兄の脇大尉のおかげだ。その御母堂が関係方面に働きかけて、〃火を消して〃下さった結果だ。ようく覚えとけ」「はい」とぼくは、たちまち意気沮喪した。美津伯母の運動があったとすれば、母は内心、さぞかし不愉快だろう、と慮ったのだ。続いて湯浅先生は、竹井広吉が、例のガソリンをどこから入手したか、どうしても言わない、小暮はこの件について何か知ってるかと尋ねた。むろんぼくは知らないと答えた。「ガソリンは統制品だ。いまどき、どこで手に入れたか……困ったヤツだ」と湯浅先生はつぶやいていた。

それで幕となった。両親も先生も、まるでそれがなかったかのように事件には触れず、竹井広吉は相変らず学校では、よそ見、お喋り、居眠りの常習犯で、先生から叱責され、廊下に立たされていた。が、ぼくは、彼と付き合うのが恐しくなり、遠ざかるように努めた。彼と交換したモーターは地面に埋め、もらったパチンコは捨ててしまった。ぼくの気持や態度を、彼のほうも敏感に察したらしく、ばったり遊びに来なくなった。そのため、彼が首領株でおこなうベーゴマやメンコの仲間から、ぼくは離れてしまった。そして、大勢で遠く戸山ヶ原に押し出すよりも、家の近所で香取栄太郎なんかと遊ぶことが多くなった。

香取の家は四辻の角を取るように建っていて丸木小屋を思わせる細い横羽目で目立った。

窓からは二方向の道が見通された。窓から見えるのは庭と極めていたぼくには、この道の景色が珍しかった。軍人、警官、主婦。頭上に長い梯子をのせた梯子屋、風鈴を風になびかせながら天秤棒に水桶をかついでいく金魚屋、重ね行李を紺の風呂敷で包んで背負っていく富山の薬屋、ことにもピーと鋭い汽笛を響かせる羅宇屋の屋台。この屋台は、丁度香取の家の前に止るのだった。使い古した黒斑竹の羅宇から雁首や吸口をひっこ抜き銀色の筒から吹き出す蒸気で洗い、新品同様にピカピカにして、新しい羅宇に差しこむ、その手際のよさ。羅宇屋は紺の股引掛け、半纏、三度笠の古風な旅装束で、煙管をもって集るお客も老人がほとんど、一時代前の空気がその場に流れた。

香取もぼくも散歩が好きで、それをぼくらは〝探検〟と称していた。北は小学校への通学路でよく知っていたし、南は花園神社からむこうに新宿の繁華街が続き子供の行ける場所でなく、西は百貨店の別館が監視塔のようにそびえていてばつが悪く、ぼくらが好んで向ったのは東であった。

改正道路を新宿角筈から来た市電が横切っている。新田裏の停留所は降りる人も少なく、いつも閑散としていた。このあたりに並ぶ家々も、粗末な板塀に、まばらな植木で、どこかつましい。そういう一軒が、陸軍大将阿部信行首相の家であった。平沼首相にくらべると阿部首相の家は、まるで貧相で、巡査が立番していなければ、見過してしまう程度であった。前田侯爵邸の裏側の木立が見え隠れする先に、大久保車庫前の停留所があった。線路が分岐し、奥まった先に三角屋根の車庫が穴を開き、電車が並んでいた。ぼくらは非番の電車が転轍機の作動で引込線に入っていくのを待った。車掌が窓外にそりかえって紐をひき、ポールの先の滑車が電線を替える瞬間、青白い火花が散るのを、高圧のエネルギーの躍動として面白く見た。作業を終えた車掌はチンチンと鈴を鳴らす。支那事変になってから年とった人が多くなり、この道何十年という名人が、紐の一引きでポールを巧みに動かすのが頰笑ましかった。

車庫の裏手に天神小学校の講堂があり、この近所に来ると懐かしい思いがするのは、幼稚園のとき、チズカの家までついて行ったあと、散々迷い歩いた場所だからである。一度、彼女の家——蔦に覆われた赤屋根の西洋館——のあったとおぼしきあたりを探してみたが見付からなかった。しかし、ぼくが母の救いに来るのを待った西向天神はすぐ発見でき、香取と二人で何回も行った。御影石の鳥居の傍に〝御大礼記念大正四年十一月〟とある石碑が立つ。石段をのぼりきると、楠の巨木に侍られた拝殿があった。この楠の枝の一本一本がぼくの幼年時代を覚えていてくれるようで、挨拶のつもりで幹を指先でちょっと突くのを友人は不思議そうに見ていた。赤塗りの鳥居が十数並ぶ先に〝一光院稲荷大明神〟の幟が、これは必ず、はたはたとはためいていて、誰かの見えざる意志を示しているようだった。ところで、ぼくらがこの天神様に何回も行ったのは、ここから街が一望できたからである。

大公園さながらに視野を占領している前田侯爵邸の右に迫り上る丘に、高千穂幼稚園が見分けられた。そして、大久保小学校の講堂の屋根を中心に、赤いトンガリ帽子の塔や教会や平沼邸や百貨店別館などめぼしい建物が散在している。左手は新宿のビル群だった。百貨店、銀行、映画館など、四、五階からせいぜい九階ぐらいまでのビルなのだが、城壁のようにそそり立って見えた。あとは、槌で叩いたように平べったい瓦屋根の大群だった。どこまでも同じ様相で、視野の底に溜っていた。ぼくの家などは、あまりにもありきたりなため、見付け出すのに努力が要った。

ともかくも、それがぼくが育った故郷であった。夏休みの作品として、〝西大久保地形図〟を制作した香取栄太郎は、建物の名前に滅法詳しかった。トンガリ帽子の塔は〝希望社〟という結婚相談所だとか、平沼邸や阿部邸など首相の家だけでなく、文部大臣となった陸軍中将の家、落ちぶれた公爵邸、海軍大将の家、東京一の材木商の豪邸というふうに指差してみせた。

西向天神から抜弁天の高台まで坂道を登って行き、今度は、高千穂学園の裾を回り、迷路を解くようにして歩き回るのが楽しかった。このあたりは坂の街で、道は不意に行き止りになり、と思うと露地が抜け裏になっていて広い道に出、とある家の脇の石段の先に家々の背を撫でていく間道がどこまでも続き、幅広の道を闊歩すれば袋小路という具合で、上ったり下ったり、往ったり来たり、気がつくととんでもない場所に来ていた。それでもしばらく行けば見慣れた目印――炭団を道一杯に干す炭屋、長大な煙突の銭湯、双葉山など人気力士の写真メンコを大量に揃えている駄菓子屋など――が現れてくるので安心して先に行けるのだった。数々の迷路が段々と高みに登り、やがて一本の坂道に集約されて、ぼくらの〝探検〟は終った。坂を登り切れば、そこは陸軍幼年学校の真ん前であった。

石門の奥に赤屋根の建物が、金色の菊の御紋章を誇らしげに光らせていた。日曜日には、カーキ色の軍服に白手袋の生徒たちが黒風呂敷を小脇にかかえ、胸を張って出てきた。彼らは中学生ぐらいの年齢なのだが、姿勢のよさと真っ直前を見詰める歩き振りで別の人種に思えた。まだ渡満する前の敬助は、散歩の途中、よく幼年学校前にぼくを連れてきて、「これがおれの母校だ」「こんなかでは宮様もわれわれも同じ生徒として訓練を受ける」と言った。着物姿の敬助は将校だとはわからぬはずなのに、生徒たちはそばに来ると、さっと緊張して、今にも敬礼しそうな身構えで通り過ぎた。坊主頭、軍帽の跡を残した額、何よりも、ぎゅっと背を伸ばした姿勢に、彼らは自分たちの先輩を感じ取ったようだ。幼年学校の隣が陸軍戸山学校、さらに行くと陸軍病院というわけで、このあたりは戸山ヶ原練兵場や射撃場を含めて、軍関係の施設が集っていた。軍靴の鋲音、革と汗の匂い、重い機械の轟音、鉄砲と背嚢と軍服、歩調を取る足、号令、敬礼、叉銃、駈足、休憩、そういった音と情景は日常茶飯事であった。けれども、それらのなかで、幼年学校生徒の外出姿は、際立ってあざやかで、子供たちが見惚れたものだった。

日曜日の午後、香取栄太郎と二人で陸軍病院に傷病兵を見舞ったことがある。学校の先生から見舞うべき相手の名をあらかじめ知らされ、在学証明書をもらって出掛けたのである。おそらく、当時の小学校には、〝兵隊さんを見舞う〟割当てがあったのだと思われる。

各自、溜めたお小遣いを出し、足りない分を親からもらって、お見舞いの品を買い集めた。タバコ、キャラメル、ビスケット、花などを持って、ぼくらは病院の受付に行った。ところが食物の差入れは衛生上厳禁で、持って入れたのはタバコと花だけだった。コンクリート三階建ての病舎には白い着物が白魚の生簀のように溢れていた。白衣の腕には赤十字が、左胸には小さな階級章が縫い付けてあった。ぼくらの目当ての上等兵は外科の病室にいた。木製の粗末な寝台、無線用の受話器とラジオ、繃帯で包まれた頭、呻き声、看護婦……三田の病院と違うのは患者がすべて若い男たちだったことだ。ぼくらの上等兵は眼帯で片目を隠していた。彼はぼくらを屋上に誘った。黄ばんだ森が見渡せ、鰯雲が薄くたなびいていた。両脚のない兵隊が車椅子の上で尺八を吹いている。

「兵隊さんはどこで負傷したのですか」とぼくは聞いた。「今年の六月、満洲です」「ノモンハンですか」と勢いこんで尋ねたところ、上等兵は、「まあ……」と言葉を濁した。「やられたときの気持はどんなでした」と香取栄太郎。「まあ、太い棒で殴られたような感じですね」上等兵は、眼帯を持ちあげて、目蓋を開き眼球のない黒い穴を示した。右の額から左の眼へ弾丸が貫通し、眼球を吹き飛ばしたのだ。現在義眼を請求中で、やがて、外観上は片目とわからぬようになるという。「だけど、この目蓋、ちょっと変でしょう。実は、頬の皮膚を切取って作ったんです」左頬の口の脇に切創があった。道理で笑うと口がゆがんだわけだ。ノモンハンの戦闘につきいろいろとぼくは知りたかったのに、上等兵は、やはり話したがらなかった。

日が翳って寒く、病室に戻った。ぼくらが上等兵に別れを告げたとき、寝台に横たわる人と話していた女性が顔をあげた。夏江叔母だった。さっきもいたのだが、あまりにも地味な、下女のような身形（みなり）で、見分けえなかったのだ。駆け寄ると、夏江叔母は、「おや、悠ちゃん。どうして」と不意を食った顔付きで答えた。ぼくは香取を紹介した。さっきの上等兵は、もうぼくらを見向きもせずトランプに熱中していた。「菊池さんよ」と叔母は相手を紹介した。

「叔母さんのね、古いお知合いなの」

　菊池は色の黒い人だった。色黒と言えばときやがそうだったが、彼のは、それにも増して顔中焦（こ）げ付いたようだった。鼻先など黒曜石のように光っている。ぼくが笑いを噛（か）み殺していると、香取栄太郎はもう笑い出し、薄い肌（はだ）を薔薇色（ばらいろ）に染めた。「へへ、おかしいかね」と菊池は言った。「遠慮なく笑いなさい。ぼくの顔を初めて見ると、みんな笑うよ。新兵のときもそうだった。古年兵から散々いびられたものさ」そう言われて、ぼくらは、かえって笑えなくなった。

　香取栄太郎が今度は真面目（まじめ）くさって尋ねた。「兵隊さんは、どこで負傷したんですか」「満洲だ」「じゃ、あの兵隊さんと同じですか」香取は最前の上等兵の名を言った。「そうだ。同じ部隊だ。ここにあと三人来ている」「ノモンハンですか」とぼくはそっと尋ねた。菊池は、ぼくの秘密めかした目付きに敏感に反応し、軽く頷（うなず）いた。その刹那（せつな）、叔母が遮（さえぎ）るように言った。「悠ちゃん、どうしてノモンハンなんて知ってるの」「知ってるよ。おとうさんが話してくれたもん。すごい激戦だったんでしょう。だって針がちっとも動かなかったもん」「針……」ぼくは地図に刺す留針の解説をした。それから知ったかぶりで言った。「皇軍は大分苦戦だったんでしょう」叔母は菊池と顔を見合せ、それからいつになく細い目を一杯に見開いた。

「悠ちゃん、そんなこと絶対言っちゃだめ。つかまっちゃうわよ。ねえ、菊池さん」「へへえ、まあ」彼は周囲を偵察した。さいわい両隣の寝台は空だった。「兵隊の間では公然の秘密だから。大丈夫だろう。でももう、小学生まで、知ってるとはね」香取栄太郎だけは、事情がわからず、きょとんとしていた。ぼくは彼に対して、ちょっと得意がるように事実に嘘を混えて言った。「おとうさんが敬ちゃんから聞いたんだ」「敬助さん……」と叔母がはっとした様子で聞き咎めた。「敬助さんが帰ってらしたの」「ううん、まだ、でもね、もうすぐ帰ってくるんだって」叔母は、菊池にぼくが脇敬助大尉の従弟だと、ぼくには菊池は敬助と同じ部隊にいたのだと説明した。「ぼく帰る」と香取栄太郎が言った。夕方、父親と新宿にニュース映画を見に行く約束があるという。一緒に帰ろうとしたぼくに香取は手を振り、走り去った。「兵隊さんは、脇大尉の部下」「一番下っ端の部下だ」「位は何なの」「一等兵だ」菊池は、掛けていた毛布を剝いだ。左胸に、星二つの階級章が現れた。「下っ端じゃないじゃない。二等兵より上じゃない」「大尉よりはずっと、ずっと下だよ。脇大尉殿とは話もできないくらい下っ端さ」菊池一等兵は、ふたたび毛布を掛けようとして、体をよじった。そのとき、彼の右腕がないのにぼくは気付いた。袖の中は肩の付根から空虚だった。ぼくが驚いていると、菊池は笑った。「右腕はね、大砲の弾が持っていったのだ」「不便でしょうね」とぼくは傷ましげに言った。「最初は不便だった。しかし、今は慣れた」彼は左手で便箋に字を書いて見せた。「書いたり、食事をしたり、何でも左手でやる。そうそう、不便と言えばだね、無くなった右手の感じが残ってることかな。腕も指も、まだ付いてるようでね、今、お腹の上にある。あ、きみのほうに握手のため伸ばしている……」菊池は、ぼくと手を握り合ったように頷いた。目に見えぬ手が自分に向って差出されているようで、気味が悪い。彼は続けた。「困るのは、この幻の手がかゆくてたまらなくなることさ。今も、ちょっとかゆいがね、掻くわけにいかない」

そうやって話しているうち、菊池一等兵は額や首筋に脂汗をにじませ、苦しげに肩で息しだした。叔母は、「疲れたのね」と言い、手拭を濡らしてきて拭ってやった。「菊池さんはね、肝臓が悪いの。肝臓に弾があたってね、半分以上こわれちゃったのよ。あなた、大丈夫……」「いや、大したことはない」菊池は弱々しく首を振った。そのとき、彼が異常に痩せていて、薄い皮膚が骨に張りついたようなのにぼくは気付いた。とくに、剝き出しになった腕の細いのが目立った。

陸軍病院を出て、並んで歩きながら、叔母は、菊池の回復がはかばかしくなく、今にも死にそうな重症で、心配なためこのところしばしば見舞いに来ていると語った。叔母は、心底、彼の病状を気遣っていて、そのため、夏の葉山で会ったときよりも、面窶れしてしまい、坂道を登るときなど息切れがひどく、何度も立ち止った。

叔母はぼくの家に来て、久し振りに母とあれこれ話していた。夕食を一家とともにしたあと、泊っていくことになった。三田の古川橋の下宿に住んでいた叔母は、当時、品川台場にある〝永山光蔵鉱物博物館〟の管理人をしていた。門前の小僧で、鉱物の分類や名前に詳しくなり、ぼくにも一度訪ねてくるようにと言った。「鉱物かあ……」ぼくは、いささか失望して言った。昆虫になら多少の関心はあり、採集したり観察したりしていた。戸山ヶ原には、蟬、蝶、トンボ、サイカチ、タマムシなどが多く、スズムシやコオロギをはじめ秋の虫は家の庭に沢山いた。しかし、鉱物の世界は縁遠かった。ぼくがそう言うと、叔母は、「でもねえ、鉱物って人間を裏切らないのよ。そして腐らないのよ。神様がお創りになったとおりの、あるがままの姿を正直に示して、いつまでもそのままでいる」「そうか」とぼくは思い付きで言った。「じゃ、星みたいんだね」「そうよ、星よ」と叔母はますます熱心に言った。「宇宙の星は、全部鉱物でしょう。つまり、この地球の上の鉱物が宇宙にばらまかれているのが星よ」母が脇から口を出した。「この子はね、おじいちゃまの孫よ、このごろ星を見るのに夢中なの」それは事実だった。夜、物干台にのぼり、望遠鏡で星を眺めるのをぼくは楽しみにしていた。満十歳の誕生日に祖父に買ってもらった五センチの天体望遠鏡を据え、いっぱしの天文家気取り、武蔵新田の天文台で祖父がするのを真似て、額に縦皺を刻みながら、懐中電灯で星座表を見、さて実際の星々を見上げた。拡大された月の表面の奇怪な様子を覗くことから始まって、金星、火星、土星と観察していった。初めて土星の輪を認めたとき、ぼくは小躍りして母や弟たちを呼びに行ったものだ。ぼくの知識の源となったのは、有楽町駅前の東京日日新聞社の最上階、東日天文館のプラネタリウムだった。人工の丸天井に映し出された星空を見ながら、解説を聞いていると星座や星や星雲について、さまざまな知識があたえられた。解説者のなかでぼくが好きだったのは野尻抱影で、星座と伝説についての博識とユーモア一杯の語り口で、ぼくをギリシャやアッシリアの牧童の気持にさせ、太古から現代まで変らぬ星の美にうっとりとさせた。せっかく出掛けたのに、ほかの解説者が現れたりするとがっかりしたものだ。

その夜、ぼくはアンドロメダ大星雲を望遠鏡にとらえようと躍起になっていた。それは北東から天頂へむかって流れる天の川の岸辺にあり、丁度腰掛形のカシオペイア座の対岸に見出されるはずだった。すでに、武蔵新田の祖父の天文台では何度も見せられていたが、ぼくの貧弱な望遠鏡ではなかなか確認できなかったのだ。むろん肉眼でもぼんやりとした円盤は見分けうるのだが、それが雲霞のような星の集団で、渦を巻く様子を見極めたかった。漠とした光のひろがりに目を凝らす。八十七万光年の彼方の銀河系なみの大星雲を、しっかとこの目でとらえたいと緊張する。

と、振動が望遠鏡をゆさぶり、誰かが物干台にあがってきた。夏江叔母だった。「何を見てるの」「アンドロメダ」ぼくはせっかくの観測を邪魔されていまいましく、尖り顔で答えた。「アンドロメダ……素敵な名前ね」「アンドロメダって、カシオペイアの娘なんだよ。だけどね、人身御供になってね、海辺の岩に鎖で縛られる。それをね、ペルセウスという勇士が助けに来るんだ」ぼくは野尻抱影から聞いた知識を請け売りした。ギリシャの牧童の頭には神話が一杯に詰っていて、星空を見ればそれを連想したに違いなく、鎖に縛られた美女アンドロメダは天の川で表現される海の岸辺にあり、剣をかまえているペルセウスのすぐそばにいるように見えた。アンドロメダは母のカシオペイア――それを椅子と見るのは現代人の感覚で、むしろゆったりと腰を掛けた豊満な女性をこそ見定めねばならない――と、幅広い星の海によって隔てられている、そのあざやかな情景が夜空の中に見えてき、ぼくの心は、一瞬、歓喜で充たされた。祖父が天文台で示す、科学者らしいしかめっ面を真似て、ぼくは子細らしく望遠鏡を操作し、やがて星雲を視野のなかに誘い入れるのに成功した。楕円形の星の渦が今やはっきりと映し出されている。「叔母さん、アンドロメダの大星雲だよ。すごいよ」「どれどれ」叔母は接眼鏡にそっと目を近付けた。「叔母さんには何も見えないよ」「明るい所にいたからね、駄目なんだ。目をぎゅっと瞑ってさ、しばらくじっとしてるとさ、〝暗調応〟ができて見えるようになるよ」叔母は言われた通りにした。ぼくはそのあいだに、望遠鏡のピントを調節した。二度目にそっとのぞいた叔母は、「何だか霧みたいなのがあるわね」と言った。「それだよ。それがね、何万個かの太陽みたいな星の集りなんだ」とぼくは声を弾ませた。「大きなものなんだろうね」「大きい、大きい、無限に大きい」「無限……」と叔母は、胸を絞るような長い溜息をついた。常用する白粉の香りが夜気に混った。

「この宇宙は、どこまで行っても無限に大きいっての、不思議なことね」

夏江叔母の、このときの一言が、その後何度もぼくの胸に谺となって響いたのだ。宇宙が無限なのは当り前の事実だと思っていたのが、実は摩訶不思議なのだという思いは、ぼくの年齢が進むにつれて強くなっていった。頭上へいくら登っても、足下にいくら下っていっても、無限に続く空間があるという不思議に、ぼくは自分自身の拠り所を失なう、メマイを覚えた。それとともに、どうして人間は一定の大きさを持つのかという疑問にも逢着した。山のような巨人や蚤のような小人は神話や童話には存在するが、この世の中の人間は、なべて一定範囲の大きさを保っている。ぼくは、「なぜ人間は富士山みたいに大きくなれないの」と母に質問して、「そんな莫迦なこと考えるもんじゃないよ」とたしなめられ、その後、何回となく同じ類の質問を大人たちに発して、「この子は頭がおかしいんじゃないか」と違和感、当惑、軽蔑のまなこで見られたりもした。ぼくがこの種の質問を夏江叔母にしたかどうか記憶はない。ただ、その年の夏、葉山の海岸での会話が、これを書いている今、不意に浮び上ってきた。そこは長者ヶ崎へむかう磯辺で、フジツボがギザギザとへばりつく岩の上を、イソガニやヤドカリが這い、水溜りには小蝦やヒトデがひそんでいた。鉱物には詳しい夏江叔母も、海辺の動物については不案内で、図鑑片手に歩くぼくは得々として、名前を教えてまわった。青いウミウシをバケツに入れると、母は「ナメクジだ」と言ってこわがり、叔母は「珍しいものがいるのね」と興味を示した。バケツの中にうごめく大小の動物をのぞいていた叔母は、「不思議なことね、動物って、いつも同じ形と大きさを繰り返すのね」とつぶやいた。叔母の何気ない言葉は、多分ぼくの心に沁み入ったのだろう、そして、どうして人間は（そして動物は）一定の大きさを保つのかという執拗な質問に変形されたのであろうと今になって思い当る。

　宇宙は無限に大きいのに、生物は一定の大きさしか持たない、この二つの存在が極端に違ったありようを示す不思議はぼくの心の中核に住みつき、反復して思惟を誘いだす原動力になるのだ。幼いときは、空間への思惟が優先していたのが、年が進むにつれて時間の方向へと思惟が進み、無限の時間のさなかに、寿命という限定された時間しか持たぬ人間や動物がいる不思議へと向っていった。が、ぼくは先を急ぎすぎた、ここでは夜空のもとで夏江叔母がぼくを開眼させてくれた無限に対する不思議な思いだけを書き留めておこう。

物干台での観測を終えると、ぼくは子供部屋にもどって就寝の支度をした。もうとっくに寝入っている弟たち（央子だけは両親と一緒に寝た）のわきにそっと入りこむ。秋も深く、冷えこむ頃（ころ）となると母は搔い巻きの下掛けを延べてくれ、それに肩まですっぽりくるまれて、横になるのだが、子供のくせに、ぼくは不眠症の気があってなかなか寝付かれなかった。眠ろうとすると、昼間読んだ小説の一部分が、ありありとした映像となって見えてき、物語を反復したり、自分で勝手に話を展開させたり、そういう状態が切りもなしに続いた。ちょっとした物音がぼくの空想を刺戟（しげき）した。新宿の貨物駅から長い腕をのばしてくる汽笛に胸を締めつけられ、わけても風に乗ってくる機関車の蒸気の噴出音が圧倒的な力でぼくをどこか遠い国へと運び去った。ぼくは汽車に乗って旅をしており、『小公子』や『家なき子』の主人公のように窓外に飛び去る景色を、愁（うれ）いに沈みながら眺めていた。坂を登る市電の地鳴りは、抜弁天から先にひろがる、奥深い森のような屋並みを思い起させ、そこに住む人々のさまざまな生活を、麻雀（マージャン）に打興じる大人たちや夜なべ仕事に精出す貧しい母や、ぼくと同じように眠れず暗い天井を見詰めている少年などを万華鏡（まんげきょう）のように映し出すのだった。拍子木とともに「火のヨージン、なさいませ」という触れ声が、大抵は年寄らしいしわぶきを混ぜながら長く尾を引くと、拍子木の乾いた響きが渡る夜の街、街灯や黒々とした塀（へい）や目を閉じた窓が現れ、そこに笛を吹き杖（つえ）をつく按摩（あんま）やチャルメラを吹くひげ面の夜鳴きそば屋が点景を作る。

空想にも飽き、ようやく眠りに沈みゆくぼくを目覚めさせるのは、〝ドンドンドン、ツク〟と子供たちが呼んでいた日蓮宗信者の行列で、「南無妙法蓮華経」と称えながら団扇太鼓を叩き、夜のしじまを傍若無人に破り、不信心をとがめ、ぼくのような子供を怖じけさせた。しかし、たとえけたたましくとも消防自動車の鐘とサイレンだけは別で、遠くから近付いてくる派手な音が、どこの方角に向うのかにじっと聞き耳を立てた。その多くは大通りを風のように通り過ぎてしまうのだが、どうかするとすぐ近くで停ることがある。

木枯しの吹くある夜のことだ。段々に拡大してきた鐘とサイレンがすぐ近くでふと消えた。大通りの辺りが物騒がしい。二階から父がおりてきて母と声高に話している。やがて、なみやが子供部屋に来て、「坊っちゃんたち、火事だよ。起きなさい」と言った。二階にあがってみると、大通りのむこう側の二階屋が炎に包まれていた。つぎつぎに消防自動車が到着し、黒い人影が走りまわっている。「薬屋だな」と父が言った。北風にあおられて炎は右に尾を伸ばし、隣家にも燃え移ったようだ。「風下には阿部首相の家がある。道理で消防自動車が沢山来やがる」と父が高みの見物者らしく面白そうに言った。放水が始まった。が、炎は一向におとろえない。それどころか、倉庫の可燃物に燃えついたのか、続けさまに爆発音がおこり、一層背を高くし、空にひろがる煙の腹を赤く染めた。すると、不意に風向きがかわり、炎が大通りを越えて、こちらに鋒先を突き出してきた。焦げ臭さを通りこした、刺すような激臭が目鼻を痛める。父はにわかにあわてだした。「こりゃ、いかん、門に水を掛けんとあぶねえ」父は、母に子供たちの避難の準備をするように命じ、自分はなみやと一緒に、水を門に掛けだした。門前の防火用水槽からバケツで汲みだす。このところ、すっかり病人じみて、歩くのもものうい有様だった父が、力一杯に水を汲みあげるのが目覚ましかった。門をびしょ濡れにした父が駆けもどってき、今度はゴムホースの水を家に掛け始めた。母が「急にお動きになると、お目に悪いわ」とたしなめるのだが、父はきかない。二階の雨戸まで濡れひたしにすると、隣のお茶の御師匠さんちへ駆け込み、お弟子さんたちと協力して、旧屋に水をじゃんじゃん掛けた。汗だか水だか判じえぬほどにしょぼ濡れた父が帰ったとき、むこう側の火事もすっかりおさまっていた。父は脇の伯母に電話をかけ一部始終を報告した。

「なにしろ大変だった。もうすこしで二軒とも燃えちまうとこだった。門なんか焦げてね。何でも薬屋が薬の調合を間違えたのが原因だそうだが、人さわがせなことさ」

翌朝、学校への行きしなに焼跡を見た。夜目には大火と見えたのが意外に小さい。薬屋の二階が半ば焼けたのみで、隣家への類焼はなかった。父があんなに大袈裟に騒ぎ立てたのは何かに化かされたと思えるほど、小規模なものであった。それでも学校では火事の取沙汰がもっぱらで、香取栄太郎など現場へ行って炎上の逐一を目撃したと得意満面で、すぐ前にいながら両親の命令で外へ出られなかったぼくは、随分彼をうらやんだが、風向きがかわって門柱に〝火が移った〟のを父が懸命な消火作業で消しとめた話を級友の誰彼に吹聴はした。

7

火事場の働きで自信をつけたのか、父は急に蒲団をあげて会社に通いだした。帰宅すると方眼紙に向って視野の欠損を記録するのは相変らずだったけれども、ぼくが驚いたのは恢復を示す青の部分が日ましに増していくことだった。

ところで、二週間に一度、父の薬を三田からもらって来るのがぼくの役目だった。土曜日の午後に行き、祖父や祖母（そのころは、もういとという呼び名を捨て〝おばあちゃま〟と呼び習わしていた）に会い、三田に泊ってきたり、新田へ遠出したりした。ともかく、父の病気のおかげで、今までよりは頻繁に祖父母と顔を合せる機会ができたのだ。

時田病院は、院長の開発した特殊療法で名を売っていた。まず胃洗滌による胃潰瘍治療がある。発売当初あまり売れなかった、医学士時田利平著『胃潰瘍の器械的療法』は、医学博士時田利平著となってから増刷を重ねるようになり、その声名をしたって患者たちが陸続と病院を訪れてきた。ゴム製の管を鼻孔から挿入して胃の中まで垂らし、胃の内部を清浄する方法は、利平がおのれ自身に毎朝おこなっている手技のため、その熟練度は神技に近かった。潰瘍が進行して胃壁が紙のように薄くなった患者を見事に治した症例報告が当時の『臨床研究』や『東京医事新誌』などの専門誌に載っている。利平は、自著の中で自分の治療法を礼讃している。「もっと早くこの治療法が世に知られてゐたなら、もっと大勢の人命を救へたはずである。何しろ、余が胃洗滌治療法を開発せしは明治四十二年、旅順(りよじゆん)海軍病院に在任中のことであり、その後現在に至るまで数多くの人命を救ひしに、当初は一軍医または一町医者の独断療法とて世に入れられず、とくに大学病院の泰斗は学会に於(おい)て余の療法を批難してやまざりしであつた。しかし、かの文豪夏目漱石のごとき末期の胃潰瘍患者は帝国大学教授の診察を受けしが故(ゆゑ)に、あたら命を失なひしなのである。もし、あの時、文豪が余の診察ならびに胃洗滌治療法を受けてゐれば百の公算にて本復し、もつて大正昭和の文壇史を塗り換へたるは必定である……」

太陽の方向にむけて自在に開閉しうるガラス窓を備えた〝時田式紫外線療法室〟は、長年の紫外線研究の成果から発明されたものだった。どんなに優秀な透明ガラス――当時の最高級品英国製 Vita glass ドイツ製 Uviol glass――でも、紫外線を吸収してその殺菌力を弱めるというのが利平の研究の結論であり、だとするとガラス窓を透過しないさらの光線を一日中提供するような構造のサンルームが必要となる。利平は、地軸と平行な軸を中心に回転させる赤道儀の原理を応用し窓の開閉角を自動調整する窓を発明したので、このサンルームにいれば常に陽光を浴びられ、しかも窓が風をさえぎってくれるのだった。〝時田式紫外線療法室〟は特許をとって、蒲田(かまた)に組立工場をつくり、全国のサナトリウムに売り出すことになったが、窓の自動調節の機械が高価なためなかなか売れなかった。ただし評判を聞いて時田病院のサンルームを見学に来る医師や患者はひきもきらず、おかげで時田病院の結核用隔離病棟は、いつも満床で、入院には長く順番を待たねばならなかった。

むろん当時のぼくは、なぜ祖父の病院が繁昌するのか理由などわからずにいたが、祖父が医学博士号を取得した昭和十一年二月、すなわちぼくが幼稚園児のときから、病院が年々増築に増築を重ね、隣の民家を買収しては大きくなっていき、医師や看護婦の数も増えていくのを見てきた。病院とは、次第に幹を太く枝葉を伸ばして生長していく樹木に似ていて、ついにははちきれんばかりに敷地一杯に生い繁るものだとぼくは思った。

かつて、史郎叔父が器械体操に興じた裏の空地には製薬工場が建てられていた。ここで製造される〝完皮液〟と〝完皮膏〟は、ともに利平の調合品で、前者は虫刺されの特効薬、後者は皮膚の内部の病変、外傷や炎症の特効薬であった。小瓶をさかさまにすると少しずつ薬液が流れだす特別のゴム栓を考案したため使用が簡便で、当初からよく売れたが、支那事変後、大陸の戦線が拡大するにしたがって、蚊や南京虫や虱や蜂などの刺傷に悩む軍がまず完皮液を大量に買いつけ、その薬効をみとめたところから、完皮膏も軍御用となり、それまでの薬局での製造では到底まにあわず、工場を建てて大増産となったのである。しかし作っても作っても需要に追いつかない有様であった。

ぼくは大体は省線の田町駅から慶応義塾大学の脇の坂を下って時田病院に達するのだが、そのあいだ、道の両側のすべての電信柱に「時田病院」や「医学博士時田利平」が交互に現れるので、まるで、駅が時田病院の玄関で、道路が玄関へむかう私道のような錯覚におちいった。どうかすると慶応の森まで、時田病院付属の前栽のような気がしたものだ。そして病院は、その時々の増改築で、さまざまな様式の入り混った、複雑怪奇な建築の集塊であり、その得体の知れぬ様相が、かえって病院の存在を目立たせた。

　ぼくが幼いときは、病院に着くなり、どこからかぼくを待ちかまえていたように忽然と出現した鶴丸看護婦は奥向きの女中頭となってひっこんでしまい、間口が広く患者が溢れる玄関を入っても、出会う看護婦には新参者が多くてぼくを院長の孫と認めず、何だか他人の家に来たようなよそよそしさにぼくは心臆するのだが、ただ一人、薬局長のお久米さんだけは、持ち前の監視能力と大声で、すぐさま「あら、悠ちゃん、いらっしゃい」と歓迎してくれていたのが、このごろは、製薬工場のほうで女工たちの監督をしていることが多く、新参の薬剤師などがごく素っ気ない態度で父の薬を渡してくれるのだった。それでも、ぼくは工場までお久米さんに会いに行き、女工たちとお揃いの白帽白衣白ズボンに身を固めた彼女が、カンペーキもカンプコウも自分の開発品であるかのように、絶対の自信と誇りを持って、女工たちの間を歩きまわり、すこしの気のゆるみも手抜きも見のがさぬ、きつい目付きで女工たちを巡視しているのを見ると、安心して近寄っていった。すると、お久米さんは、ぼくの心を読んだように、「おじいちゃまは、どこどこよ」と教えてくれた。

　土曜の午後、祖父は往診か謡の練習か、そうでなければ発明研究室に籠るのが習いであった。最後の場合だとぼくは大喜びで飛んで行った。

　発明研究室はレントゲン室の隣の鉄扉のむこうにあった。赤ランプが点っているときは立入禁止なのだが、別に鍵がかかっているわけでなく、火急の用事のある医員と婦長は入ってもよかった。ぼくは、そこに自由に出入しうる特権を自慢したくて、扉を開くとき看護婦の誰かが見てくれないかとあたりを見回したものだ。鉄扉のむこうは螺旋階段で、一段降りるたんびに鉄板が響くのを、わざと大きな音をたてて駆け降り、そうすると祖父はぼくの来たのに気付き、「やあ、悠坊か。よく来たな」と声を掛けてくれた。

　高い天井にはいくつもの滑車がさがり鎖や革帯が走っている。窓のない壁に突き出た大小の釘や鉤にはハンマーやドライバーが各種ずらりとさがり、棚にはガラス器具や陶器や工作道具が所狭しと置いてある。無骨な一枚板の机では、ガスバーナーでフラスコやレトルトが熱せられ、機械仕掛の鞴が息を吹く炉では薪が勢いよく燃えている。まるで無秩序と見えて、全体が生物のようにある目的に向って活動している。錬金術士よろしくの祖父は、白衣を脱ぎ、作業服で賢者の石を求めて立ち働いている。時にはいと祖母が手伝う。こちらも男用の作業服で別人のようにきびきびと動く……。ぼくがはっきり思い出すのは、いと祖母が炉の石戸を開き、焼きあがった素焼の製品を一つ一つ取り出し、それを受取った祖父が、「ウム」とか「オウ」とかしきりに感嘆詞を発している光景である。

　当時祖父は、大陸の奥地に転戦する皇軍兵士が必要とする、携帯に便利な小型汚水濾過装置の発明に熱中していた。素焼の濾過作用を応用した製品をあれこれ試作しているうち、類似品が出征兵士の慰問用としてデパートなどにあらわれ、一時は発明を断念しかけた。しかし、市販のものをテストしてみると、素焼の筒とピストンの接合部分に水洩れをおこしたり、ピストンが固すぎて手動では濾過をおこなえなかったりの粗悪品で、こんなものを皇軍兵士に提供する業者の非国民性に憤然として研究を再開し、とうとう太い注射器形で、ピストンを梃子で動かす濾過器を完成した。祖父は大陸の各地から汚水の標本を取寄せて実験を重ねた。あるとき、新田の家のそばを流れる堀割の汚水を、自作の濾過装置で透明な水に変えた祖父は、すぐそれをコップで飲みほし、「ああ、甘露甘露、これは真水じゃ」とぼくにも飲ませた。すこし気味が悪かったがぼくはそれを飲み、「あ、真水ちゃんだ」と感心して言った。祖父が自分の汚水濾過装置に〝真水ちゃん〟と名付けたのは、このときのぼくの一言によると、これはいいと祖母が教えてくれた。戦線が拡大するにつれて、軍は〝真水ちゃん〟への需要を増し、とくに南方戦線ではさかんに用いられたという。しかし、北方戦線では、冬期凍結によって素焼の罅割れが続出して不評を買ったという。

ときどき、ぼくは祖父母と一緒に新田へ行った。以前祖父はみずから自動車を運転して別宅に出掛けるのを習いとしていたが、時局柄ガソリン不足で車は廃止を余儀なくさせられたので、今は電車を利用していた。省線を蒲田でおりて、単線の目蒲線に乗り換えると、ぼくは運転席脇の最前部で景色を眺めるのが好きだった。窓を開くと強風が流れこみ息が詰るほどなのを、あえて目を見開いて頑張った。街を抜けると、にわかに下肥の臭気がして田舎となった。菅笠に手甲脚絆の農夫は事変以来年寄か女と変り、犂曳く馬もめっきり減ったが、それでも幼いときから見慣れた田園に胸をときめかした。わけても好きだったのは、鳥の群飛ぶ夕空に山並みが黒々と見え、森や畑のただなかに農家の灯がさびしげに震える様子で、どうかすると富士がくっきりと立ち、たちまちそれまでの風景の中心に位置を占めてしまうのも面白かった。

武蔵新田駅に着くころは大抵まっくらで、懐中電灯をたよりに、畑中の道を行くと、どこかで牛がのんびりと鳴いたり、去っていく電車の音がいつまでも聞こえてきたりした。

祖父の家は幅二メートルほどの堀割に沿っていて、木橋の先に門があった。木橋を渡るか渡らないかに出迎えに出るのは間島キヨだった。時田病院の元婦長で、今は隠退して新田の留守番をしていた。離れに息子の五郎とひっそり暮していて、院長夫妻が来ると滞在中の世話をした。かつて大病院の婦長として権柄尽で知られ、今でも病院一の古参として活躍する久米薬剤師と同等に渡り合っていた人が、すっかり尾羽打枯らし、モンペに割烹着姿で、掃除洗濯給仕といと祖母の命令どおりに従順に動いていた。ずっとあとで母から聞いたところによると、間島キヨは婦長をやめた当初、時田院長が伊東に持っていた別荘をあたえられ、五郎と二人で暮していた、ところが五郎がオイチョカブに手を出して莫大な借金を作り、とうとう家屋敷を手放す羽目になり、乞食同然の姿で三田にころげこんできたのを、祖父が救って、新田の留守番にしてやった、この解決についてはいと祖母の意見が強く、爾来、間島キヨは祖父はもちろん、いと祖母に対しても頭が上らなかったのだという。

五郎は傴僂で、顔はすっかり大人であったのに背は小学生のぼくほどしかなかった。最初、ぼくは傴僂とは何かが理解できず、背中に野球のボールでも入れているのかと不思議がった。が、そのうち慣れてしまい、その丸い背中を当り前だと思うようになった。背が小さく痩せているくせに五郎は力が強く、鉈で薪割りを見事にやったし、走るのも速かった。手先も器用で、岡田爺さんが残した木屑をノミで巧みに彫って人形や面を作った。ぼくや弟たちにとって、五郎は一番の遊び相手で、春には竹林で竹の子を掘ってくれ、夏には小川で鮒を釣って見せ、秋には近くの林に栗拾いに誘ってくれた。もっとも五郎は極端に無口で、ぼくらが話し掛けても、「ウン」とか「アア」という返事がかえってくるのみだった。それに彼は、ぼくら子供には近付いてきたが、祖父やいと祖母が大の苦手らしく、彼らを遠くに認めただけで、どこかに姿を隠そうとキョロキョロした。時々、祖父から「五郎」と呼ばれると、悪事を働く現場を見付けられたかのように、びくびくし、その体形上、卑屈に身をこごめたようにして行くのだった。

　大工の岡田爺さんが普請をするときは五郎がよく手伝っていた。母によると、祖父は五郎に大工の技術を覚えさせようとしたのだが、狷介で名人肌の岡田は最初弟子を取るのをいやがり、ずいぶん邪険に五郎をあしらった。しかし五郎は、どやされても小突かれても泣きごと一つ言わず、持ち前の器用さと体力を発揮して結構一人前の作業をするものだから、爺さんも段々と親身になって教えだし、ぼくが四年生のころには、もう五郎一人でちょっとした修繕や増改築ができるようになっていた。

　新田でのぼくの大きなたのしみは祖父の天体観測を見学することだった。二階の屋根の上に突き出している天文台のドームからは、周囲の竹林も森も地平の下に沈み、したがって広い空を存分に見回すことができた。そして、口径十五センチのオプティック・カール・ツァイスの屈折望遠鏡は、赤道儀付の台座の上を手回しで軽々と自在に動き、星座表の狙った位置にピタリと静止した。自分のにくらべて、はるかに高性能の祖父の望遠鏡をぼくは尊敬しあこがれてはいたが別にうらやみはしなかった。祖父ほどの財力と知識とを持たなければ、こういう望遠鏡を持てず、将来、自分もそうなりたいとひそかに思うだけだった。

「このまえね、アンドロメダの大星雲を見たよ」とぼくは言った。「そいつはえらいな。すごいじゃろ」と祖父は言った。「すごい、すごい」「よーし、おじいちゃまのでまた見せてやろう」祖父は巧みにハンドル操作をして望遠鏡を動かした。天文時計を睨みながら微調整をする。「ほら」と彼が言ったときには、視野の中央に楕円形の星の集合が、溜息をつくような美しい渦巻きを光らせていた。八十七万光年という途方もない距離をやすやすと飛びこえてしまう祖父は、ぼくには神秘な力を持つ偉大な魔術師であった。

　冬になると空気は締って澄み、新田の空は零れんばかりの星空となった。プラネタリウムの星が一見本当らしく見えながら、静止した、つまりは死んだ光であるのに、新田の星は生きていた。絶え間なく震え、輪郭や色調を微妙に変え、生きもののように愛想よかったり不機嫌で、そのときどきに違った調子で語りかけてきた。一つ一つの星が何かの信号をこちらに送り、挨拶をしてくる感じ、したがってこちらも、星の意志に答えねばならぬという親しみのこもった緊張、それが望遠鏡を覗く喜びであった。この喜びは、もともと祖父が教えてくれたので、祖父ときたら、星に対して親しい友人のように語り掛けるのだった。「おうオリオンか、また会ったな。冬になったからな。去年と変らず元気か。元気だな。お前はいつも元気じゃ。おうおう、星雲さん。オリオン星雲さん。つかまえたぞ。待てよ、今悠坊を紹介する。悠坊、見てみい。一五〇〇光年のご近所にあるヤツじゃ。アンドロメダほどには整った形はしとらんがのう、ま、ご近所のよしみじゃ、挨拶してやれ」
アンドロメダ星雲は天頂近くに去り（天頂のあたりは見にくいので、去っていくという感じである）、代って東から登場してくるのがオリオン座で、三つ星から南に下ったところに光がぼやけたようなオリオン星雲があって、奇妙な雲、またはガスの断片のように望まれる。そうして、十時近く、そろそろ子供が寝なくてはならぬ頃合になって、やっと地平の上に、全天第一の輝星、大犬座の主星、青白いシリウスが、人喰いの悪魔のようなまがまがしい顔をぬっと出す。「さあ、シリウスが見えたから寝るんだぞ。おやすみ、シリウス」と祖父は何度も言ったので、ぼくは〝おやすみ星〟としてそれを記憶している。

冬の観測は寒く、祖父は旅順で軍医をしていたとき買ったというアストラカンの帽子の耳覆いを下げ、シベリア貂の外套に身を固めて、ロシアの外交官、いと祖母は御高祖頭巾に白狼の毛皮外套の妖怪と言った恰好で、ぼくはいと祖母の編んでくれた毛糸頭巾に祖父の着古しの海軍外套を着て、二人のそばに侍っていた。何かの拍子に、ぼくは夏江叔母の言葉、「この地球上の鉱物が宇宙にばらまかれたのが星よ」を思い出して、祖父に質問した。「宇宙ての は地球と同じものでできてるの」「そうじゃ。宇宙には地球上にない、異質な物質は存在しない。つまり星と地球とは同じような物質でできている」「どうしてなの」「どうしてかはわからん。ただ、そういう事実だけが知られている」「それなのにさ、宇宙は無限なんでしょう」「ああ、無限じゃ」「おかしいね」「ああ、おかしい」と祖父は笑った。祖父の言う〝無限〟は、多分夏江叔母の言う〝無限〟とすこしずれた意味で用いられていたろう。祖父のは、有限な物質で作られている宇宙が無限の多様性とひろがりを持つという意味だし、夏江叔母のは、有限な人間が無限の時空を持つ宇宙と対比されるという意味であった。それにしても、星空にむかうと人は無限を想う。星空は、無限の神秘としてぼくを打ち、自分の立っているこの地球すらも縮小して微塵になっていくような、目もくらむ不安にぼくを陥れるのだった。

庭に置き放してあった鉢植の樅の木の枝を切り整え、鉢を綺麗に拭って子供部屋に運びこむと、クリスマスツリーとして飾り付けをするのが例年の愉楽であった。母は子供たちと一緒になってはしゃぎながら、星や鐘や家や蠟燭をつけていった。最後に子供たちのイニシアル、YSKOを縫いつけた靴下を鉢のまわりに並べる。この靴下は同じ大きさで、サンタクロースが子供たちに平等に贈物を持ってきてくれるようにという願いがこめられていた。

幼いとき、ぼくはサンタクロースの実在を信じていた。その前夜、いよいよ寝床に入ると、自分のほしい物を書いた紙片を入れた靴下を横目に、自分の願いが聞き入れられるようにと念じながら目を瞑った。翌朝、まずは枕辺に手を伸ばし、贈物に触れると飛び起き、もう夢中で包み紙をほどく。鉄砲、刀、自動車などを取り出すと、弟たちと較べっこをする。兄のぼくには弟たちよりも少し上等な玩具が与えられ、弟たちはそれを羨望の眼で見る。「ぼくだって、小さいときは、そういうのをもらったものさ」と言い訳がましく応対しながら、ぼくは自分のオモチャで遊びだす。いつしか弟たちも新しいオモチャで遊んでいる。

ある年、物音に目を覚ますと、母がそっと入ってきてぼくらの枕元に贈物を配っていた。ぼくは寝たふりをして母が出て行くのを待った。サンタクロースとは母であったと知って、何か言い知れぬ悲哀がぼくの胸に充ちてきた。幼い夢が覚めてしまった悲しみとぼくがサンタクロースを信じていると思い込んでいる母への裏切りの痛みとが混り合っていた。翌朝ぼくは、大喜びで飛び跳ね、母は「サンタのおじいさんにお礼を言いなさいね」とぼくの頭を撫でたが、ぼくの悲哀はいよいよ深くなり、ついに涙ぐんでしまった。母は、「まあ、この子ったら、嬉し泣きをしているよ。癇性なんだねえ」と笑った。

そのようにして弟たちも幼い夢から覚めて行ったのだが、まだ央子だけはその夢に漬っていた。先月で満三歳の誕生日をむかえた央子は、クリスマス・プレゼントを楽しみにして、自分の靴下を兄たちの上に置き、いつもよりも枕頭を広くあけて寝た。翌日、目覚めるとピンクの熊の縫いぐるみを見付けて大層な喜びようで、みんなが〝ピンクの熊ちゃん〟と言ったのを、〝ピッちゃん〟とつづめて熊の名前とし、片時もはなさず、寝るときは枕を並べ、外出のときは抱いて行った。父に来客があるときはピッちゃんを得意げに見せ、それを枕にし頬摺りしながら眠ってしまった。

クリスマスが終ると、もう数え日で、年も押し詰った感じ、近所の家々も、窓ガラスを拭いたり掃除をしたりして、新年を迎える準備にいそがしい。例年だとぼくの家でも、簞笥や卓袱台を庭に運び出し、畳を剝いではたき、家中の埃を集めて焚火をするのだが、今年は父が病気で、大掃除は取りやめ、そのかわり母の指揮で引出しの中を片付けたり、本箱の整理をした。もっとも、その程度では何となく物足りない気がしたので、それと言うのも、父は暮の大掃除となるとことのほか張り切り、手拭被りにマスクをして、畳など精一杯にはたいて白煙を立て、物置から具足櫃や長持などを持ち出して埃を払い、山のようなごみガラクタで盛大な焚火をし、背の高い炎に顔を赤く染めながら、燃え具合を調節する——要するに一年に一度父が見せる威勢のよい様子が見られないからだった。

　父は所在なげに母やなみやの働きを見物していたが、ふと思い付いたように仏壇の煤掃きを始めた。毎朝、出勤前に線香を一本点して合掌するのが習慣で、子供が仏壇に手を触れるだけでも罰が当るぞとめくじら立てる父が、扉を開いて華瓶や香炉を外に出し、さらに位牌を一つ一つ取出すのが物珍しく、ぼくは目を凝らして見物した。御本尊の釈迦像の後から黒塗りの厨子が出てきた。屋根形の蓋を抜くと白木の小札が沢山出てきた。過去帳である。「大正十三年十一月二十二日顕光院義山悠進居士　小暮悠之進　行年七十五歳」は祖父である。父と美津伯母の父である元金沢藩士だ。晩年に描かせた油彩の肖像画によれば白髪の眼光鋭い偉丈夫だ。父によれば、馬術の名人で、西大久保に移り住んでからも毎日付近を馬で走り回った、旧屋の門脇の小棟は昔の馬小屋の跡だ、中々強情で負けん気で人と争う面もあったが、前田侯爵家の家扶としては清廉潔白で通し殿様の信用も厚かった、という。父は今は「お前のおじいさんだ」とだけ言った。「明治四十五年五月九日高機院悠道良義居士　小暮悠之進長男　小暮悠一　行年二十五歳」について、父は「おれの兄貴だ」と言った。「つまり、お前の伯父さんだな。宮内省の役人で優秀な人だったが若くして死んだ。三重県の御料林の坂を自転車で下るうちブレーキがきかなくなり、大木に激突して死んだ。親父は、お前のおじいさんは、大層悲しがってな。見る見る、ほんとにそんな感じだったな、白髪になった」

仏壇に続いて父は神棚の掃除をしだした。注連縄と四手の埃を払うと、社を開いて、明治神宮、伊勢皇大神宮のお札の塵を払い、蠟燭に火を点すと柏手を打った。仏壇と神棚の両方に頭を下げるのを父は別に矛盾とも思っていなかったらしい。

掃除をあらかた終えたとき、電話が鳴った。ぼくが出てみるといと祖母だった。「あら悠ちゃん、おばあちゃまよ。あのね、三田でね、きょう、餅搗きがあるの。みんなでいらっしゃい。おかあさんに、お伝えしてね、お餅沢山あるから、いらっしゃいって。午後三時からよ」母は露骨に嫌な顔をした。「お餅が沢山あるから来いなんて、ほどこしてやるって言うみたいだわ」しかし父がたしなめた。「米が配給になってから餅不足だぜ。金沢からも送ってこないしな。まあ、三田は軍需景気だ。あやかっちまえ」「お餅なんか無くてもお正月はすごせますわ」「子供が四人いるんだぜ。子供たちのこと考えろ」毎年金沢の親戚から送ってくる豆餅、粟餅、草餅など各種取り揃えた小包が今年はなく、代って食糧統制のため送付できぬむねの詫状が来て、大の餅好きの父を失望させていたところだったから、〝子供たちのことを考えろ〟という父の言種はおかしく、母もかすかな微笑を目尻に漂わせたが、すぐさま、「そうですわね。この際、里へまいりましょう」と合点し、「国民精神総動員ですものね」と訳のわからぬ言葉を付け加えた。

母と四人の子供が三田に着いたとき、ちょうど餅搗きが始まるところだった。敷地一杯に病棟やら工場やら倉庫やらを建ててしまったため院内には空地がなく、徳川邸の庭の端を借りて病院の職員一同が集っていた。

ぐらぐらと湯の煮立つ釜の上に蒸籠が重箱ように重ねてあった。元運転手の浜田が竈に威勢よく薪を投げ入れる。大工の岡田爺さんが書生を手伝わせて臼と杵を洗っている。姉さん被りに赤襷のいと院長夫人が蒸籠の蓋をあけると、晒しに包まれた糯米がつやつやと光りながら湯気を吹き出し、香ばしい匂いがあたりにひろがった。捩り鉢巻に時田病院の名入りの印半天の利平院長が晒しの四隅をにぎって蒸し米を持ちあげ、祖父の特技である投網でも打つように、「やっ」と掛声もろとも臼にあけた。医師たちが細い杵で蒸し米をこねまわす。適当に粘りが出たところで、院長が太い杵で餅を搗き、院長夫人が手を水で濡らしつつこね役をつとめる。院長は最初方向が定まらず臼の縁を打ったりしたが、すぐさま骨をおぼえ、調子よく搗きだした。「よいしょ」「ほいさ」の掛声が夫婦のあいだで交されるうち、表面のつぶつぶが消えて餅らしく滑ってきた。院長の腹は丸く突き出、最近めっきり白髪の増えた頭は矮軀には大きすぎ、どこか釣合のとれぬ体形ながら、一旦リズムに乗るや軽快に杵を搗くさま、血気さかんな若者と見え、末広婦長や看護婦たち、おとめ婆さんや賄方たちより、一斉に拍手が沸きおこった。

院長に続き、副院長、医員たちが杵をにぎり、搗きあげた餅は女たちによって、まずは安倍川と餡ころ餅となった。ぼくらは、寄り集ってきた近所の子供たちと一緒に芝生に坐り、まだ湯気の出る、飴のように長くのびる安倍川や餡ころ餅を食べた。甘みで口が一杯になったとき、おろし醬油にひたした餅が口直しに配られ、すっかり腹がくちくなった子供たちは思い思いの遊びに散った。ぼくは央子の手をひき、弟たちを引き連れて、振舞酒に餅と折詰で宴を張る男たち、さかんに鏡餅や伸餅を作っている女たちのあいだを歩き回った。祖父はぼくらを見ると、「やあよう来たな」と言い、央子を抱きあげようとしたが、なぜかきょうだいの中で央子だけは祖父に馴染まず、ちょっとでも体を触れられるとのけぞって泣き叫ぶので、手を出しただけで祖父はあきらめるのだった。いと祖母は、知人の誰彼（警官や国防婦人会の主婦たちや近所の商店の親爺やかみさん）に挨拶し、酒をすすめ餅や折詰を配り、あわただしく動いていて、ぼくらを認めても、まるで他人のように素気ない態度だった。母は久し振りの里帰りとあって、古くからの職員から話し掛けられていたが、やがてお久米さんと顔突き合せて話し込んだ。要するに、ぼくら子供たちは、大勢の見知らぬ職員のあいだに取り残されていた。央子は母をもとめてむずかり、やっと帰ってきた母に、「ねえ、おうちへ帰ろうよ」と駄々をこねた。結局、母は鏡餅や伸餅の包みをかかえ、早々に帰宅することにした。ぼくらが別れを告げると、いと祖母は急に愛想よくなり、「お正月の二日にはいつものように遊びにいらっしゃいね。みんなよいお年を」と言った。ちょうど祖父は、人々の中央にいて、盃をあげて何やら上機嫌に演説をしている最中だった。

　元旦、一家は晴れがましい装いで食卓を囲んだ。父は紋付袴、母は留袖、子供たちは新調の洋服であった。子供たちが、「おめでとうございます」と新年の挨拶をすると、父が、「みんな一つずつ年をとったな。悠太は十二、駿次が十、研三が八つ、央子が五つ、みんなおめでとう」と言い、子供たちも改って頭を下げた。

黒塗りの盃台に金の三重盃が載せてある。金盃には前田侯爵家の家紋、剣梅鉢が刻されていて、祖父悠之進が殿様から拝領したものだ。黒漆に純金が映えて、まぶしいようだ。父は大盃を取り、母が屠蘇を注いだ。

重箱や盆をはじめ飯椀、汁椀にいたるまで、お節料理用の道具はみんな先祖伝来の品で、所々漆や象嵌が剝げていたが、いずれにも小暮家の瞿麦紋が金で入り、由緒あるものとされていた。母が重箱を開くと、明け方まで徹夜で作った料理が美しく姿をあらわし、子供たちは歓声をあげた。昨年米が配給統制になってから食糧が乏しくなり、日々の食卓にも牛豚肉はまれで、魚にも事欠く有様が続いてきたので、伊達巻やゴリの煮染めやコハダの酢締めなどがめずらしかった。そして、政府の命令で七分搗以上の白い飯を食べられなくなっていた身には、三田で搗いた真っ白な餅入りの雑煮が素敵な御馳走に思えた。

酒に弱い父は、一盃の屠蘇で顔を染め、機嫌よく新聞を手にして読み始めた。母が、「お目に障りますわよ」と心配すると、「なあに、このごろはほとんど視野の欠損がなくなった。今年からは、普通に活字を読むぞ」と笑い、子供たちにも読み聞かせるように言った。「いよいよ、紀元二千六百年だな。日本の歴史のすばらしさを世界に示す年だ。お、斎藤茂吉の歌が出ている。悠太、斎藤茂吉とはえらい歌人だぞ、名前を覚えておけ。『あめの下ひとつなるこころ大きかも二千年足り六百の年』いい歌じゃないか。勢いがあるよ。『戦勝ちて驕ることなきたましひを神武の天皇つたへたまへり』これもいい。ほほう、一万円の懸賞当選が発表になった。大田洋子って人の『桜の国』か。事変下の青春と国民的感性を力強く把握したとある」「一万円はすごいですね」と母が言った。「すごい、この大田洋子って人は大儲けしたな」「皇太子殿下が、いよいよ、小学一年生だ。研三と同い年だが、こっちは早生れで一年上級になったな。畏れ多くも一般生徒と同じ丸刈りになられるんだとさ」

父は坊主頭の子供たちを見渡した。すでに去年の春から、小学生は兵隊と同じく丸刈りときめられたため、みんな髪を刈ってしまった。はじめは頭がすずしく勝手が悪かったがすぐに馴れてしまった。夏休みまでにはクラスの全員が坊主頭となっていた。

玄関を出たところ、地表を踏みしだいた。霜柱が光る。土は一面に霜柱で持ちあげられていた。風が冷たい。屋根が霜で白かった。寒い朝だった。

家々の門に国旗は出ていたが今年からは政府の命令で門松は一つもなく、単なる旗日のようだった。しかし、羽織袴や晴着は見えたし、姿を現わす子供たちはパリッとした服に身をかためていて、幾分正月らしい。香取栄太郎に出会い、肩を並べて学校へ向った。級友たちは渡り廊下脇の日溜りに集り、戸山ヶ原で凧上げをする相談をしていた。松山哲雄が大きな奴凧を買ってもらったと自慢すると、竹井広吉が自作の大凧の話をした。ぼくは、きょうは方々にお年始に行くので暇がないと残念がった。香取栄太郎が、明治神宮に初詣したとき、阿部首相を見たと言った。「帽子かぶってたよ。息子の予科士官学校生徒も一緒だった。新聞記者がぞろぞろ後をつけてさ、フラッシュをたくんで、すぐわかった」「阿部首相って陸軍大将の軍服着てた?」「いいや黒い外套にソフトをかぶってた」「じゃ、普通の人みたいだね」「うん、普通の人みたいだった」

何かの拍子にぼくは皇太子が四月から一年生で丸刈りになると父の話を請け売りした。すると香取栄太郎が、去年、改正道路のロータリーで皇太子を迎えたとき、その顔を見たと言った。全校生徒が道端で最敬礼をしているとき、一人だけ顔を上げるのはむつかしいし、それに皇太子は神の子だから見ると目が潰(つぶ)れると言われていたので、香取栄太郎の勇気にみんな感心した。彼は鼻高々に言った。「皇太子殿下ってさ、普通の子みたいだったよ」「へえ、普通の子か」と誰かが驚いたように叫んだ。「そんなの当り前じゃないか」とぼくは介入した。「天ちゃんだって、普通の人間なんだもん」「天ちゃん……」とぼくの言い方にみんなは笑った。〝天ちゃん〟とか〝普通の人間〟というのは晋助が不断言うのを真似(まね)したのだ。ぼくは図に乗って言った。「だからさ、天ちゃんは、ウンコもオシッコもするんだよ」「くせえ」と一人が鼻をつまむと、他の一人が、「天ちゃんならくさくねえぞ」と真顔で言った。そのときだ、不意に級友たちが顔色を変えた。ぼくが振り返ると渡り廊下に湯浅先生が立っていた。眼鏡の奥の目が張り裂けんばかりに光っていた。

「いま、天ちゃんと最初に言ったのは誰だ」「はい」とぼくは頭を垂れた。「それが、どんなに畏れ多い言葉か知ってるのか」「はい」「小暮、お前、やっぱりどうかしとるぞ。この前の件以来、さっぱり反省しとらんじゃないか」〝やっぱり〟とか〝この前の件〟とはむろん放火事件を指す。ぼくの「はい」は段々に小さくなった。すると湯浅先生は、「天皇陛下にお詫び申し上げるんだ。よし、先生がお詫びしてやる」といきなり、ぼくの頬に平手打ちをくれた。続いてもう一発が飛んできた。打たれた痛みよりも、みんなの面前で、しかも先生から初めて打たれたことが、悔しく情無く、ぼくは泣き出した。「いいか、天皇陛下は現津御神であらせられる。普通の方ではない。今後絶対に失礼な呼び方をしてはいかん」「……」「はい、と言いなさい」もう一度打たれそうで、ぼくは泣きじゃくりながら「はい」と答えた。

正月気分が吹き飛んでしまったぼくは、立つのがやっとなほど打ちしおれていた。頭の芯から鋭い刃物で切り割かれるような痛みがおこり、それが額の傷跡に伝わってくる。四方拝の式が始っていた。ぼくは壇上の白幕に掲げられた両陛下の御真影を見上げ、気を引き締めて何とか痛みに耐えようとした。しかし、それは逆効果だった。〝天ちゃん〟という言葉が殺人光線のように飛んで来て、ぼくを貫くのだった。「勅語奉読」の声が掛った。校長が壇にあがり、御真影に最敬礼すると机の前で待つ。教頭が巻物をのせた黒塗り盆を捧げ持ってしずしずと現われ、机上に置いた。校長は巻物の紐をゆっくりと解き、白手袋の両手でひろげると目よりも高くあげた。同時に全員が頭を垂れた。「チンオモウニ、ワガコウソコウソー、クニオハジムルコトコウエンニ、トクオタツルコトシンコーナリ、ワガシンミン、ヨクチューニヨクコーニ、オクチョーココロオイツニシテ、ヨヨソノビオナセルワ、コレワガコクタイノセーカニシテ……（朕惟フニ我カ皇祖皇宗国ヲ肇ムルコト宏遠ニ徳ヲ樹ツルコト深厚ナリ我カ臣民克ク忠ニ克ク孝ニ億兆心ヲ一ニシテ世々厥ノ美ヲ済セルハ此レ我カ国体ノ精華ニシテ……）」教育勅語の文句なら校長が読む前に、音として出てくる。しかし、それは音だけであって、意味はあまりよく摑めない。校長が一巻の巻物を宝物のように奉じて、一字一句も間違わぬよう大真面目な声を張りあげるのが毎度滑稽に思える。とくに間違ったり、つかえたりすると吹き出したくなる。今も、「天壌無窮ノ皇運ヲ」のところで、痰がからんで声がかすれ、「テンジョ……フン、テンジョウ、フンフン、テンジョウ」と三度も繰り返したので、ぼくの隣で香取栄太郎が吹き出した。笑いは周囲に波及し、数人が失笑した。と、ぼくは鋭く貫かれるような視線に気付いた。校長の斜め後にひかえていた教頭がこちらを睨んでいた。ぼくはなおも笑っている香取栄太郎の腕を肘で突いた。そのとたん、忍耐が限度にきた。すーっと脚の力が抜けると、ぼくは膝を突き、それから倒れてしまった。気がついたのは衛生室においてだった。寝かされていたのは固いベッドで、そばにいたのは湯浅先生だった。その顔が、〝勅語奉読中に倒れた非国民め〟という叱責の表情と見え、どきんとした。しかし、「どうした、大丈夫か」と言う先生の声は意外に優しかった。「おかあさんに連絡をとった。お前、家でもときどき偏頭痛の発作があるそうだな。アスピリンが効くそうだから、これをのめ」先生は、錠剤とコップの水を渡してくれた。「お前な、一度ぐらい叱られたぐらいでくよくよするな。人生、先はながいぞ」「はい」と返事をして、目を瞑った。また涙が溢れ出て行った。そして、衛生室に充ちている海人草と肝油の臭いを嗅いでいるうち、吐き気に襲われた。先生の前で吐いてはみっともないとじっと我慢した。母が来たとき、生徒たちはすでに帰宅してしまい、がらんとした道を母と二人で帰った。「また、例の頭痛かい。困ったねえ」と母は、ぼくの額に手を当てて、軽く撫でながら溜息をついた。

家に着いた直後、吐き気はひどくなり、学校でのんだ錠剤はもちろん、お節料理や餅をあらかた吐いてしまった。吐いても吐いても吐き気が突きあげてくる。それに頭蓋骨を内側からガンガン撞かれているような痛みだった。母は、祖父に電話で報告し、いつもの発作の強い程度だと言われて安心したらしく、氷嚢に氷を入れてぼくの頭を冷してくれた。あとで知ったのだが、元旦で行きつけの氷屋がしまっていたのを、母は隣家から塀越しに叫んで店を開いてもらったそうだ。

毎年、父と一緒に駒場の前田侯爵邸へ年賀に行くのが取りやめになった。もっとも、この元旦の行事をぼくは好いてはいなかったので、病気はもっけの幸いであった。父と同じく紋付羽織袴に威儀を正すのが面倒で窮屈だったし、さてお屋敷の玄関を入っても、年賀の客の列でながいこと待たされ、やっと順番が来ると、大広間のまんなかに坐っている殿様と令夫人の前に進み出て頭を下げてくるだけで、面白くも何ともなかった。父も、祖父が家扶のときは、年賀を一番に通されて、お言葉もねんごろだったのにと、主家との疎遠をなげくのだが、さりとて長年のシキタリを捨てるに忍びず、半ばは義務感にかられて年始参りをしていたらしい。

両親は弟や妹を連れて脇へ年賀に行き夕方帰ってきた。なみやの介抱を受けつつ、ぼくは朝の出来事を何度も思い返していた。湯浅先生の言った〝アキツミカミ〟が不可解な言葉となってぼくを苦しめた。先生は、常日頃から、天皇はわれわれと同じ人間ではなく神様なのだと教えていた。天照大神からの直系であると天孫降臨の物語や万世一系の皇統について、大真面目で話していた。ところが脇の晋助は、ことごとに先生と逆のことをぼくに聞かせていた。天皇だって人間であり、日本は神国でもなんでもない、普通の国だという。「天ちゃんは……」というのは彼の口癖だった。つい、晋助の口癖を真似たら、とうとう先生からひっぱたかれた……。ぼくは、このことを両親には黙っていた。父も母も、「先生のおっしゃるとおりだ」と頷き、ぼくの非を責めるか、先生の叱責を重大事にとって心労し続けるか、のどちらかだとぼくは思った。

翌朝は頭痛がおさまっていた。冬日の跳ねる輝かしい庭を眺めていると、きのうの出来事は遠い悪夢としか思えなかった。それに、きょうの三田の祖父と落合の大叔父の新年の集りは、年に一度の楽しみなのである。母は鏡の前で、着物をあれこれ試みては、何度も着替えを繰り返していた。

「悠太、きのう失礼したのだから、きょうは脇に行っといで、お午には帰ってくるんだよ」と母に言われ、ぼくはとたんに気が重くなった。美津伯母が最近どうも苦手なのだ。秋の放火事件の後始末を伯母がしてくれてからは、母は何かにつけて、「伯母さんによくお礼を言いなさい」とか「お前は伯母さんには頭が上らないのだからね」と言い、伯母のほうも、「その後おとなしくしてるかい」と遠回しに恩着せがましくして、ぼくの気をくさらせるのだった。母は、「大切な古文書だからね、落さないように届けておくれ」と風呂敷包を渡し、伯母にそれを差し出すときの口上を、くどくどと教えた。脇家へむかう坂道の、両側に迫る塀や石垣の底から見上げた空は、今にも星がまたたきそうな濃い青をたたえ、太陽は思い切り焔を伸ばして裸木の梢に燃え移りそうだった。天体観測には絶好の天気だと見て、夜を待ちこがれ、すこし気が晴れた。

脇礼助が住んでいた旧宅の大屋根は、日の当る金沢瓦がきらびやかに光り、反面陰の部分が霜で白にくすみ、変にチグハグな構成であった。年賀の客の自動車らしいのが数台、それにガソリン不足で復活した人力車が二台ほど車回しに控えていた。自動車の中にも、最近発明された薪自動車が目につく。後尾に無恰好なストーブを備え、煙突から煙を立昇らせて、ちょっと焼芋屋の手押車のようだ。

枝折戸から細長い裏道に入ると、湿った黴くさい臭いがした。それを嗅ぐと脇家に来たと実感される。

注連縄飾りのさがる玄関で迷った。いつもだったら、いきなり庭へ回るのだが、正月の改った気持になって呼鈴を押した。しかし、誰も出て来ない。格子戸をそっと開くと奥で経も読んでいる気配がした。もっとも耳を澄ますと声の主は女だった。決心して庭へ回った。座敷に人々が正座して何かの儀式をしているところだった。黒衣の小母さんが祭壇にむかって両手を合せ、呪文をとなえて平伏する。すると一同が平伏する。美津伯母、晋助、はるや、それに敬助と百合子と女の子がいた。昨年の秋に満洲から帰国した敬助一家とぼくはまだ会っていなかった。一家は西大久保とは目と鼻の若松町に住んでいて、わが家にも挨拶に来たそうだが、生憎ぼくは留守をしていた。何をしているのかよく見ようと、ぼくは庭に忍びこんだ。黒衣の小母さんは今度は握った両手を頭上から振り落し、「ハハー」と頭を下げた。するとみんなが一斉に頭を下げた。伯母を初め誰もが生真面目な面立ちでおかしく、あきれて見ていると、女の子と目が合った。央子より大分幼い顔が、敬助似の太い眉を備えていた。母に走り寄り、ぼくを指差す。百合子と晋助が振り向き、晋助が縁側の窓ガラスを開けて招じ入れてくれた。「もうすぐ終るからね」と言う。「これなあに」とぼくは無遠慮に訊ねた。「神様」「神様って……」「あとで教えてあげるよ」実は、ぼくは〝神様〟を知っていた。金沢に住んでいる黒田という遠い親戚に神憑りになった女性がいて、祈ると難病が治り幸福が訪れてくるというので、信者が大勢いるとも聞いた。黒衣の小母さんが、その神様に違いない。でも近くから見てぼくはがっかりした。神様は、中老の鄙びた顔付きで、田圃で働く農婦然としていたからだ。神事用の黒衣と見えたのは洗い晒しのモンペで、いと祖母のより遥かに粗末だ。と、伯母から、「悠太ちゃん、こっちへおいで」と呼ばれた。「きのうは病気だったんだってね。まだ顔が蒼いよ。さあ、神様にお祈りしていただきなさい」伯母は神様に、この子は頭の怪我をしてから大の頭痛持ちなんですと説明した。

いやおうない。ぼくは前に押し出された。神様はぼくの額に右の手の平をあて、何やら声高にとなえはじめた。不揃な歯のあいだから、「フー、フー」と臭い息が飛んできた。お祈りは二、三分続いた。最後に、指先で額を押されて、ぼくはのけぞり、伯母に支えられた。「ありがとうございました」と頭を下げる伯母の真似をしてぼくももぐもぐと礼を言った。「悠太ちゃん、どう、治ったでしょう」と微笑する伯母に、ぼくは「わからない」と答えた。

すると神様が笑い、みんなもどっと笑った。ぼくは仕方なしに作り笑いをした。

風呂敷包を伯母に渡すと、「おや重かったろう。大変だったね。ありがとう」と礼を言われた。伯母はさっそく古文書を取り出して、神様に仔細らしく示した。何か神様の先祖に関係のある記述でもあるらしかった。伯母と神様を座敷に残して、みんなは別室にしりぞいた。ぼくも跡をつけて行き、母に命じられた口上を忘れていたのに気がついた。

「悠ちゃん、大きくなったな」と敬助が、すこし嗄れ声で言った。以前と同じく日焼けしていたが口髭をたくわえ、随分年をとって見えた。「明けまして、おめでとう」と百合子が言った。こちらは、すっかり肉付きがよくなり、娘が着るような派手な黄の着物をはち切れるようにして着飾っていた。女の子の名は美枝と言った。人見知りのひどい央子を見ていたので、美枝が初対面のぼくに平気でまつわりつくのが珍しかった。「ネ、ドージョ、コッチヨ」とぼくの手を引いて縁側に行き、「ネ、オウマヨ」としきりとお辞儀をした。ぼくが何のことかと戸惑っていると、敬助が「よし、お馬だ」とよつんばいになり、背中に美枝を乗せた。百合子は、「この子ったら、お父さんがいつも馬に乗ってらしたから真似するのよ。もっとも内地じゃ、もうお乗りにならないんだけどね」と言った。

ヴァイオリンの音に惹かれて二階にあがってみると晋助だった。去年、学生の長髪禁止令が出てから髪を刈上げたので、黒衣の坊主が弾いているように見えた。おそらくバッハの無伴奏ソナタだったと思うが、ぼくにはくろうとはだしの演奏に思えた。彼は、この数年、さる有名なヴァイオリニストについて精進したおかげで相当の腕前となり、東京帝大のオーケストラでは第一ヴァイオリンを弾いていた。一曲終るまでぼくはソファに掛けて待った。晋助にはぜひ聞きたいことがあったのだ。

「ねえ晋ちゃん、きのう学校でね、天ちゃんと言ったら先生にひっぱたかれちゃった」「先生の前で言っちゃったのか。そりゃまずいぜ。こっそり言ってりゃいいんだよ」「それがさ、みんなにこっそり言ってたら、先生が後に立ってたんだ」「まずかったな。これから気をつけろ。しかし、ひっぱたくとはひどい先生だ」「天皇陛下にお詫びのためだって、天皇陛下はアキツミカミだって。アキツミカミってなあに」「人間の形をした神様だ」「じゃあ、下の(と顎で階下を指し)神様と同じ?」「まあそうだな」と晋助はいたずらっぽく人差指を立てた。「下の神様は病気を治すけどな、天ちゃんは治さない。だから普通の人間だ。人間は元来平等なんだ。人間には上下はない筈なんだ。しかし、こういう本当の話は、今の大人の前では言うな。今の大人はな、狂ってる。天ちゃんは自分と同じ人間なのに尊い人だとか、神様だとか思い込んでいる。思い込んでる大人の前では黙ってろ。先生の前でも、両親の前でも、わが家ではとくに兄貴の前ではな」「敬ちゃんの前……」「兄貴は猛烈に狂ってるから」

　晋助の口から、敬助が〝猛烈に狂ってる〟と聞いたのは、このときが初めてだ。彼は兄に一目置いていて、ついぞ悪口など言ったためしがなかったのだ。そのときも、さすが気が咎めたのか、すぐさま兄貴の、ノモンハンにおける戦功をほめだした。ソ聯軍の機械化兵団を殲滅した手柄話だ。もっとも晋助は、詳しく正確な描写ができず、敬助から聞いた話を伝達するためには基礎知識が不足していた。ソ聯のイ-15やイ-16戦闘機と空中戦をしたのは陸軍の九五式と九七式戦闘機らしいというぐらいは、模型飛行機熱のおかげで知っていたぼくは、晋助のふわふわした抽象的な話では物足りなかった。それに、陸軍病院で会った菊池一等兵の負傷から推すと、大分の激戦苦戦だったことは間違いなく、砲弾の炸裂する臨場感が、晋助の話には欠けていた。菊池一等兵の、吹き飛んだ右腕と骸骨さながらの体を見ただけで、戦争の実態はひしひしと迫ってきたのにだ。

晋助はヴァイオリンをケースにしまいながら、ふと思い出したように言った。「そうそう、オッコちゃんにヴァイオリンを習わせたらいいね。あの子ったら、音楽が好きでね、どんなにむずかっていても、ぼくのヴァイオリンを聞くと、じっと聴いている。レコードをかけてやると、交響曲みたいな大曲でも、熱心にいつまでも聴いている。それに歌を唱うと音程とリズムがえらく正確だ。ひょっとすると才能があるかも知れん。でね、ぼくの先生に相談したら、満三歳になったらヴァイオリンを教えられるという。十六分の一という小さいヴァイオリンがあるんだそうだ。悠ちゃんも何か習ったらどうだ」「習うんだったらピアノだな。でも駄目なんだ」ぼくは、晋助のアプライト・ピアノを羨しげに見た。幼稚園のときチズカの家で鳴り響いていた名も知らぬ曲、夏江叔母のレコードの『トルコ行進曲』『鱒』『歌の翼』『革命』、ともかくピアノの音が好きで、自分でも習いたいと父にねだったが、「男が音楽なんかやるもんじゃない」と叱責され、「晋ちゃんだって……」と言おうとすると、出端を挫かれた。「ピアノやヴァイオリンなんて楽器はな、女がやるもんだ。晋助を見ろ。ヴァイオリンなんかやって遊んでるからいつまでも軟弱だ。この非常時を男が生きて行くのにあれじゃ困る」

「どうして駄目なんだ」と晋助が尋ねた。「おとうさんが駄目だっていうんだ。男が楽器を演奏するのは軟弱なんだって」「叔父さんがそんなこと言ったのか。やれやれ」晋助は、腰掛けていた回転椅子をくるりと回して壁のパリ市街図を見た。建物が一軒一軒精密に描かれている自慢の地図だ。「さしずめ、ぼくなんか、軟弱の最たる者だな。あーあ、日本は住みにくい。フランスへ行きたい」〝フランスへ行きたい〟は彼の極り文句だった。「悠ちゃんのおとうさんはうまいことしたよ。ヨーロッパで戦争が始まる前に旅行した。今はそれどころじゃないからな」「でも、ドイツとフランスはまだ戦争してないんでしょう」英、仏は独に宣戦布告したが、仏のマジノ線と独のジークフリート線は負けず劣らずの要塞線で両軍は睨み合ったままであった。「ヒトラーはいずれフランスに攻めこむさ」「でもさ、マジノ線があるもん」「そんなもん突破しちまうさ。ヒトラーてのは恐ろしい」「英雄だもんね」「いや、悪魔さ」

父はヒトラーを英雄として崇拝していた。ベルリン・オリンピックで見た颯爽とした英姿にすっかり感激していた。オリンピックを成功させた手腕と国内の経済復興のめざましさにも讃辞を惜しまなかった。そのヒトラーを晋助は〝悪魔〟だなんて言う。「フランスを攻めるから悪魔なの」「まあそうだ。ほかの国を攻めて領土を増やすから……もっとも、どっかの国もおんなじだが」晋助は疲れた顔付きで、両脚をテーブルに乗せ、着物の裾を割って股引をあらわにした。「戦争のおかげで、おれなんか、何もかも中途半端で兵隊にとられにゃならん」書棚から溢れて机上や床に山積みになった洋書、書きかけの小説の草稿、蓋の開いたピアノの上の崩れ落ちそうな楽譜、蓄音機に掛けたままのレコード……。
はるやが来て、茶室で奥さまの初釜のお点前が始まると伝えた。「やれやれ」晋助は裾のはだけを直し、角帯をきりりと締め直した。

午後、父が会社の新年顔合せに出掛けたあと、母と子供たちは三田へ行った。院内の〝花壇〟というだだっぴろい部屋で、年始の宴が開かれていた。祖父といと祖母が上席に着き、副院長と医員、総婦長と看護婦という具合に序列正しく居並んでいた。ここ二、三年職員の数が増えたため花壇に入りきれず、廊下や隣接する病室まで使っていて、遅れてきたぼくたちは座席探しにうろうろせねばならなかった。母は、若い看護婦に尋ねたが要領を得ず、とうとう短気をおこして帰りかけたのを、お久米さんが認めて呼び入れてくれた。どうにか祖父の近くに坐れはしたものの、目の前の皿には他人が箸をつけていて、またお久米さんの大働きであちこちから料理や飲物を集めた。と言うのも、以前は大皿に盛り沢山の御馳走を取り放題だったものが、今は盛り切りのうえ、肩を寄せ合って坐る窮屈のために、気軽に立って移動するのもままならぬからだった。しかし、祖父の威勢と手蔓で中身はなかなか豪華で、寒蜆汁、ひらめの刺身を始め、牛肉や鯛の昆布締めなどまである。央子は砂糖不足で家になかった栗金団があるので大喜びであった。餅などの統制品も豊富にあり、来客の国防婦人会の主婦たちの中には、家に持って帰るため餅や料理を持参の弁当箱に詰めている人もいた。男たちも無礼講で飲むというより、久方振りの豊富なアルコールを嚙むように味わい、しかし、運ばれてくる徳利はすこしでも多く自分のそばに置こうと素早く手を伸ばしていた。大人たちは自分たちの浅間しさが、子供のぼくにわからぬと思ってるらしく、祖父やいと祖母には礼儀正しい微笑を向けながら、貪欲な眼差を四囲に配り、ぼくの視線に気付くと、照れたように笑って、「いやあ、おじいちゃまは大した方ですな」と言ったり、「坊っちゃん、何年生?」と同じ問いを二度も三度もした。

史郎叔父も夏江叔母も姿を見せず、祖父は、母やぼくらにちょっと会釈したまま、色黒の四十年輩の男と献酬を交しながらずっと話し込んでいた。この男は、最近ときどき病院に姿を見せるので、出入りの商人だろうとぼくは推測していたが、こうして祖父と打解けた話をするところを見ると、余程お気に入りの人物らしい。母も男に興味を持ち、お久米さんから情報を得ようと彼女をチラチラ見るのだが、彼女は遠く離れていて果せずにいた。ぼくは母の気持になって、お久米さんの所へ行き、「あの人だあれ」と聞いた。お久米さんは、彼女にしては珍しく困惑の表情を見せたが、すぐさま決心して、「あの人ね、おじいちゃまの昔の子」と言い、それで通じぬと思ったのか、「亡くなったおばあちゃまの前の奥さんの子」と言い直した。男は祖父の最初の妻の子で上野平吉という人だと、手柄顔で母に注進すると、「そう」とまるで興味なさそうな返事だ。しかし、前よりも一層熱心に、じろじろと平吉を見た。

央子が退屈してむずかりだしたのをしおに、母は子供たちを連れて花壇を出た。不機嫌で、えらく速足である。二階にあがり、鶴丸に央子や弟たちを預けると、ぼくに「一緒にいらっしゃい」と命じた。弟たちも行きたがったのを、「大事な用だから子供は待ってなさい。すぐ帰るからね」と振り切った。自分一人だけが大人あつかいされたのが嬉しく、急ぎ足の母に遅れぬよう大股に歩いた。品川駅の横から踏切を渡り、海岸に出た。やがて行き着いたのは、「永山光蔵鉱物博物館」の木札のさがる、二階建のビルだった。受付にいたのは夏江叔母で、ぼくらに「明けましておめでとう」と朗らかに笑いかけ、「史郎にいさんも来てるわよ」と告げた。その言葉も終らぬうちに奥から史郎叔父が現れた。

二階の応接間からは海が一望できた。叔母の手料理を囲んで一同は談笑を始めた。母は、さっきからの不機嫌をころりと忘れたように、めりはりのある声で今見てきた三田の模様を報告した。「まるで、お通夜みたいだったわ。そうね、院長夫人いとさまのお通夜かしら。みんなぼそぼそ小声で話して、そのくせ、いじきたなく、がつがつ飲み食いして、見ちゃおられなかったわ。あれじゃ、おとうさまが、お可哀相。昔のように胸を張って演説なさるでもなし、お背なを丸めて話しこんでらっしゃる。それが誰とだと思う。悠太、教えておあげ」ぼくは、お久米さんから聞いた通りを伝え、母は一々大きく頷いた。母は、それを話させたいためにぼくを連れてきたらしかった。「上野平吉てのは聞いたことがあらあ」と叔父が言い、「親父の先妻は上野サイと言って、平吉ていう男の子とトシという女の子がいたと、お袋が言ってたな。でも、その平吉が何だって今頃出現しやがったんだろう」「悪いキザシよ」と母は向きになった。「きっとよからぬタクラミがあるのよ。実子として名乗り出て、おとうさまの財産を狙ってるんだわ。ばかに髪の毛が沢山あって、熊みたいに下品な顔付きなんだから」「いつごろから出現しやがったんだろう」ぼくは、えたりおうと答えた。「去年の九月に病院で見たよ。ぼく、おとうさんの薬とりに行ったとき、見たんだ。黒い鞄持ってた」「銀行員みてえじゃねえか」「銀行員っててえ面構えじゃなかったわ。何しろ下品だから」「下品な銀行員てのもいるぜ」

この会話のあいだ夏江叔母は、ずっと黙っていた。話の内容はともかく、姉と兄とがざっくばらんに本音を出しているのが嬉しいと見え、にこにこして料理をすすめたり、ビールを注いだりしていた。そして姉と兄とが鼻突き合せて話し込むと、ぼくを屋上へ誘った。体中を貫くような強い風だった。海全体から湧きあがるような波音は、太古からの長い長い物語を早口にまくしたてているようだった。防波堤に迫った波がくだけ、白い泡と男波女波の混合となって独特の模様を描いた。「あそこの波の形だけどね、一回一回、絶対同じ形にはならないんだ。何億年のあいだも、一回一回全部違うんだ」とぼくは言った。それは最近読んだ『数の不思議』という子供向けの数学入門書の確率論にあったので、自然は不規則な多様性に充ちており、その多様性同士の組合せは無限の形となるのだった。波は多様性である。その波と波との組合せ、さらに波たちと泡の組合せはまさに無限で、地球はじまって以来何十億年、つまり有限の数で割った程度では、相変らず無限なのだった。「悠ちゃん、妙なことと知ってるわねえ」「妙じゃないよ。本当のことだよ。あそこの波の形、あの泡の模様はね、無限なんだ」「あらら、足元にも無限があったのね。不思議はどこにでもあるのね」と叔母は言い、じっと波を見詰めた。波はつぎつぎに複雑に入り組んだ形を描いて見せた。

「いらっしゃい」と叔母は言った。「星と同じものでできてる鉱物を見せてあげるわ」「神様がお創りになったとおりの……」「あら、悠ちゃん、覚えていたのね。そうよ、そのとおりの鉱物よ」と叔母は頬笑んだ。ガラス戸棚の中に夥しい数の岩石が並んでいた。赤青黄緑紫……ありとあらゆる色彩が揃っている。黄金色に輝く結晶、透明な平面、ぎざぎざの岩塊、その一つ一つには、採集地の地形図、日時や採集法などの詳しい記録が豆粒のような細字で書かれてあった。試験管に詰った砂金がある。それを採った川の名とともにそれだけの量を採るのに数箇月はかかったと記されている。二十センチの余はある見事な紫水晶がある。塔のような輝安鉱がある。かと思うと魚の赤い卵のような赤鉄鉱がある。鉱物には不案内であったぼくも、それらの美と多様性――またしても多様性である――にはうっとりとした。とくにぼくを夢中にしたのは、化石を集めた一室だった。さまざまな貝や植物や動物が、かつてそれらが生きていた遥かな過去を定着させている。採取者は、化石の主が生きていた有様の想像画を描いていた。二枚貝は脚を出して砂の上を移動し、巻貝は蓋をあけて外界をうかがっている。翼果、球果、堅果と思い思いの果実をつけた樹木の森や奇妙に大きな葉を持った水際の植物、そして葉脈を典雅に走らせた葉のそよぎ。化石を発見した者は、遥かなる過去の発見者でもあった。「これ全部ひとりで集めたの」「そうよ。悠ちゃんのひいおじいさん、永山光蔵って方が独力で集めたのよ」「どんな人だったの」「こっちへいらっしゃい」夏江叔母は奥の部屋にぼくを連れて行った。永山光蔵の研究室がそっくり保存され、彼の山歩き姿の写真が飾ってあった。麦藁帽をかぶった白いひげの爺さんである。ポケットの沢山ついた登山用ズボンに地下足袋をはいている。腰にハンマーと虫眼鏡をぶらさげ、首には記録用の帳面と双眼鏡をかけている。目が柔和な半月形なのは菊江祖母にそっくりだ。

研究室は、堅い一木の机の上に、偏光顕微鏡、位相差顕微鏡、研磨機、切断機、写真機、鉱物標本作製用の木箱などが一種の秩序を持って並べてある。ぼくが注目したのは粗末な木椅子で、永年の使用のために平らだった板が尻の形にえぐれ、ささくれ立っていた。永山光蔵は、世界中の山を歩いて鉱物や化石を採集し、日本では銅、亜鉛その他の鉱山をいくつも発見したという。物を集め、分解や分類をして、その本質を見極めようという心の働きは、多くの物を総合し組立てて、独自の発明品を創りだす心の働きとは逆であろう。同じ科学者でありながら永山光蔵が時田利平と、気質も生き方も別であったのが、ぼくには了解できるような気がした。両者が相似ているのは、日常のありきたりの世界から抜け出して、科学的認識という高次の世界に遊ぶところにある。ぼくが、いつまでも研究室を去ろうとしないので、叔母は姿を消した。

風間邸に来て父と母は顔を見合せた。四脚門の前に立看板があって、墨黒々と「紀元二千六百年奉祝皇軍戦勝祈念会」とあったからである。門をくぐると頭上に長くのびる松の枝にも、「奉祝紀元二千六百年」「建国の悠久を寿ぐ」「皇軍万歳」「国民精神総動員」などという短冊が沢山下げてあった。
玄関の緋毛氈に金屏風と松竹梅の鉢植は型通りだが、白木の台の上に、「神武天皇御東征の図」と枠に金文字で記した油絵が飾ってあった。画家の名を読んだ父は、「こりゃ有名な人だ」と言い、値踏みをするように、金鵄の光の具合や逃げていく長髄彦の細密描写に頷いた。

大叔父の風間振一郎が藤江夫人と並んで廊下の奥に立ち、来客を迎えるのもいつもと違った趣向だ。振一郎はさっぱりとした坊主頭で、黒紋付姿はまるで弁慶のようだった。大叔父がしかるべき人と話し込むので、客の長い列ができていた。「面倒だな」と父は口を尖らかし、省略して行こうとして母になだめられ、渋々列に並んだ。しかし、「子供はいいんじゃないか」となおも言い、母から「駄目ですよ。叔父さまに御挨拶しなけりゃ、失礼に当ります」と言われて、天井を仰いで嘆息した。ようやく番が来た。大叔父は父と母に、「やあ、明けましておめでとう」と鷹揚に頷き、背筋を伸ばすと、「今年はとくにめでたい年だ。ともに日本臣民として頑張りましょう」と言った。

風間振一郎は代議士であるとともに、昨年暮に創立された日満支石炭聯盟の日本側代表理事と石炭鉱業聯合会常務理事を兼務していた。支那事変の長期化につれて、石炭軍需はますます増大し、日満支三国における石炭を増産し、それを重点的に配給する統制機関が石炭聯盟であった。すなわち、日本帝国のエネルギー供給の総元締めの地位を振一郎は握ったことになる。この正月、風間邸に政界財界のお偉らがたが蝟集したのは当然の結果であった。そして、大叔父が父と母に示した鷹揚な態度は、「自分のような国家枢要な人物でも古くからの縁戚には愛想よさを示すぞ」という意味がこめられていた。

もっとも、大叔父の隣に立つ大叔母は、母と見えるか見えないかの微笑を交したので、「うちの主人は出世して、立場上、こんな大仰な集りを主催せねばならないんだけど、まあ我慢してちょうだいね」という表情とも見えた。

例年人々の溜り場となる大広間の中央に白木の祭壇が作られていた。注連縄が張られ、白陶器の瓶子、高坏、水器が並び、燈明が点されていた。人々は火鉢で手をあぶりながら、何となく勝手が悪そうに、ひそひそと言い交していた。三田には姿を見せなかった史郎叔父や夏江叔母が来ていた。脇家の人々がいる。軍服の敬助は、軍談でもしているのか、大勢の男たちに取り囲まれていた。父は史郎叔父に言った。「どうも様子がおかしいな。麻雀も出てねえじゃないか」「この非常時に敵性娯楽は自粛というわけですかな」「正月ぐらいかまわねえだろうに」「いやいや、〝戦勝祈念会〟ですから、きょうはまずお祈りですよ」と史郎叔父は柏手を打つ真似をした。

風間の四姉妹が固まっていたが、いつもの晴着ではなく、地味な着物で目立たなかった。松子と梅子は嫁いで、美枝と同じくらいの子供がいた。桜子だけはまだ独り身だった。央子は風間の子たちと遊び出した。

「おい、秘密の抜道へ行って見よう」と晋助がぼくを誘った。一昨年だったか、母屋と離れを結ぶ地下道を晋助は発見した。それ以来、正月に来ると、そっと行ってみる習いであった。

もっとも、それは秘密でも何でもなく、客人を離れに通すときは女中がそこを案内して行くのだが、ずっと以前は、隠し階段だったので、晋助は今でも〝秘密の抜道〟と呼ぶのだった。長い廊下のどん詰りに八畳間と水屋を備えた茶室がある。地下道の入口は何のことはない、八畳間の押入れを開いた所にあった。今は八畳間も茶室も毀し、廊下から直接行けるように、コンクリートの外壁を剝き出しに、ベンガラ色の鉄扉を目立たせ、むしろ入口がはっきりわかるように改築されていた。と言うのは、階段を降りた所に、四、五十畳ほどの防空室があり、有事に際して家人が駆け込めるようになっていたからだ。しかし、面白いのはその先で、地下道にいくつものドアがあって、どうやら各々に部屋があるらしかった。ぼくらは鍵をかけ忘れたドアがないかと、一つ一つ調べた。もっとも、大叔父がそんな抜かった管理をする筈もなく、ぼくらの探索は実り無しに終ったのだが。

大広間に戻ってみると、全員が立って御祓いがおこなわれていた。奇妙な抑揚のきいきい声の祝詞が続いている。「紀元二千六百年のよき年」というのだけ聞き取れた。ぼくは人垣の後に立ったまま、晋助を横目で見た。彼が鼻糞をほじくっているので、ぼくも真似をした。神事が終ると、装束を着て笏を構えた神官を先頭に一同はぞろぞろと別座敷の宴会場に移った。例年の仕出弁当のかわりに、きょうは竹皮に包まれた握り飯が並んでいた。料理は小さな折詰である。振一郎大叔父が立って挨拶した。「……畏れ多くも、天皇陛下皇后陛下におかせられては、聖戦四年目に、酷寒炎熱の地にあって闘う第一線皇軍将兵と同じ野戦料理をこの元旦の食膳となさったと、洩れうけたまわります。われら銃後の臣民も両陛下に習い奉り、野戦料理をもって、二千六百年にわたる皇国の偉大な歴史を祝し、東亜永遠の平和を願いたいと思います……」

黒い詰襟服の満洲人たちが出てきた。盆には酒をつめた軍用水筒が乗せてある。振一郎大叔父は彼らにシナ語で何か命じた。すると整然と軍用水筒が配られていった。「変った演出だな」と父がつぶやいた。「でも、酒が飲めるだけ、ましですよ」と史郎叔父が言った。

貧しい料理と乏しい酒で宴会はあっけなく終ってしまった。あと、振一郎大叔父とお偉がたとの二次会が離れでおこなわれると告げられ、一般の人々は早々と、追い出されるようにして外に出た。あとで聞いたのだが、遅れて来た祖父といと祖母は、野戦料理を配られたのみで玄関払いとなり、祖父は立腹のあまり、風間家の女中頭を怒鳴りつけたそうだ。

8

わが家で事件がおこった。なみやのお腹が大きくなってきたのだ。

年明けの頃は、単に肥ってきたぐらいにぼくも思っていた。冬でも薄着を好む彼女が厚着をするようになったとも見ていた。しかし、春先になったある日、母から、「あんた、お腹が大きくないかね」と言われたなみやが、返答できずに俯いてから、脹れた部分のみが目につくようになった。

この件について、父と母とが鼻つきあわせて相談しているのを何度も目撃した。が、子供が立入ってはならぬ内容だとぼくは敏感に察知して、見て見ぬ振りをしていた。むろん弟たちや妹は何も気付かず、央子など相変らずなみやにせがんで、駆けっこをしたり、毬転がしをしたりしていたが、なみやはいかにも体が重そうで、ときどき腹をかかえるようにしていた。

三月の末のことだ。新学期に使う教科書を学校前の文房具屋に買いに行った。帰ってきてみると、算術だけが四年生用だった。丁度なみやが学校の近くの魚屋にお使いに行くというので、間違った教科書を五年用のに替えてくるように頼んだ。するとなみやが声を荒げて怒りだした。「なみやは魚屋さんに行くんです。文房具屋に用はないの」「でもさ、ちょっと先に行けばさ、文房具屋に行けるじゃない」別にぼくは強く押す気はなく、ことわられれば自分で行くつもりだったのに、なみやの拒絶があまり激しかったので、仕返しの気味もあって、しつこく言い張った。そのうち、なみやの顔色が変った。そばかすをまぶした頰が血管でも切れたように赤くなり、小さな目が栗の形に開いたと思ったら、教科書を流しに叩きつけた。表紙一枚を持ってそうしたため、破けて飛び、書物は桶の水の中に落ちて、ぐっしょり濡れてしまった。「何をするんだよう」とぼくはなみやに飛びかかったところ、弾みで彼女の腹にぶつかっていく結果になった。その瞬間、ぼくはものすごい力で弾き返され、仰向けに倒れると後頭部を何かに強く打ち、一瞬暗黒になって線香花火の火花が散った。骨を割られたような痛みがおこってきた。母が来た。突き刺すような叱責をなみやに浴せながら、ぼくを抱き起した。「大丈夫かい。動けるかい」と言われ、手足を動かしてみたが支障はない。しかし、被害を誇張して見せるためぐったりとして、「頭が痛いよう」と泣いた。母はもう気が狂わんばかりに騒ぎ立て、なみやを叱咤(しった)してぼくを子供部屋の蒲団(ふとん)まで運ばせた。「大変だよう。学校の本が駄目になったよう」とぼくは訴えた。台所に取って返した母は、なみやに事情を聞き質(ただ)した。やがて、火のついた赤ん坊のようななみやの泣き声がおこり、ひとしきり続くと不意にやんだ。

なみやがわが家を去ったのは、その翌日だった。四月一日、始業式の日だったから、よく覚えている。

午前中一年生の入学式があるので、上級生の始業式は午後からだった。朝のうち、ぼくはなみやと目を合すのが恐(こわ)かった。すると彼女のほうから近付いてきて、「坊っちゃん、きのうはすみませんでした」と謝った。「いいんだよ、もう」とぼくは笑顔を返した。母が新しい教科書を買ってきてくれたので、後始末はすんでいた。「頭、大丈夫ですか」となみやは、心から心配そうにぼくの坊主頭を見た。ぼくは後頭部の小さな瘤(こぶ)を見せた。なみやはまた、「ごめんなさいね」と言った。

式のあと転校生の紹介、机の位置決め、下駄箱(げたばこ)と帽子掛の名札の貼(は)り替えなどあり時間を食った。帰宅してみるとなみやがいなかった。お使いかと思ったが、夕方になっても帰ってこず、母に聞くと、「千葉の里に帰ったよ」という答。「どうして」「さあ、どうしてだかねえ」「きのうの喧嘩(けんか)のせいなの」「悠太」と母は、険しい目付きでこちらを睨(にら)んだ。「もう、なみやのことは忘れなさい。あれはここにいないほうがいいんだよ」「だから、どうして」

「うるさい子だね」母は癇癪をおこした。「子供は知らなくていいの。あんな、乱暴でフシダラな女中は、ここにいなくていいのよ」フシダラという言葉がぼくにはわからなかった。しかし、なみやの腹が大きくなったことと関係があるとは思った。女中部屋は綺麗に片付いていた。押入れを開くと、蒲団だけが四角に畳んであった。

ずっとあとで、母に真相を訊ねた。なみやは妊娠しており、どうしても相手の男の名を言わず、堕すことも承知せず、結局親元と相談の上、里に帰すことになったという。これだけを聞き出すのに、母は不快をあらわにし、「もう二度とあの件は思い出したくないよ」と声を震わすのだった。


晋助と同じ先生に、央子がヴァイオリンを習い始めたのは仲春のことであった。この件については父と母とのあいだで、それに晋助も混って、いろいろと論議が交されたらしい。母としては、自分と同じように長唄と三味線を習わせたくて、昔のお師匠さんの相弟子仲間に問い合せたりしていたところ、晋助がヴァイオリンを強く勧めたため、気が変ったという。その先生は、女性ヴァイオリニストとして著名であるとともに幼児の才能教育家として知られ、三歳児から教える方法を開発していた。最初、音楽には関心のない父は、無駄な物入りだと反対したけれども、女の子は何か芸を持つほうが結婚に有利だと母に説かれ、それにピアノと違って幼児用の小ヴァイオリンはそう高くないと晋助に言われて許可したという。

初めて十六分の一のヴァイオリンが家に届けられたとき、そのあまりの小ささにみんなはびっくりした。十六分の一というのは容積率で、長さで見ると大人用の、ほぼ三分の一の大きさで、まるで玩具だった。晋助は弦を調律したのち、これも箸のような弓で弾いてみせた。手の平に入るような楽器からもっともらしい音色が流れ出したので、一同はまたびっくりした。央子は自分の新しい所有物を「かわいいバイちゃん」と呼んで人形のように離さず、毀すからと母が無理にケースに戻すと泣きべそをかいた。けれども、レッスンが始まり、自宅で復習する段になると央子は、先生の真似だろうがヴァイオリンを結構楽器として、気取った様子で取り扱うようになった。

ホーマンの教則本では、単調で味気ない音階練習から手をつけるのだが、央子は別にいやがりもせず、進んで練習したのでひと月もすると、なかなか正確な音が出せるようになった。と言っても、むろんまだ鋸の目立てで、しかも幼い子にしては意外なほど熱心に一時間でも二時間でも練習するので一つ問題がおこった。近所迷惑ではないかと母が懸念し始めたのである。

兄たちが学校に行っている留守に、子供部屋で弾かせたけれども、気候がよくなるにつれて窓を開け放すので、近所に音がまる聞えであった。一高の教授邸は森のむこうで関係ないが、落語家は顔形が見える間近なため気が引け、母は、ある日、菓子折を持って断りに行った。帰ってきた母は、今にも吹き出しそうにしながら、落語家との対話を再現してみせた。

「娘がヴァイオリンを習い始めたので、御迷惑をおかけして恐縮です」「はあはあ、あれがヴァイオリンですか」「お耳をけがしてるんですね。本当に申し訳ありません、鋸の目立てで」

「いえ、破れ鐘の滅茶打ちですな」「何とも、はや……申し訳ありません」「いや申し訳ないのはわたしで、この分ではあっしの破れ鐘の滅茶打ちみたいな稽古も、お宅のお耳をけがしていると知って、恐縮しております」「まあ……そんなこと全然ございません」「あっしのほうも、そんなこと全然ございません」結局、落語家は、かなりの音楽通で、洋楽にも詳しく、央子の筋がいいとほめてくれたうえ、毎日その練習を聞くのが、むしろ楽しみだと言ってくれたそうだ。そして、お茶の師匠のほうは、あべこべに先方が日頃から弟子たちの稽古で騒がしいのを恐縮してみせ、別に問題はなかった。

　このヴァイオリンという楽器がすっかり気に入ったと見え、央子はほかの遊びを忘れてしまったように、二時間でも三時間でも弾き続け、母が何かの都合でそれを中断すると、機嫌が悪くなったほどだ。いきおい母も、娘の気がすむまで弾かせるようになった。晋助は、「上達しましたね」とか「もうホーマンの一巻をあげちゃったのか」と感心してみせ、「おれなんかより余程進歩が早い。やっぱり才能だな」と母に言った。あるとき、十センチほどの厚いレコード集を、央子に聞かせるようにと置いていった。それは、モーツァルトのヴァイオリン・ソナタ集で、二十枚組以上もあって、豪華な金箔押しの装幀は、子供の目にも大層高価なものに思えた。夕食のとき、そのアルバムをめぐって交した父と母の会話を今もよく覚えている。

「あれは高いもんなんだろう。何だって晋助が買ってきたんだ」「央子がヴァイオリンを始めたお祝いですって。小さいときから一流の音楽を聞かせることは、音楽性を育てるため第一の方法だからと……」「それにしても、すこし大袈裟だな。学生にしちゃ荷が勝ちすぎる。えらい無理をしたんじゃないかな」「そうでもないらしいんですの。晋助さんは、フランス小説の翻訳でいい実入りがあるらしいんですのよ」「それにしてもさ……何か魂胆があるんじゃねえかと気になるな。ねえさんがまた借金でも言い出す前の前哨戦……」「あなた、考えすぎですわよ。晋助さんはね、央子に先生を紹介したんで責任を感じてらっしゃるんだわ。それに央子は、ひどく熱心だし……」

両親の会話をよそに、央子は自分の隣に坐らせたピッちゃんに、箸で何か食べさせる仕種をしていた。食事のときも、寝るときも、そしてヴァイオリンの練習をするときも、央子は縫いぐるみの熊を身辺からはなさなかった。

ある晴れた日の午後だった。学校から帰ったぼくは母から央子に付き添ってヴァイオリンの先生の家まで行くようにと言われた。何か母に急用ができたためお鉢が回ってきたのだろうが、ぼくは渋った。幼い妹と連れだって歩くのが照れくさかったし、友達と遊びに行く約束もしていたからだ。それに、自分はピアノを習えなかったのに、妹はヴァイオリンなど習っているという僻み心もあった。けれども母の言い付けは絶対で、ぼくはケースを提げた央子の手を引いて外へ出た。家の近く、新田裏の停留所から市電で二つ目、抜弁天で降りれば央子は道を知っているという。電車が坂を登り始めると前田侯爵邸の緑が強い風に沸騰しているのが見えた。緑の濃いなかに、派手やかな萌黄や象牙色が踊り、白や赤の花が笑っている。ふと、遠い記憶が呼びさまされた——それが何であるか確定できなかったが、懐かしい思いだけが胸を熱くしてきた。

　電車を降りると、大通りを注意深く渡った。寺院の大屋根がいくつも見える。央子は、道を知っているのを得意がるように、ぼくの前をチョコマカ小走りに行った。右に曲ると緩かな下り坂だった。長い築地塀（ついじべい）——もう間違いなかった、目差しているのはチズカの家なのだ。しかし、石垣の上の西洋館は記憶の中の家と随分異なっていた。赤瓦（あかがわら）だった屋根は黒瓦に変り、蔦（つた）の這（は）う壁のかわりに古びた羽目があり、しかも周囲に家々が建て込んで、目立たぬ平凡な家になっていた。このあたりを、香取栄太郎と〝探検〟していてチズカの家だとは気が付かなかったわけだ。玄関前に立ったとき、そのドアが内側に開くはずだと思いだした。表札には「富士新平」とあった。そう、チズカは富士千束（ちづか）であった。そして、ドアは内側に開かれ、お弟子さんと思われる若い女性が「どうぞ」と招じ入れてくれた。どこかでヴァイオリンとピアノの合奏がおこなわれていた。ヴァイオリンはつたなく、何度もつかえた。

　応接間には前の子の付添いらしい婦人が坐っていた。央子は、家ではついぞ見たこともない行儀のよさで、ソファに両脚をぶらさげた。ぼくは探偵（たんてい）のような注意をもって室内を吟味した。グランド・ピアノの背後の書架には楽譜と洋書がびっしりだった。何枚かの写真が飾ってあり、期待して近付いたら、すべて外国人の顔だった。電気蓄音機の脇（わき）にレコードが並べてあった。分厚いアルバムが沢山あって、晋助がプレゼントしてくれたアルバムなど、ここではほんの端役（はやく）でしかない。どこからか千束がひょっと顔を出しはしないかと待ちつつ、窓の外の芝生を見、廊下の足音に聞き耳を立てているうち央子の番が来た。前の子は、幼稚園ぐらいの少女だった。別に美しくもないその子は、ぼくに向って眉をひそめ、つんとそっぽを向いて出て行った。

「小暮さん、どうぞ」と呼びに来たのは最前の女性だった。なぜか千束が出てくるものと信じていたので、すっかり失望した。央子の幼い演奏が聞えてきた。風がひとしきり募ってガラス窓ががたがた揺れた。つぎの番の子が独りで入ってきた。今度はぼくと同い年ぐらいの男の子だった。どこかの私立校のらしい、紺の制服を着ている。女の子みたいなお河童頭で眼鏡をかけ、その頃の子としては珍らしく肥っていた。男の子がヴァイオリンを習えるという事実にぼくは驚いていた。男の子は、いきなりケースからヴァイオリンを出し、楽譜をひろげると、丸っこい指先で弦を弾きだした。テンポの速い、複雑な曲だった。ぼくはお河童頭や制服を、敵意をもって睨んだ。こちらは、妹の付添いで来た、坊主頭の公立小学校生徒で、楽器など習いたくても習えないのに、お前ときたら、どこかの金持学校に入って、ヴァイオリンをこれ見よがしに演奏して見せている。ぼくは、相手が、あまり賢こそうな面立ちでないのに安心した。が、ぼくの鋭い視線をまるで無視して演奏を続けている。あれだけ弾きこなすには、もう何年も練習し、相当の腕前に違いない……ぼくは見ているのが苦痛になって、立って廊下に出た。

千束の部屋は廊下の先にあったと思う。央子のヴァイオリンの響くドアを通り過ぎ、幼いときここでしたようにスリッパを滑らせる、忍び足で進んだ。それらしいドアを見付けたが、ノックする勇気はなく、引き返したところを女性に発見された。「お便所なら、こちらですよ」と案内されたのは、何と、さっき千束の部屋だと思い込んでいたドアだった。ぼくは、すっかり気落ちして応接間に戻った。そのときだ、ぼくは千束を見た、さっきの男の子と立ち話をしている少女の横顔を、額から真っすぐに下った鼻、西洋人のような茶色い髪、薔薇色の頰を。ぼくは何も考えず少女の前に飛んで行き、「覚えてる、ぼくを」と訊ねた。そのとき、彼女のほうがぼくより背が高く、それに大人びているので当てがはずれ、間違った、千束ではない、千束のおねえさんだと思った。

少女は、じっとぼくを見た。男から話し掛けられるのに慣れているように落ち着いていた。「悠太くん……かしら」ぼくの胸に歓喜が溢れてきた。「あ、覚えていてくれたんだ。じゃ、千束ちゃんなんだね」「そうよ」「よかった、ぼく人違いかと思った」男の子が「ウン」と唸った。不思議そうに、疑わしげにぼくらを見較べている。千束が幼稚園時代のお友達だと説明し、ぼくに彼を紹介した。梅田と言い、暁星小学校の生徒だとわかった。ぼくは大久保小学校だと自己紹介した。千束は四谷の雙葉学園にいると言った。ぼくは、もっと話したかったのに話題が尽き、二人が先程からの相談、秋の温習会で千束のピアノと梅田のヴァイオリンで合奏する打合せを、手のとどかぬ別世界の出来事として見ているより仕方がなかった。でも、そのおかげで、千束を間近からよく見ることができたのだ。背丈はぼくより三センチは高い。しかし、踵の高いスリッパを履いていたから、本当は同じぐらいか。生毛の光る頰は白い滑かな皮膚の下に血の赤さをすけて見せ、白から薔薇色へ、さらに赤へと微妙に変化した。長い髪は、つやつやした茶で、ほっそりとした肩に垂れていた。以前の病身で弱々しげな気配は消えて、いかにも健康そうで、笑うと不揃な前歯がキラキラと宝石のように光った。要するにぼくは夢中で、彼女の何もかもを見て自分の物にしたくて仕方がなかったのだ。残念ながら、央子のレッスンが終り、梅田は、千束と一緒に呼ばれていった。二人で合奏の練習をするらしいのだ。彼女と一緒にいる梅田をどんなに妬ましく思ったことだろう。

隅々までよく見た千束の姿を、何度も思い出した。勉強していても、本を読んでいても、意識の表面が割れて彼女が感じられてくる。微笑したとき頬にかすかに現れる靨、薄茶の眸、何よりもすらりと形のよい脹ら脛。千束を想うことは何と甘美であったろう。けれども、そのとき、自分のペニスが硬く無恰好に盛りあがるのには狼狽した。甘美な想いは自分独りだけの秘密として仕舞っておきたいのに、そんなことで他人に、とくに母に(母も今や他人であった)知られるのは、恥かしく苦痛であった。母の近くの子供部屋で弟たちと机を並べるのが嫌で、国語読本を声を出して読むという口実で、しばしば二階の応接間に独り籠った。

恋という状態をぼくはまだ知らなかった。ぼくは千束を恋しているのではなく、少女の肉体に原始的な欲望をおぼえたにすぎなかったろう。それが原始的——動物的——であればあるほどぼくの自尊心は、それを他人に知られるのを恥じたのだ。恥じる……誰に対して……母に、弟たちに、友達に、たぶん、もっとも千束に。応接間の書棚から、ベルリン・オリンピックの写真帳を引き出し、ほっそりした女子選手の中から千束に似た人を発見し、こっそりと栞をはさみこんだ。独りで写真をむさぼり見、誰にも気付かれぬうちに元に返す。母は、ぼくが頻繁に二階に上るので心配して、「宿題はちゃんとすますのよ。小説ばかり読んじゃ駄目よ」と口うるさく注意した。

　冬と違って春になると靄が多く、天体観測には不向きなのだが、風の強い晴れた夜は喜んで物干台にのぼった。暖い風に洗われながら星と対面しているのは、本当に湯浴みでもしているように心地よく、このごろ自分に取り憑いている妄執もすっかり忘れて、満天の星を見上げた。オリオン座や双子座など、冬の星座はみんな西に霞んでしまい、かわって目立つのは牛飼座の超一等星アークトゥルスであった。北極星の上に伏せている北斗七星の柄を天頂へと伸ばしていくと、この蒲色の超一等星、全天第五の輝星が、春の女王として君臨している。それは、冬の青白い妖星シリウスと逆に懐かしい光でぼくを慰めてくれるのだった。そして、すこし南に視線を下げれば、白い真珠のような乙女座のスピカと獅子座のβ星デネボラと、アークトゥルスが〝春の大正三角形〟を形作っている。たまたま、スピカのすぐそばに来ている木星へ、望遠鏡を向けた。小口径では木星特有の縞模様は無理だろうと、半分あきらめて覗くと、はっきりとした二本の縞が見て取れた。大喜びでスケッチを始める……すると女の話し声がした。お茶の師匠の家の廊下を華やかに装った若い女たちが歩いて行く。やがて廊下に一列に坐り、順に襖を開け立てしては座敷うちに消えていく。物干台の前には栗の大木があり、彼女たちを枝葉のあいだからひそかに窺えた。ぼくは望遠鏡をそちらに向け、一人一人を眺めた。見られていると知らない女を、こちらは高みから存分に見透かしていると思うと、ペニスがぐっと硬く立ってきた。もう、天体観測どころではない、ぼくはこの秘密の快楽に夢中になった。一週に一度ぐらいの頻度だった天体観測が、にわかに連夜となった。母は、そんなに熱中すると学校の勉強がおろそかになるよ、とまた心配した。

そのあと、何度か千束の家の近くまで行った。と言っても、こわごわと道を行き、石垣の上に彼女の家がせり出し、窓が見えてくると、そこからこちらが監視されている感じがして足が停った。それどころか、敵を発見した斥候兵のように、身をひるがえし逃げ隠れた。そして、ぼくの奇妙な所作を誰かに発見されはしなかったかと、びくびくあたりを見回した。

それよりももう一度央子の付添いになって千束の家を訪れたかった。ところが母は、嫌がって脹れ面までしたぼくに二度と用を言い付けはしなかった。ヴァイオリンを提げた央子の手を引いて出ていく母を、ぼくはうらめしげに見送るより仕方なかった。

思案にあまって、「ぼくもヴァイオリンを習いたい」と口走ったところ、「音楽なんて、男のやるもんじゃありません」と一蹴された。母はすぐ言い訳のように付け加えた。「晋助さんは別よ。フランス文学には音楽が必要なのよ」

9

一学期の通信簿は散々の体たらくだった。得意課目だった国語と図画をのぞき、あとは乙の行列だ。期末テストの成績低下から予想したところではあったが、実際それを目にするとぼくはすっかりしょげ返った。

暑い日だった。油蟬が鉄板焼のバターのようにジージーと跳ね、陽光はすさまじい明るさだった。頭痛がしてきてぼくは頭を押えた。骨の内側で液体が沸騰しているようだ。級友たちは夏の計画で持ち切りだ。海水浴、ピクニック、トンボ釣、プール、ラジオ体操……そんな言葉が飛び交っていた。級長の松山哲雄は今度も成績がよかったらしく、自信に充ちあふれた微笑を浮べ、級友たちと何やら遊びの企みの最中だ。彼のまわりには吉野牧人や中村秀一などの優等生たちと、香取栄太郎や竹井広吉などの常連が集っていた。松山が来いよと目配せした。が、ぼくは頭をかかえて机に俯した。液体が圧力を増し頭蓋骨が破裂しそうだった。便所まで夢中で走り、吐いた。まるで体内の栓が抜かれたように汗が吹きだし、汗の海に漬ったようだ。

家では母が待ち受けていた。弟たちの通信簿が卓袱台に開いてある。ぼくは自分のを渡すと、母の驚きと嘆きを聞く前に、「頭が痛い」と子供部屋に逃げ、コルク床の上で夏掛けをひっかぶった。母が追ってきた。

「ほんとに、どうしたんだろうねえ、悠太、こんなに急にできなくなるなんて……急に頭が悪くなったのかねえ。やっぱり、あの傷の後遺症がでてきたのかねえ。一度、専門のお医者さまに診ていただこうかしらん」「お医者さま……」ぼくは心配になって頭を出した。「そう、神経のお医者さまだよ。頭の中を診ていただくんだよ」「やだ」ぼくはびっくりして叫んだ。「そんな痛いの、やだ」「痛くはしないのよ。ただ、知能がこんなにさがった原因を調べていただくのさ。ほっといて、どんどん莫迦になってては大変だからねえ」「莫迦になったんじゃないよ。大丈夫だよ」成績が低下した原因は要するに勉強していなかったからだ、気が散ったからだ、ふわふわとあらぬ妄想にふけったからだ。しかし、それを母に言う勇気はなかった。アスピリンが効いてきて睡気が痛みを消した。目覚めると誰かが玄関の格子戸を閉める音がした。母だった。

母は汗みずくだ。急いで来たらしく、はあはあ息をついていた。「どう、頭痛は」「なおった」ぼくは起きあがって軽く頭を振った。母はぼくの額に顔を擦り寄せた。ぼくが頭痛の発作をおこすと、かならず額の傷痕を注意深く見るのが母の癖だった。「湯浅先生にお会いしてきたんだよ。お前、このごろおかしいんだって。授業中ぼんやりしていて、手をほとんどあげないし、指されても質問の意味がわからないでいるし、この前の試験だって、白紙同然なのがあったそうじゃないか。おかあさんに、それを見せなかったね」母は、机の引出しを開くと、ぼくがこっそりノートの下に隠しておいた答案をあっさりと発見してしまった。「これはひどいねえ。先生はね、こうおっしゃったよ、小暮君は莫迦になったんじゃなく、何かに心を奪われてるみたいだって。正直に言ってごらん、一体、何に心を奪われたの」女とは言いにくい。まして千束の名は明かせない。小説と言えば本を取り上げられる。天体観測と言えば望遠鏡をのぞけなくなる。「わかんないよ」とぼくは消え入りそうに言った。母は、団扇をせわしく使いながら顔をしかめた。「先生は、こうおっしゃったよ。小暮君は、ちゃんと集中すればできる生徒で、国語なんかの力は松山君なんかより上だって。漢字は沢山知っていて、読書力もあるし……だから、本を読むのはいいのよ。ただ、もうすこし読本をよく読むことだって。それから、大いに運動をやるようにだって。それでね、八月に臨海学園

「があるの申し込んできたわよ」「わっ、うれしい」ぼくは現金に躍りあがった。「そのかわり、毎日、規則正しく勉強するの。二階へあがっちゃだめ。おかあさんの目の前で弟たちと一緒に勉強しなさい」「お医者さまに診てもらわなくていいの?」「三田のおじいちゃまに御相談したらね、神経が悪いのは今の医学じゃ治らないから、診察は無駄なんだって。やっぱり、規則正しく運動することだって」「ぼく毎日プールに泳ぎにいく」最近学校のプールが竣工したばかりだった。すでに体操の時間に二、三度水泳があった。夏休み中生徒はただで泳げるのだ。「ほんとは葉山に行きたかったんだけど、こんな時局だからねえ」と母は溜息をついた。支那事変が始まってから三年も経つと、生活のすみずみにまで戦争の影響が出てきた。米、砂糖、マッチ、木炭などが切符制で思うままには手に入らず、足りない分は闇で買うより仕方がなかった。母は、満洲から敬助が多量の高粱を持ち帰ったのをお裾分けしてもらったり、時田式汚水濾過器〝真水ちゃん〟の好評のおかげで南方戦線より送られてきた砂糖を三田からもらってきたりしたが、それでも食糧は不足気味だった。それに加えて、世の中は贅沢は敵だという風潮で、女のおしゃれも肩身が狭く、まして夏休みに一家で海浜へ行き、のうのうと海水浴を楽しむなど、もってのほかの非国民的行為と見なされかねなかった。が、幼いときから、夏は海辺で過すのが習いであったので、暑いさなか、毎日を都会で暮すのが、かえって物珍しかった。

朝、昼の炎暑を予告する太陽が梢を薙ぐ。木々と垣根に囲まれた家の中には風が通らず、寝苦しさで目覚めてしまう。弟たちと連れ立って学校へ急ぐ。近所の人々と一緒になって、六時にラジオ体操だ。壇上の模範体操は、最近陸軍を除隊になったばかりの麦島先生だ。坊主頭で、まだ学生の若さだが、大の張り切り屋で、拍子木を思い切り叩いたような甲高い声で号令を掛ける。どうかすると、一般の人々がいるのを忘れ、後の方で立ち話をしている生徒に向って、「こら、うしろのほう、サボるんじゃなーい」と怒鳴ったりする。この麦島先生がぼくは苦手で、なるべくその三白眼のとどかぬ方角に位置していた。と言うのも、ある日、校門脇の奉安殿にむかって、ピョンといい加減に頭を下げたところ、いきなり、「こら、そこの生徒、ちゃんと最敬礼をせい」と叱り飛ばされ、体操服姿の麦島先生が現れた。彼はこっそりと敬礼の仕方を盗み見ていたのだった。胸の名札から、「五年一組小暮悠太」の名前を読み取ると、先生は大学ノートに記入し、さっと木蔭に身をひそめるや、つぎつぎ登校してくる生徒の様子を窺っていた。それは藪にひそんで獲物をねらう蛇のようだった。

　朝食後、弟たちと並んで、宿題の〝学習帳〟を一ページやり、書取と算術の問題集を、母が極めたノルマだけすませた。ところが弟たちが遊びに行ったあとも、国史や地理をさらわねばならなかった。母はぼくの勉強の監視の合間に、二階にあがって央子のヴァイオリン練習を見た。わずか数箇月ではあったが妹の演奏の進歩はめざましく、晋助が出す音に近い、いかにもヴァイオリンらしい音色を出していたし、ホーマンの練習曲のほかに、ドヴォルザークの『ユモレスク』やヴィヴァルディの『ト長調コンチェルト』などを弾きこなしていた。来春の温習会にはクライスラーの『オーカッサンとニコレット』を最年少組で弾くとあって、その練習も始めていた。とにかく、ぼくの勉強は央子のヴァイオリンの伴奏でおこなわれたのだった。そして、やっと勉強から解放されるのは午近くであった。

午後は、これも母の命令で、何はともあれプールで二時間は泳がねばならなかった。暑いさなかに水に入るのは嬉しかったし、水泳は好きだったが、監督が、これまた麦島先生であることが多く、そういう日は、しっかり十分間も準備体操をやらされたうえ、その場にいる子を上中下の三級に分けて、号笛の合図で一斉に泳ぐのだった。ぼくは上級で、その点は誇らしかったのだが、プールの端から端まで競泳の単調な繰り返しには、ほとほと弱り果て、その反動で、麦島監督以外の日となると、ことさらに乱れてイルカのようにふざけて泳ぎ回った。このプールという人工の池は波も海草も魚もなく、ましてエビ島のような不思議に入り組んだ岩場もなく、四角四面でまるで面白味がなかったうえ、新しいためコンクリートの臭いのする刺戟臭に加えて、消毒液で目鼻が沁みて快適とはいえなかったけれども、級友のなかでは自分が達者に泳げるのが、大いに自尊心を満足させた。鉄棒や飛箱の名手で運動神経は抜群と思われていた松山哲雄、身軽に木登りや塀によじのぼったりベーゴマの名手で鳴らす竹井広吉、この二人がからっきしの金槌だった。また竹馬がうまく自転車の曲乗りを得意とする香取栄太郎は、みっともない犬搔きで三メートルほど行くと沈む始末だった。ぼくは、潜水から平泳の初歩までを彼らに教え、と思うと浅い所でポチャポチャやっている彼らの足元に潜っていって驚かしたりした。もっともクラス一番の達人は魚屋の子の瀬川で、彫りあげたような細身の体を持ち、水車のように腕を回しながら見事なクロールをやってみせ、女の子たちに歓声をあげて見送られていた。ここで思い出したのは、女の子は水着をつけていたが、男の子は赤い六尺褌(ふんどし)を締めると決められていたことである。母と褌用の赤い布を買いに行き、それをうまく締め込むのに大騒ぎをしたものだ。

海で泳ぎたいというぼくの希望は八月中旬の臨海学園でかなえられるはずで、その日を指折り数えていた。それは淀橋区内の小学校の合同の企画で、二百人ほどの男子児童が沼津近くの静浦(しずうら)という浜辺の村に十日間合宿するのだった。希望者が多いため抽籤(ちゅうせん)がおこなわれ、運よくぼくは残ったのだ。ところで出発の二日前、身体検査を受けに学校へ行くと、大久保小学校の引率教員は麦島先生ときまったと知らされ、ぼくはがっかりした。プールの延長として水泳訓練でもされたらたまらぬと思った。母は、ぼくの浮かぬ顔に気付き、「どこか体が悪いんじゃないかい。頭痛はしないだろうね」と心配し、身体検査の結果を学校に聞きに行ったり、ぼくの熱を計ったりした。

葉山より遠くに行ったことのないぼくにとって、急行列車で三時間足らずの旅が大旅行であった。車中では、トンネルに入るたんび、海が見えるたんび、みんなはわあわあと喚(わめ)き散らした。ほかの学校の生徒もいたので、ぼくらが騒いでも麦島先生は黙っていたのだ。が、十時半ごろ、沼津駅に着くなり、先生の号令がぼくらの胸をつんざいた。学校を出発するとき、「大久保小学校の生徒は規律正しいことを示す。いいか、先生の号令によって、イッシミダレズ、パッパッと動く」と言い含められていたぼくらは、汗まみれで整列し、点呼の番号を力一杯に叫んで他校の生徒を振り向かせた。海浜の宿舎(民家の納屋(なや))まで、足並みそろえ手を振って歩いた。荷物を部屋に置くと、すぐさま外に整列、今度はも寄りの神社に参拝した。海の水は底の砂の起伏をあらわに透かせて澄み、富士は東京の何百倍も大きく高かった。
昼食は丼に盛り切りの混ぜ飯で薄い沢庵が二枚ついていた。食事が粗末で量が少ないことは、その後も変らず、間食の持込みは禁止されていたから、みんなはいつも空腹で過すことになった。日課の発表があった。

午前五時半起床、六時ラジオ体操、そのあと宿舎清掃、七時朝食、八時から十時学習、十時から十一時半水泳、正午昼食、食後二時まで午睡、二時から三時半水泳、五時半夕食、七時から八時海辺の花火大会か室内の映画会、八時半就寝。

ほかの行事は他校の生徒と合同だったが、水泳だけは学校別に付添い教員の指揮下でおこなわれたので、ぼくら大久保小学校生徒はまさしくプールの延長となった。まずは他校よりも、ながながと準備体操をやらされる。それから海に入るのだが、参加の条件に泳げる人とあったので、まったくの金槌はおらず、瀬川のように卓越した泳ぎ手が多かったため、ぼくはむしろ下手くその部類に入ってしまった。なかでも、ぼくの天狗の鼻をへし折ったのは高飛込みだった。三メートルはある台から海面にむけて、まっさかさまに飛び込むことがぼくにはできなかった。「高い所から飛び降りると頭の傷が開くよ」と母に何度も言われて、台に登ると、とたんに恐怖が先立った。「何でもいいから飛び込め」と麦島先生の叱咤で、みんなは次々に水しぶきをあげたが、ぼくとほかに三人は、後込みするばかりであった。あとで砂浜にあがると、みんなの前に四人は呼び出された。麦島先生は、恐がってはいたが、泣きながらでも飛び込んだ子をほめ、「それに引きかえ、お前らの臆病ぶりは日本男子の風上にもおけん」と四人を怒鳴りつけ、「根性を叩き直してやる」と言いざま、両の頬に往復ビンタを加えてきた。天ちゃん事件のときの湯浅先生のより、遥かに強く、痛みが歯の奥から咽喉に突き刺ったようだった。ほかの三人は泣き出したが、ぼくは泣けなかった。みんなの前で叱られた情無さよりも、ひどく理不尽な行為への怒りが強く、先生を睨みつけた。すると相手は敏感にぼくの目付きを読み、「何だ、その顔は、お前、反省しとらんな」ともう一度、前よりも激しい往復ビンタを加えてきた。指先が鼻をかすめ、つんとした痛みとともに、ぼくは鼻血を吹き出した。生暖い血が胸と足の爪先に落ちた。さすが先方は驚いたらしく、救護班から脱脂綿を取り寄せ、ぼくの鼻に栓をした。彼の怒りがすこし和らいだのは、そのあと海水浴場の端から端まで〝遠泳〟をしたとき、三分の一の脱落者が出たのに、ぼくが完泳して見せたからである。さっき叱り過ぎたと思ったのか彼は、「小暮はなかなか持続力があるな」とほめあげたが、ぼくにはそれがわざとらしく聞え、別に嬉しくもなかった。

　翌日からの水泳が、ぼくには嫌でならなかった。麦島先生が高飛込みをやると予告していたからである。ところが雨だった。ぼくらの寝泊りした納屋には窓がなくて暗く、おまけに雨洩りで文房具が濡れるので、食堂に使っている母屋に移って学習し、先生たちが交代でする平凡で退屈な訓話を聞かねばならなかった。時間をもてあまし、座敷で角力をとろうとしたら宿の主人が現れてとめられた。ぼくは庭を見て水彩画を描いた。その一枚が今でも手元に残っている。松林のむこうに鉛色の海が見え、飛込台が塔のようにそそりたっている。灰色の空に富士が見えるのは想像の産物だろう。竹林が濡れて光り、胡麻粒のような点々が湧き出している。思い出した。竹林から藪蚊の大群が湧いて飛んできたのだ。学習中も訓話中も、蚊に悩まされた。蚊遣り線香をたこうとしたら、子供に火は危険だと、これも宿の主人に禁止された。つぎの日も雨だった。午後になって降りやんだが、水温が低いからと水泳は取り止めになり、そのかわり、裏山に登ることになった。道はぬかるみで運動靴の中へ泥水が沁み込み、それに猛烈な藪蚊責めだった。途中で道が消えてしまい、先生たちがあちらこちら探し回ったが、いつしか深い杉林に迷い入ってしまった。日が暮れてきた。疲労と空腹と恐怖で泣き出す子もいる。夜になった。二百人の児童は、大木の間に身を寄せ合った。ほんの一時間ほどで往復する予定だったので懐中電灯もない。麦島先生が独りで救援を頼みに出掛け、その結果を待つことになった。さいわい、生温い風の吹く夜で寒くはない。ぼくは寝ころんで梢の間に見える星座を観察した。丁度白鳥座が見える。北から南へと下る天の川の上を悠々と飛んでいる。ぼくはこの夏の十字星が好きでよく見詰めるのだが、この静浦の山中で見たときの印象がもっとも強かった。梢がほかの星を消し去ってしまい、白鳥だけがぽっと全容をあらわしていたし、夜気が澄んで尾の所にある白色の一等星デネブが、真珠のように輝いて、何か希望の光のようにぼくを慰めてくれた。「何を見てるんだい」と誰かが尋ねた。「星。白鳥座さ。その前にあるのが鷲座だ」ぼくは指差して説明を始めたが、そんなやり方では相手に通ぜず、またもや独りで星を見詰めた。白鳥の前に飛ぶ鷲はアルタイルという白色の標準星を持っている。つまり牽牛星で、鷲の首の付根となっている。では織女星は……見付かった。琴座のベーガだ。白鳥の首のそば、天の川のほとりに純白の耿々とした星（耿々という言葉はこの星のためにあるようにぼくには思える）が光っている。織女と牽牛は七夕の伝説、白鳥と鷲はギリシャ神話、ぼくは飽きもせず物語を反芻していた。みんなは窮屈な姿勢ながら眠り始めた。丁度白鳥座が天頂に来たころ、つまり十時すぎに、木の間隠れに沢山の懐中電灯が明滅した。麦島先生が静浦の人々に通報し、救援隊をひきいて来てくれたのだ。握り飯とお茶がくばられた。満腹と安心で子供たちは元気になって、はしゃぎだした。前の子のベルトをつかみ、一列縦隊になって山を下るころには、一大冒険をした興奮で笑いと叫びが絶えなかった。宿に帰りつくと一同は母屋に集められた。麦島先生が経過を報告した。渓流伝いにおりていけば海に出られると思って進むうち、どうにか海岸に出、そこから静浦まで走り帰ったこと、村の漁師さんたちが総出で救援隊を組織してくれたこと……そうして、先生はいきなり泣き顔となると、みんなの前にべったりと平伏して、「申し訳ない。わたしが山登りなど、提案したばかりに、みんなを迷わせてしまい、地元の方々にも多大の迷惑をお掛けした。わたしは責任をとり、本日ただいまをもって、小学校教諭を辞職します」肩を震わして泣いている麦島先生をほかの学校の先生たちがたすけおこし、何やら慰めていた。「さあ、みんな歯を磨いて早く寝ろ。あしたはお昼まで寝ててよろしい」わあっと歓声をあげながら一同は部屋に走りもどった。

ところで、翌日の昼、すっかり寝坊したぼくらは食堂に集められ、突然、臨海学園の中止を告げられたのだ。中止の理由は、昨夜の遭難事件ではなく、ぼくらの前に、ここに臨海学園で来ていた小学生のあいだから赤痢が発生したため、ぼくらにも伝染のおそれがあるという理由だった。炊事場の不衛生が問題だというので、沼津で買い集めた菓子パンと牛乳で食事をすまし、大急ぎで荷造りして、バスに乗った。きのう辞職したはずの麦島先生は、バスの中でみんなに、水泳や起挙動作の総評をしてから付け加えた。「それから、きのう山で迷ったことは、みんなの御両親が心配なさるから、家では話さないように。いいか、先生とみんなの秘密だ。わかったか」「はい」「はいが小さい。もっと大きな声で」「はあい」しかし、ぼくは母に、山での遭難事件のことを話してしまった。この種の話の常として、すこし誇張し、崖（がけ）や急坂の多い奥深い山を分け入ったり、谷底の激流を泳いで渡ったりしたことになったが。「大変だったんだね。でも無事でよかったねえ」「海の方はどうだったの」「素敵だったよ。富士山が見えて、水は綺麗（きれい）で。遠泳では、ぼく褒（ほ）められた」けれども、麦島先生にひっぱたかれた件は黙っていた。母はぼくの気持を知らず、「あの麦島先生てのは、熱心ないい先生だねえ。あの先生が受持ちだといいんだけどねえ」と言った。ところで二、三日経って香取栄太郎が、「臨海学園では山へ遠足に行って迷ったんだってね」と話した。ぼくと一緒に行った二組の者から聞いたという。麦島先生が土下座して泣いた話も伝わっていた。先生の口止めを守らなかったのは、ぼくだけではなかったらしい。

麦島先生と顔を合せたくない。それだけの理由で、ぼくは学校のプールに行くのをやめた。

母には、自転車のほうが面白いからと言い訳した。香取栄太郎や松山哲雄も自転車を持っていた。三人で連れだって随分遠くまで、戸山ヶ原の端や前田侯爵邸の周辺部や、ときには新宿駅や新宿御苑の近くまで乗り回した。その頃は自動車がすくなく、大通りから裏道へ、露地から露地へ、坂道を一気に走りおりて横町へと、迷路の街を自在に縫って行けた。こういう場合の道案内には香取は打って付けで、小泉八雲の旧居、市立大久保病院の大欅、花園神社のお神楽堂、大関名寄岩がときどき姿を見せる仕舞屋、美人の坐っている煙草屋と、珍しいものを紹介するのに事欠かなかった。もちろん友達の家も巡ったので、その夏、ぼくらがよく行ったのは、吉野牧人の所だった。鬼王神社の裏手の住宅街の奥にある彼の家は、ぼくの級友のなかでは飛び抜けて大きな屋敷だった。父親は、先の総理大臣平沼騏一郎とも親交のある外交官で、吉野市蔵の名を聞くと、美津伯母は即座に、「ああ、昔、よく家に出入りしていた書記官だね。今じゃ大使になったそうだね。わたしが年を取るわけだよ」と言った。棟門の内側にはツツジが左右に植えられた道があり、玄関は引っ込んだ所にあった。で、ぼくらは、玄関前まで行き、「まきちゃん、あそびましょう」と呼んだ。すると、小窓から書生がのぞき、すぐ奥に伝える。しばらくすると、悪い脚を引き摺りながら、まきちゃんが現れた。ふつうぼくらは友達同士を姓にくん付けで呼んでいたから、吉野牧人だけを、〝まきちゃん〟と呼ぶのは異例だったが、これには訳があった。

吉野牧人はこの四月に転入学してきた。度の強い眼鏡をかけ、色白の子は、右脚が細く、足を引きずっていた。自己紹介をするとき、変に舌のまわらぬ発音で、とくにラ行の発音が不明瞭で聞き取りにくかったので、すこし知恵遅れの子かとぼくは思った。最初のうち、授業について行けないのか、さっぱり手をあげなかったし、体操の時間は教室に残るか見学、休み時間には、みんなが水雷艦長や鬼ごっこをするのを遠くで見ているだけで、控え目な子だった。もう一人、秋田から転入してきた大沢勇が、東北弁まるだしのお喋りで、たちまち組の人気者になったのと対蹠的だった。ところが、吉野牧人ができる子だとわかったのは読方の時間だった。

湯浅先生は読本の順番にではなく、いきなり何十ページも先の文章に飛び、誰かに当てて読ますのが好きだった。そんな先まで予習していない生徒は大抵は初出の漢字が読めないでつっかえる。そういう場合すらすらと読めるのは松山哲雄かぼくだった。先生もそれを知っていて、ほかの子に当てる。その日は、「アメリカだより」というのが吉野牧人に当てられた。近眼者のための最前列から立ち上った吉野は、飴玉をしゃぶったような声で読み始めたが、初出の漢字を難なく突破して、どんどん先に進み、しかも文章の内容を的確に把握している区切りと抑揚で、つっかえたら次の子に回そうと待ち構えている先生を驚かした。しかも吉野は、サンフランシスコ、ロスアンゼルス、カリフォルニヤ、シカゴ、ニューヨークなどの地名をちょっと気取ったふうに、今から思えば英語の発音通りに読み、とうとうただの一回もつっかえることなく、最後まで読み通してしまった。

「よし」と湯浅先生は頷いた。「吉野はアメリカに行ったことがあるのか」「はい。ニューヨークに四年住んでいました」「では英語ができるのか」「はい、すこしですけど」そう言うと赤くなった。「ここに書いている都市には、行ったことがあるのか」「はい」みんなはどよめいた。ぼくの一組の六十人の生徒のうち外国へ行ってきた者は誰もいなかった。外国、それもアメリカに四年いたというだけで、みんなには素晴しい大旅行家に思えたのである。しかも、先生の質問に答えて、吉野は、ドイツやフランスやイタリアに滞在したことがあり、シナや仏領印度支那(インドシナ)も知っているという、つまり世界中を旅してきたというのだ。

その後、吉野牧人は算術や理科などについてもなかなかの秀才ぶりを発揮することがわかってきた。それまで組一番の優等生は松山哲雄で、それに続くのが中村秀一であった。松山は読方や綴方(つづりかた)にすぐれ、中村は算術と理科で群を抜いていた。ぼくは読方でやっと彼らの水準に近い所まで達していたにすぎない。ところが吉野は、どうやら松山と中村が得手とする領域でも彼らを追い抜きそうなのだ。そして、ある日の綴方の時間となる。湯浅先生は前の時間に書かせた綴方の中から優秀作を本人に読ませる習慣があり、その日は吉野の「さかだち」というのが選ばれた。例によって飴玉をしゃぶっているような口調で読み進む。小さいとき、熱病にかかって右脚が麻痺(まひ)してしまった彼は、それならば健常な両腕を使ってさかだちで歩き、この点では人後に落ちまいと決心して練習を始めた。最初、片脚だけの力ではさかだちするのが大変だったが、一年ほど練習を重ねるうち、やっと立てるようになった。今度は歩行練習で、一歩、二歩から始めて、三年目に十メートル、現在は五十メートルほど歩けるようになった、と。吉野が読み終えたとき、誰かが、「本当かなあ」と素頓狂(すっとんきょう)な声をあげた。竹井広吉だった。身の軽い彼は、とんぼ返りやさかだちの名手で、とくにさかだちでペタペタ歩くのが得意だったので、彼の発言には権威が感じられ、吉野の文章もみんなに疑わしく思えだした。竹井はなおも言った。「十メートルだって大変なのにさ、五十メートルなんてできっこないよ」座が騒がしくなったとき、湯浅先生が仲裁に出た。「これは綴方だ。吉野が努力のすえ、さかだちで歩けるようになったという中身が問題なので、五十メートルという距離が問題ではない。これは比喩だ、物のたとえだ、な、そうだろう吉野」「いいえ」と吉野は満面を血のように赤くして汗を吹きだしながら、きっぱりと言った。「先生、これは物のたとえじゃないです。本当のことです」「そうか、まあ、それなら、それで……」と湯浅先生は曖昧に黙り、先生が黙ると座が白けた。

　つぎの休み時間、吉野と竹井の対決がおこなわれた。それを誰が言い出したのかぼくは知らないが、多分、竹井のほうが挑戦状をつきつけた形だったろう。校庭の北端、低鉄棒のある砂場の前を出発点とし、南にむけて歩くのだ。上着をとった吉野は、運動不足のためか肥っていて体が重そうだ。竹井は、小柄で筋肉の締った軽快な体軀だった。数人が飛び入りで参加し、松山哲雄が審判になり、十メートルごとに蠟石で線を引いた。「よーい、ドン」で出発した。飛び入り組はすぐに転倒し、竹井と吉野の競走になった。たしかに竹井はピタピタとたくみな手さばきであった。両脚もピンと真っすぐで恰好がよかった。ところが、吉野は、どこか危なっかしい手の動きで、動かない細い脚と健康な太い脚とがチグハグで、一歩ごとに大きく揺らめいた。彼がさかだちに成功しただけでもぼくを驚かしたのに、歩きだしたのを見て、驚きは称賛の念に変った。十メートルの線あたりから、竹井の疲れが目立ってきた。両脚が震え、ともすれば落ちそうになる。遅れていた吉野が追い抜いた。ぐらぐらと揺れる両脚はすこぶる不安定だし、両手の動きも無器用だが、初めから等速度で衰えを見せない。そのころには校庭に散らばっていた全校の生徒たちが見物に集ってきた。「吉野頑張(がんば)れ」「フレーフレーまきちゃん」と吉野への声援が大きい。二十メートルで竹井が倒れた。あとは吉野の独行である。五十メートルの線をあっさり越えた。どこまでも進む。とうとう校庭の南の端、雲梯(うんてい)の近くまで来たとき、始業のベルが鳴り、中止となった。ほうっておけば永久に歩き続けそうな吉野の勢いであった。

　つぎの時間、はあはあ荒い息をしつつしたたる汗を拭(ぬぐ)っている吉野に、みんなは尊敬のまなこを向けた。歓声で気付き、途中からずっと観戦していたという湯浅先生は、吉野の体を気遣い、授業を中断して吉野を保健室へ連れていった。しかし、しばらくして先生の連絡を受けた吉野のおかあさんが着替えを持って来校し、吉野はきちんとした身形(みなり)で教室に現れ、みんなの拍手を浴びて、にっこりするとピョコンと頭をさげた。彼の赤い林檎(りんご)のような左頬にえくぼがあって、いかにも愛敬(あいきょう)があった。そうして、そのときから先生は彼を牧人(まきと)と名で呼び、みんなもまきちゃんと呼ぶようになったのだ。

　まきちゃんは絵もうまかった。図画の時間に描く写生画はかならず後の壁に貼(は)り出される腕前だった。ぼくなんかの絵は対象を正直に写そうとし、細部——薬缶(やかん)の蓋(ふた)のつまみ、椅子(いす)の釘(くぎ)の数、木の葉の葉脈の走り方——にこだわりすぎて、全体としての統一に欠けるのだが、まきちゃんのは、紺塗りの薬缶の頑丈な造り具合や椅子のクッションの風合いや森の新緑の明るいそよぎなどを、見事に描き出していた。この質感や雰囲気の描写力は、対象を正確に写すのが上手な松山哲雄にも優っていて松山をくやしがらせた。そうしてまきちゃんが本領を発揮するのは、ノートに描き溜めた漫画であって、いつのまにか周囲の人間をたくみに変形して描いていた。湯浅先生は鼻と口と耳に煙を出し、煙草を胸ポケットに入れた背広のライオン、松山哲雄は胸をボールのように突き出して号令を掛けている山猫の級長、すこし鷲鼻の香取栄太郎は気取って自転車に乗る鷲、ぼくはと言えば、目の大きい痩せっぽちの眼鏡猿で、四角い大学帽をかぶり望遠鏡を前に天文学者気取で立っていた。そう言えば、一度、ぼくがする物干台での観測をまきちゃんに話したことがあったのだ。彼の家に遊びに行くようになってから、まきちゃんが十数冊の長篇漫画を創っているのを知った。込み入った物語を持つ色彩つきの漫画で、主人公の少年が大冒険をする話が多かった。小説を読むばかりで、自分で物語を作ろうと思ったことのなかったぼくは、まきちゃんの才能と興味にびっくりした。中で一つ、覚えているのは、冒険好きの少年が海をヨットで航海しているうち無人島で宝物を発見して大金持になるという『マキマキマキン少年の冒険』と言うので、まきちゃん自身の夢、健康な二本脚を持ち、駆足や水泳を自在にする夢が物語化されていた。ぼくが、この話は『モンテ・クリスト伯』や『宝島』からヒントを受けたのかと聞くと、まきちゃんは二作とも知らないと答えた。総じてまきちゃんは、ぼくのような読書家ではなく、自分で物語を空想するのに忙しく、本を読む暇がないらしかった。

ところでその夏、ぼくと松山と香取の三人がまきちゃんの家を頻繁に訪れたのは、夏休みの手工として、四人で協力してメッサーシュミット戦闘機の模型を作ろうと計画したからである。すでに四年生のときから模型飛行機作りがぼくらのあいだで流行していたが、五年生になるとその製作法も手がこんできて、本物に似せて木枠とヒゴで胴体を作り、翼も流線型のふくらみを持たせ、全体に薄い絹布を貼って、その上にラッカーを塗るという具合であった。この場合、本物の飛行機の前後左右上下の設計図を入手するのが第一の重要事であった。ついで本物の設計図（と言っても簡略な概念図に過ぎないが）を模型用に手直しするのだが、生意気に製図用具を使ってケント紙に図を引くのも結構楽しい作業だった。ぼくらに人気のあったのは、ノモンハンで大活躍をしたと言われる陸軍の九七式戦闘機であった。これは巴戦においてソ聯機を圧倒した低翼単葉機で、その鼻柱の強いプロペラ部の恰好が何とも言えぬ魅力であった。しかし模型飛行機にすると、胴体の部分が太すぎて、空気抵抗が大きく、ゴムの推力で飛ばすのがむつかしかった。ぼくがこの四月に最初に作ったのは、頭が重すぎ、戸山ヶ原の三角山から一直線に落下して真っ二つに割れてしまった。そのうちに、ヒトラーの電撃作戦のとき、急降下爆撃でフランス軍を攻撃して有名になったメッサーシュミットが人気の的となった。子供の世界は流行に敏感で、わずかひと月とちょっとでフランス軍を敗走させパリに無血入城したドイツの戦闘機こそが、あこがれの的で、九七戦など時代遅れに思われたのだ。メッサーシュミットの模型セットは模型飛行機屋でも売っていたが、ぼくら四人が計画したのは、もうすこし大型で、操縦席やら機関砲まで備えた精密なもので、そのためにはまきちゃんが持ってきたメッサーシュミットの精密な解説図が大いに役に立った。

まきちゃんはそれを父吉野外交官の蔵書の挿絵で見付けたのだった。

四人で相談してまず設計図を引いた。はじめ、ゴムで飛ばせるものをと考えていたが、途中で角材を削って、本物そっくりの部品を備えた模型にしようと方針を変え、エンジン、車輪、風防、計器盤などを忠実に再現する、つまり飛行性能をあきらめたかわりに、近距離での展示を主目的とする精巧な模型を目差したのだ。最初のうちは木を削る、根の要る作業が続いたが、翼や胴体が形をととのえ、微妙な細工や色塗りの段階になると、俄然工作にめりはりが出てきて、みんなは、得手の部分を分業し合って、賑やかに談笑しつつ仕事をした。まきちゃんの画才は、計器盤の目盛や操縦桿の質感を丹念に正確に仕上げて、あとの三人を感心させた。

ぼくらが詰めたのはまきちゃんの部屋で、開け放した窓から庭の築山や緑の濃い茂み、その上に、百貨店別館のビルが見えた。家の中は、何だかみんなが息をひそめているように静かだった。玄関脇の小部屋には書生がいたし、賄いや仲働きが何人もいたらしいが、時折姿を見かけるのみで、廊下も部屋部屋も無人の様子だった。弟たちが走り回り、妹がヴァイオリンを弾き、母が声高に電話を掛けているぼくの家からすると、まきちゃんの家は、まるで別世界だった。まきちゃんが一人っ子で大事にされている様子は、三時になるとお盆を運んでくるおかあさんの丁寧で礼儀正しい物腰や、まきちゃんに呼ばれてかしこまる女中の態度で読み取れた。書生などまきちゃんのことを若様と呼ぶのだった。

模型飛行機に飽きると、ぼくらは八畳間に出て遊んだ。まきちゃんは目先の変った玩具の持主だった。外国製の自動車や数の多い積木程度ならぼくは驚かないのだが、英国製の〝メカノ〟という組立て遊びにはすっかり感心してしまった。穴のあいた鉄板をボルトで締めて、さまざまな建造物が作りあげられる。鉄橋、家、教会などが複雑な構造で重力の法則の美を示しながら組立てられ、しかも金属の持つ固い精密さとどっしりとした完成度をそなえていた。多分、ドイツ製だったと思うが、電気機関車があった。レールの数が多く八畳一杯に敷きつめ、トンネルや駅などが完備していて、ヘッドライトをつけてトンネルを通過させたり、駅構内の引込線で路線を変更させたりできた。とにかく、まきちゃんは、家の中で独り遊びできる豊富な玩具に恵まれていた。が、これを書いていて思い出すのは、ぼくらが遊びに来るのを喜びながら、まきちゃんはどこかでぼくらを羨(うらや)んでいたらしいのだ。ぼくが静浦の臨海学園の話をすると、松山や香取はいかにも興味深げに耳を傾け、「へえ」とか「それでどうしたの」と催促するのだが、まきちゃんは何かに熱中する振りをしてそっぽを向き、話を聞こうとしない。そしてぼくが話し終えると、ぱっと火が点(とも)ったように眼鏡を光らせて振り向き、まるでぼくの話に対抗するかのように、自分の書こうとしている長篇漫画の構想を説明しだすのだ。ぼくらが自転車を自由に乗りこなすのも彼には羨望(せんぼう)の的であったらしく、松山が新しく買ってもらった十八インチ車を見せびらかすと、まるで怒ったように、門の前でさかだちをしてみせ、夕方、遊びすぎて大急ぎでぼくらが自転車に飛び乗るときも決して見送ろうとはしなかった。

ぼくらのメッサーシュミットMe109が完成したのは、そろそろ夏休みも終ろうとする頃だった。セロファンで作った操縦席の風防が、後に滑って開いたり、操縦桿を動かすと方向舵や昇降舵が連動する細緻なものだった。四人の連名で学校に提出するにしても誰の名前を筆頭にするかが問題だった。結局、まきちゃんの案により、四人を円く書き連ねて出すことになった。朝顔も数を増し、鳳仙花も青い実をつけ、油蟬にかわってつくつく法師が鳴き、赤トンボが群がり飛ぶ、そんなある日、三田の祖父から海水浴に誘われた。江ノ島へ一泊二日で行くというのだ。

　ぼくは静浦の臨海学園が中途半端で終ってしまったし、弟や妹は今年初めての海とあって、電車の窓から海が見えると歓声をあげて、祖父を喜ばした。鎌倉で江ノ電に乗り替えたときから、麦藁帽子にサンダル履きの海水浴客が増えて、葉山で過した夏の日々を思い出させた。昼近く、宿の岩本楼に着いた。海辺の大きな旅館で、川に沿い、真っ正面に江ノ島が眺められ、広い庭が備わっていた。まずは、江ノ島を一周しようと決り、一同軽装になって出掛けた。途中泳げる場所で泳ごうと史郎叔父が言うので、ぼくは褌を締めた上に半ズボンをはいた。

　長い木の桟橋を渡って島へ行き着いた。鳥居の先は登り坂で、左右に土産物屋が肩を寄せ合い売り声がかまびすしい。焼ハマグリ、サザエの壺焼、貝細工などだが、史郎叔父は、この名産は羊羹や饅頭なのに、砂糖の統制以後ばったり姿を消したと言った。相当の急坂を祖父は先頭になってぐいぐい登るので、ぼくや弟は負けじと追ったが、央子は疲れてむずかりだし、史郎叔父が抱いて行くことになった。いと祖母は、ぼくら孫たちと競争するように石段をあがったのに、母はずっと遅れ、とうとう諦めて宿に引き返した。

お宮がいくつもあった。お宮に着くたびに祖父は、一人一人に一銭銅貨をわたし、「一、二の三」の号令で賽銭箱にほうりこませ、みずから鈴を力一杯に鳴らすと、みんなに手拍子のように柏手を打たせた。参詣の人々が振り返るのが恥かしかったが、また自分が特別なお参りをしているのが誇らしくもあった。最初のお宮、妙音弁財天で、央子のヴァイオリン上達を願う特別のお祓いを神主に頼んだ。祖父は、肝腎の母親が早々に引き揚げたと知って御機嫌斜めで、受付の巫女や神主にまで当り散らすものだから、央子はすっかり畏縮して、祝詞が始まると泣き出してしまい、いと祖母がなだめて、やっと治めた。もっとも央子は、このとき買ってもらった妙音弁財天の御守を宝物として、その後、ずっと大事にしていた。それは琵琶を弾く真っ白な女性の像で、一センチほどのごく小さなものだが、実に精巧に一木を彫りあげてあった。

最後のお宮が島の頂上で、そこから一気にくだり、絶壁に波が打ちかかる荒磯に出た。崖下を削り、岩と岩とを板でつなぎ、洞窟をくぐり抜けて進む道で、波の具合によって水しぶきが滝のように降った。中途まで来たところでいと祖母は、危険だから戻ろうと言い出して祖父と対立したが、さすがの祖父も祖母の危惧——孫たちが、とくに央子が溺れ死んだら大変だ——にはかなわず、取って返し、水泳の準備をしてきた史郎叔父とぼくだけが先に進むことになった。このとき、叔父と二人でした冒険行を、ぼくは不思議に鮮明な映像として思い出す。騎馬武者のように並ぶ無数の岩に波の大軍が襲い掛って激戦をくりひろげている。

岩礁の合間に真っ青な水溜りがあって魚影がキラキラと光っている。深い巨大な洞窟があり、中に灯明の点るお宮がある。水中の離れ岩に茶店があり、昼日中より男たちが酒盛りをして騒いでいる。そして、岩礁が防波堤となっている入江で、大勢の人々が泳いでいる……。

「ここで泳いでいこう」と叔父が言い、ぼくは喜んで応じた。そこは、岩が変化に富み、水は澄明で、恰好の遊泳場であった。しばらく泳いでいるうち、平らな岩に立って沖を眺めている少女に視線が引き付けられた。すらりと伸びたカモシカの脚と手鞠のように可愛らしいお尻が千束にそっくりだった。顔を見たかったが、そうするためには外海へ出ねばならない。岩伝いに歩いていく勇気はなかった。ぼくは少女の足元まで泳いで行った。一計を案じた。

「史郎叔父さん」と力一杯に叫んだのだ。彼女は振り向いた。千束だった。ぼくは浮身をして少女の近くに漂っていき、もう一度彼女が振り向いたとき、驚いたように立ち泳ぎになって、「千束ちゃんじゃない」と言った。彼女は、まぶしげに水の中を覗いたが、ぼくが誰かを見分けえなかった。ぼくが自分の名を口の端までのぼせたとき、やっと、「ああ、悠太くん」と言ってくれた。その包みこむような甘い声がぼくの背骨を電流のように伝わり、体を震えさせた。とたんに、沈みこみ、ぼくは水にむせんだ。「大丈夫」と心配そうにした。「ああ大丈夫」ぼくは笑って、わざと大袈裟に咳をした。「あがってらっしゃいよ」「うん」ぼくは生返事をした。岩の上に数人の少年少女が寝そべっていたが、その中に千束の家で会った梅田というお河童頭の子がいたし、彼をはじめ男の子はみんな海水パンツをはいていて、ぼくのような赤褌姿は一人もいなかったし、全員が、夏中毎日泳いでいたらしく真っ黒に日焼けしていた。当の千束もこんがりとした小麦色で、目と歯の白さがまぶしいようだ。このところプールにも行かずにいた生っ白い肌をぼくは恥じた。史郎叔父が呼んだのでぼくは千束に手を振ると背泳ぎで遠ざかった。「知ってる子かい」と叔父が言った。「うん、幼稚園のとき一緒だった子」とぼくは素気なく答え、わざと千束のほうは見ずに、水からあがった。

みんなは宿の前の砂浜にいた。いと祖母だけが水着を着ずに、パラソルの中に坐っていた。駿次が、「おばあちゃまは泳げないんだって」と言った。弟たちは渚で砂の軍艦を作っていた。史郎叔父が加勢すると、たちまち五十センチ高の大きさになり、通りすがりの人々から「でっかいな」と褒めたてられていた。母は央子に泳ぎを教えていた。ぼくは、独り泳ぎ回り、目は千束の姿を探していた。夏の終りの寂れた気配があたりに見られた。浜茶屋の葭簀は色褪せて破れ、砂浜には空瓶や木切れがごろごろしていて、何よりも人の出がまばらであった。夕方まで、ぼくは桟橋を渡ってくる人々を何度も眺めたが、ついに千束はやって来なかった。

夕食のとき、祖父の招待で逗子から脇の一家が来た。美枝を連れた敬助夫婦と晋助だ。子供たちは一塊で食事をとらされた。央子は年下の美枝にお姉さんぶり、縫いぐるみのピッちゃんと並べて、何かと世話を焼くので面白がられた。駿次と研三は浜で拾った貝の分類に熱中していた。ぼくは自分が子供扱いされるのがいやで晋助のそばに行き、何気ないふうに聞いた。「ねえ、オッコの富士先生とこの千束ちゃんに、きょう遭ったよ」「チズカちゃん……」「富士先生の子さ。千束ちゃんとは、ぼく、幼稚園一緒だったの」「千束……ああ、末のお嬢さんだね」「上にお嬢さんがいるの」「いるさ、トモナと言う」〝朋奈〟と晋助は割箸の紙に字を書いてくれた。「どうして千束ちゃんが、ここにいるんだろう」「片瀬、このあたりに、富士先生の別荘があるんだよ。そうだ、あしたでも訪ねてみよう。ねえ、叔母さん」と晋助は母にも同じことを言った。「ぼくも、ぜひ行きたい、連れてってね」と晋助に頼むと、にわかに気持が明るくなった。

翌朝、脇の人々も加わって船釣に出掛けた。もっとも参加したのは男だけだった。いと祖母は間際まで迷っていたが、波が荒い気配なので、残ることになった。桟橋から船を漕ぎ出す。艪を握ったのは祖父だった。白い褌一丁に捩り鉢巻で勇ましく、腰の定まった往復運動だ。江ノ島の脇を回って沖に出た頃、日が昇った。宿の親爺の指示に従って漁場に着いて、釣の準備にかかった。親爺がミミズ、イソメ、磯蟹などの餌を針につけてまわる。祖父だけは長い釣竿で遠くに糸を投げた。風が強く、うねりがあって、魚はなかなか掛ってこない。「こりゃ、いかんわ」と親爺が釣り場を変えようと言い出したとき、駿次が大きなやつを釣りあげた。子供の力では引きあげられない。糸を切らぬよう相手を散々泳がせてから晋助が引きあげた。スズキだった。五十センチはある大物だ。これで一同元気付き、つぎつぎに釣り始めた。サバ、アジ、イシダイなどが板子に跳ねているのに、ぼくの糸にはさっぱり手答えがない。史郎叔父が餌を調べてくれたがイソメはちゃんとついて、生きがよく動いていた。駿次が次々に釣る。この弟は、こと遊びとなると——釣、トランプ、将棋のどれでも——要領がよく、ぼくを凌いでいた。ぼくは釣をあきらめて、逗子の山々の下、点々と赤い血を浮べている海を眺めた。海が傷ついている……ぞっとしてぼくは船縁から手を伸ばして水をすくってみた、むろん、なにごともなかったのだが。晋助が、「海はいいな」と言った。「うん」ぼくは生返事をした。晋助は最初から釣をしようとせず、腕組みして、じっと遠くを見てばかりいたのだ。「晋ちゃんはどうして釣らないの」「魚が可哀相だからね。もう、みんなが食べるだけは釣ってしまった。これ以上は残虐だ」「じゃあ、何を見てるの」「遠くさ。海のずっと遠く。アメリカ……ヨーロッパ、地球を見てるのさ」大きな波が来て船がぐいと持ちあげられた。太陽はどす黒い雲に覆われてしまった。雲から洩れた光が五つ六つの細い円錐を作って遠くの海や陸をサーチライトのように照らしている。「ちょっと雲行きがおかしい」と親爺が言った。「なあに、陸はすぐそばじゃ。案ずるにゃ及ばん」と祖父は笑い飛ばし、竿をビュンと振って遥かな波間に錘りを落し、糸をゆっくりとたぐっていった。すでに十匹ほど釣りあげて、自分専用の魚籠に溜めこみ、自信満々の体だ。親爺が魔法瓶から味噌汁を茶碗に注ぎ、握り飯をそえて一同にすすめた。朝食となり、各自が自分の釣った数を言った。史郎叔父が「何だ悠太は一匹も釣れないのか」とあきれた。「うん」とぼくは平気で言った。「これ以上はザンギャクだもん」「えっ、何だって」と叔父が聞き耳を立てた。うねりがきて、味噌汁の碗が倒れた。「こりゃいかんな」と祖父があわてだした。「今からひっかえす。みんな、ようつかまっちょれ」波また波が押し寄せてくる。船は追い風に乗って進みだした。が、大波の背に持ちあげられたとき艪臍がはずれ、弾みで祖父は尻餅をついた。つぎの刹那、船は異常な速度で墜落した。糸や錘りが浮きあがり、一同は空中で投げだされそうになる。水しぶきが豪雨となって降り注ぐ。史郎叔父が流されていく研三を危く押えた。魚がぬるぬると走る。祖父は、「魚を船槽に落せ」と親爺に命令して漕ぎ続けた。二回、三回、大波の背に乗ったが何とか切り抜け、あとすこしで浜辺だと言うとき、俄然横脇から怪獣のように襲い掛ってきた波にたたかれ、ついに船は横転してしまった。ぼくは波に呑み込まれ、その腹のなかでぐるぐると回された。頭の中に泡が一杯で、塩水が鼻を突く。やっと浮びあがると砂地に這っていて、その上から波の拳で打たれた。敬助が駿次を、叔父が研三を水の中から引き摺り出していた。祖父と晋助と親爺は、横倒しになった船を何とか岸に押しあげようと奮闘していた。それを敬助と叔父が手助けに行った。ぼくや弟のところに、母や百合子が走り寄ってきた。「大丈夫」「怪我なかった」弟たちは水にむせて震えていたが、すぐ元気になった。船が押し上げられると、波間に浮く、釣道具や雑品が拾い集められた。敬助は桟橋のたもとまで流された艪を追っていき、引き揚げると肩にかついできた。祖父が無茶をするから顚覆したのだとは、誰もが思っていたけれども、それを口にする者はいなかった。

　宿に戻って休むうち、雨が降りだした。通り雨だろうと待ってみたが午後になっても降りやまず、脇の一家は逗子に帰ることになった。すると晋助が母に、「央子ちゃんを連れて、富士先生の家を訪ねてみないか」と誘い、ぼくには、「同級生の千束ちゃんちに遊びに行こう」と言った。敬助の一家は先に帰り、祖父母は弟たちを鎌倉見物に連れていき、結局、一同は三つに分れた。とにかく、雨と晋助のおかげで、ぼくは千束にまた会えることになったのだ。

宿から海岸沿いの道を十分ほど歩いたところに富士家があった。おそらく建売住宅らしい、同じような結構の家々のなかで、それとすぐ判じえたのは、ピアノの音が洩れていたからだ。磯馴れ松の疎生する庭から千束が弾くのが見えた。半袖から剝きだしの細い腕が、魔法のように音楽をつむぎだしている。あのときの、あの曲は何であったのかとぼくはその後何度も思い返した。モーツァルト、シューマン、それともショパン……優雅でか細く悲しく心に染みた。それは番傘を打つ無遠慮な雨音と海より吹き寄せる荒々しい風声に搔き消されそうでありながら、なおもしなやかに続いていた。

千束のおかあさんは、濃い目だが、やはり茶色の髪、額がそのまま鼻梁につながり、形よくとがった鼻先、薔薇色を帯びた肌など、千束にそっくりだった。とくに肌の白さは、娘が小麦色にこんがり焼けていただけにまぶしいようだった。

母がかしこまっているのに、央子は物怖じせずに、まるで親しい友だち同士のように、先生と話した。晋助が持参したヴァイオリンを弾き、千束が伴奏することになった。何の曲であったか記憶はないが、なかなか見事な演奏であったことは確かで、先生に褒められていた。

ピアノを弾く千束を間近に見た。ポキンと折れそうな細い指が大音響を叩きだすのがめざましく、短いスカートから伸びる形のよい脹ら脛や小さな踝にぼくの眼差は引きつけられた。もっとも自分の視線の動きを母や千束のおかあさんに気付かれぬよう、わざと眼をそらしていて、時々そっと彼女の脚を盗み見るのだった。

そのあと千束の部屋に行った。海を見晴るかす小部屋で、トタン屋根に雨音が繁かった。彼女が誘ったのではなく、ぼくが押し掛けて行った形で、そのため彼女が怒ったように黙っていたのだと思う。何か話さねばと思ったが、何を話したらいいのか見当がつかず、切掛けをもとめてあちこち見回した。西洋人形と花柄のカーテン、それだけだった。本が……本さえあればそれを話題にできたのに……。「小説読む？」とぼくはおずおずと尋ねた。「読まない」「そう……」それで跡切れてしまった。「ぼく、本が大好きなんだ」とあわてて言い訳した。すると、「わたし、本、きらい」と、面前で襖をピシャリと閉めるような答が返ってきた。彼女は、ぼくがそばにいるのを迷惑がるふうで、離れてそっぽを向き、おかげで、日焼けから取り残された白い襟足のまぶしいような線を存分に見ることができた。突然、望遠鏡で見た星の美しさ、精巧無比のメッサーシュミット、沢山の物語、自分が夢中になっている世界が色褪せて、乾いた粉のように散っていく気がし、いたたまれなくなった。が、救い主は千束のおかあさんで、「お友だちがいらしたわよ」と呼びに来たのだ。

　ヴァイオリンやチェロなどの楽器を持った男女がいて、ピアノの音をもらって弦の調律に余念がなかった。小学生くらいの男の子がみんな髪を伸ばしているのが珍しく、なかで例の梅田のお河童頭が、これ見よがしに空気を搔き乱していた。千束がパッとにこやかになって、口疾に話し始めたのを、ぼくは部屋の隅の闇に押しこめられた感じで見た。「帰ろうよ」と母の裾をひくと、「せっかく聞いてらっしゃいとおっしゃるのだから、悪いわよ」と言い、千束のおとうさん（いつのまにか現れていた）と並んで、ぼくらは中央の席に坐った。晋助は彼らと顔なじみらしく、しきりと陽気に声高に話していた。千束のおかあさんの指揮で演奏が始まった。千束がピアノ、千束のおねえさんがチェロだった。このおねえさんは十六、七、もうすっかり大人で背が高かった。が、残念なことに、このおねえさんが千束を隠してしまい、そうなると演奏もつまらなくなり、ぼくは退屈した。

10

夏休みも残り少なくなったころ、夕方、家に帰ると、玄関口に現れたのはときやであった。「まあ、悠太坊っちゃん、すっかり大きくなって、わたしが誰だかわかりますか」「わかるさ」とぼくは頰笑(ほほえ)んだ。数えてみると五年ぶりに再会したときやは、褐色(かっしょく)の肌は相変らずだが、見違えるほど肥(ふと)ってしまい、まだ婆(ばあ)やと呼ぶ年配でもないのに髪に白いものを混えていた。「ときや、どうしたの」「また、ここでお世話になるんですよ、坊っちゃん」「わっ、嬉(うれ)しい」「ときやも嬉しいですよ」ときやはうっすら涙ぐみ、目をしばたたいた。母が事情を説明した。栃木の屋根葺(やねふ)き職人と結婚したときやは、翌年夫が出征し、大陸の戦線を転々としたあげく、この六月、南支で戦死したのだ。子供がいないので、どこかで働きたいと思っていたところ、母の暑中見舞を見て、また上京する気になったという。「御主人は本当にお気の毒だったけど」と母は同情をあらわに顔色に出し、「でも、あんたが来てくれて、家は本当に助かるのよ」と笑顔に替った。春になみやが去ってから、人づてに随分女中探しをしたのだけれども、この節、出征兵士を多く出した農漁村はどこも人手不足でわざわざ上京して奉公する者はおらず、時々三田の賄方などに応援を頼むほか、母はひとりでキリキリ舞い、いきおい忙しすぎて不機嫌で、とばっちりが子供たちに来るので、ぼくらも困っていたところだ。ところで男の子三人は赤ん坊のときから知っていたときやも女の子だけは初めてで、その色の白いのに目を丸くし、「あんれ、おしろいを塗っただか」と頰を指先でこすり、央子をびっくりさせた。母の浅黒い肌はぼくと研三に遺伝し、父の白肌が駿次と央子に伝わったのだが、央子のは駿次のをさらに漂白したような特別の白で、皮膚が薄いせいか、白から鴇色へ、さらに薔薇色へと微妙に変化した。その央子が、ヴァイオリンという妙な形の楽器を奏でるのが、ときやにはまた不思議でならず、「へえ、大したもんだ。奥さまが昔なすってた三味線をぎゅっと小さくしたみたいなもんですね。それで三味線より大きな音がでるんですからね」としきりと首を傾げていた。央子は、最初、ときやを気味悪がっていたが、あるとき、大事にしていた縫いぐるみのピッちゃんをときやが綺麗に洗濯し、ほころびを巧みにつくろって、新品同様に再生してくれてからは、すっかりなついてしまい、抜弁天の富士先生にお稽古に行くときも、ときやに付き添ってもらいたがった。そんなとき、ときやは精一杯のお化粧をし、一張羅を着込んで、王女に付き従う盛装した女官といった具合に出掛けるのだった。

九月になって二学期の始業式があった。日焼けしている者が多く、たがいに程度を競っていたが、夏休みのあいだ毎日プールに通ったという松山哲雄が抜きん出ていた。もともと地肌の黒い大沢勇が、「おらが一番黒いんすよ。生れるめえから日に当ってでだがら」と言ってみんなを笑わせた。まきちゃんだけは、相変らず生白かった。ぼくのは江ノ島での急拵えで、焼けたところの皮が剝がれてしまい、自慢にはならなかった。

　ぼくら四人が提出したメッサーシュミットは、湯浅先生から、「これはすごい。よくやった」と最上級の褒められかたで、教壇脇に針金で常時吊されることになった。もっとも、みんなの手の届かぬ高さで、風防を後にずらしたり、操縦桿を動かして方向舵や昇降舵を動かしたりして、芸の細かさを見せられぬのが残念であったが。授業が始まる日は、背中のランドセルが、余計物のように気になって仕方がなかった。筆箱の音をわざと大きくさせて走ったら鉛筆の芯が折れてしまった。授業が始まってすぐ、サイレンの断続音が聞こえ、「空襲警報だ」と先生が叫んだ。「これは防空演習だ。今から避難訓練をする」みんなが校庭に出たとき、花火のような音とともに、「爆弾だ。伏せ」と命令された。両目と耳とを押えて地べたに伏せる。「校舎が燃えた。退避」学校の外へ出て駆足だ。鬼王神社の横から百貨店別館まで走ったが、下駄の鼻緒擦れができて、ぼくは途中で跣になった。「いいか、学校が燃えた場合、ここまで走ってくる。コンクリートの建物は燃えんから安全だぞ」と湯浅先生は訓示をした。そばでは二組の生徒が、麦島先生の号令一下、「歩調とれ」と歩行訓練をやらされてい、しかも全員が、男は木刀、女は薙刀を持ち、敵機の乗組員が落下傘でおりたら、闘って殺せと申し渡されていた。

　日曜日には、町内の防空演習があった。鉄兜をかぶってゲートルを巻いた警防団員が数人指導に来、各戸より二人ずつ出て消火の練習をするのだ。お茶の師匠の北隣、人形問屋の倉庫に焼夷弾が落ちたという想定で発煙筒が焚かれた。師匠の家の井戸端から倉庫まで人々が並んでバケツの水を手渡ししていく。屋根には人形屋の若い衆がのぼり、梯子で中継するのは父やお茶の師匠や落語家だ。みんなへっぴり腰でバケツから水をどしどしこぼすので、屋根の上に到達するのは申し訳程度の水に過ぎない。警防団長の煙草屋の親爺が、ああしろこうしろと指図しても、さっぱり埒が明かない。業を煮やした親爺は模範を示そうと屋根にのぼり、とたんに苔生した瓦に足を滑らし、あやうく転落するところを若い衆に助けられたが、弾みで若い衆のほうが軒端から落ちてしまった。さいわい八手の茂みに落ちて怪我はなかったものの、みんな怖気をふるって屋根にのぼる者がいなくなった。と、するすると梯子をのぼり屋根に立ったのがときやだった。モンペに地下足袋の姿が張り切った体形にぴったり適合して勇ましく、「さあ、水を運んで下さい」と叫ぶ低音も威厳がある。面白いもので、その一声でみんなの呼吸が合うようになり、水のこぼれも少なくなり、屋根にはざっざっと水が掛けられていった。最後に発煙筒の煙を消すと、「消火終りました」と報告し、肥り肉に似合わぬ身の軽さでおりてきた。彼女は屋根葺き職人だった亡夫の手伝いをしていて、屋根のぼりはお手の物だったのだ。ところで、下に降りたときやは、もう人々の後に恥かしげに隠れてしまい、警防団長が講評の際、彼女を褒めようと前に出るように言っても、引っ込むばかりだった。とにかく、彼女は、これ以後、防空演習には無くてはならぬ人物になったし、父は彼女に雨洩りの修理のための瓦替えなどを頼んで重宝したことである。

北白川宮永久王の戦死という出来事があったのも、そのころである。朝礼のとき鈴林校長の訓示があった。金枝玉葉の御身をもって陸軍少佐として軍務に精励された宮様は蒙古の戦地にて作戦任務遂行中飛行機事故により戦死あそばされた、竹の園生に畏き極みである、一億国民こぞって宮様の御武勲をしのばねばならぬ、きみたち小学校生徒も、あすの夕刻、立川に航路御凱旋あそばされる宮様の御遺体を新宿でお迎えしなくてはならぬ、放課後のことだから学校から揃って行くことはできぬが、保護者同伴にて出掛けるように、という主旨だった。母は、「宮様がねえ、おいたわしい。それにしても蒙古のほうは激戦なんだね。行っといで。ときやに連れてってもらいなさい」と言った。ときやは、「宮様じゃ畏れ多いです。着ていく着物がないです」と後込みしたが、母のお古をあたえられて、ようやく承知した。

夕食後、新宿の伊勢丹前、第一劇場に行くと、大久保小学校の生徒が群れ集い、麦島先生が交通整理に当っていた。鈴林校長、杉原教頭、湯浅先生の姿も見える。つまり学校全体がそっくり移動した恰好のところに、父兄が加わったので、もう立錐の余地もない。麦島先生のよく透る号令で、生徒は前に父兄は後に、何とか並んだものの、せっかく並んだ列を一般の通行人が押し分け横切り、絶えず動揺や悲鳴がおこって落ち着かない。しかも待ち望む行列は一向に現れず、誰かが「来た」と言うと木炭の煙を噴出する青バスがゼイゼイ喘ぎながら来て失笑を買った。

大体、こういうお迎えの場合、長時間待たされるのが常で、この四月、皇太子が学習院に初登校するときも、全校生徒が改正道路のロータリー脇に早朝から並んで待機するのに、行列が来たのは一時間も待ち侘びたあとだった。つぎつぎに最敬礼の号令がかかり、これだけ待たされたのだから、神の子だから見ると目が潰れると言われていても見なきゃ損だ、去年勇敢にも見てしまった香取栄太郎も別に目が潰れやしなかった、と顔をあげると、赤い家みたいに大きな車の中に、学帽をかぶって学習院の制服を着た子供が、こちらを無表情に見ていた。要するに普通の子なのだが、あんなふうにでっかい車に収納され、前後を赤バイや警察車に取り囲まれぬと学校へも行けぬ、あれじゃ、勝手な道を歩いたり寄り道したりする楽しみもなく、友達とふざけることもできず、気の毒だと思った。

お迎えだけではない、六月中旬、秩父宮の声をラジオで聞いたときも、全校生徒が校庭に整列して小半時も待機させられた。その日は橿原神宮で紀元二千六百年の銃後奉公祈誓大会がおこなわれ、宮は『紀元二千六百年の紀元節に賜わりたる詔勅』を朗読し、その声がラジオで全国に放送され、畏れ多くも皇族の御声が電波に乗るというので、みんなは整列して待ち構えたのだが、式典のこまごまとした進行が報ぜられるのみで、なかなか宮様の朗読は始まらず、梅雨の合間の蒸し暑い校庭で、貧血をおこした生徒があちらこちらで倒れる始末だった。

「来たぞ」という声がおき、今度は本当だった。オートバイに先導された黒い車が見えた。最敬礼で、顔をあげたときには霊柩車は通り過ぎていて、あとは自動車の長い長い列だ。木炭車などは一台もない。贅沢にガソリンを使った立派な車が続く。「なげえなあ」と誰かが頓狂な声を出した。解散となって、ぼくはときやをすぐ見付け出したが、駿次と研三ははぐれてしまい、暗いさなかを捜し回らねばならなかった。ときやは、「みんなが帰ってしまえば、見付かりますよ」と交叉点に立って人の波を行き過ごさせたが、人影がまばらになってても二人の姿を見出せずあわてだした。「駿次が道を知ってるから先に帰ったんだよ」と言うのに安心せず、今度は駅の近くまで往復し、露地裏に入ったり、伊勢丹裏の市電操車場をのぞいたりしているうち時が経って、先に帰った弟たちを迎えていた母をかえって心配させることになった。

史郎叔父が結婚したのは九月の末だった。結婚式にぼくは出席しなかったが、一週間ほどして叔父がお嫁さんを連れて家に来た。叔母となる人は、薫といい面長の人だった。岡山県の津山の出で、神戸の女学校を卒業し、英語に堪能だという。長い顎を振り振り話す関西風のアクセントが珍らかであった。叔父夫婦は、脇伯母の持家の一つに、つまり脇家の真向いに住むことになった。

父母に連れられて、ぼくが叔父の新居を訪れたのは一週間ほど経ったときだった。まだ家の中の片付けが終っておらず、箪笥は斜め、廊下は足の踏み場もなく、庭には雑品が散らかし放題だった。母は、「一週間経っても、あんな有様だってのは、薫さん、どういうお人なのかねえ」といぶかしがり、さらに十日ほどして訪ねたときも、相変らず家の中はごたごただったもので、もうすっかりあきれ、「すこし家の中を整理なさったら」と小姑じみた小言を洩らし、灰皿に数日分はあろうと思われる吸殻の山を見付け、「これなんか、毎日お捨てにならないと、見苦しゅうございますわよ」と自分で捨てに行き、ついでにあちこち手を出して整理を始めた。しかし、薫叔母が英字新聞をとっていて、辞書もなしに読みこなすのには、「わたしなんか、聖心で習った英語、みんな忘れてしまったのに、あなたおえらいわ」と素直に感心していた。

子供たちにとっては遊びに行く家が一つ増えたわけで喜ばしく、薫叔母から紅茶をいれてもらったり、神戸から送ってきたというカステラをご馳走になったりした。いつ行っても薫叔母は、縁側の文机に向って本を読んでいた。それは横文字のことが多く、ぼくはそういう叔母の能力にすっかり感嘆した。「何を読んでいるの」「イギリスの物語よ」「面白い」「面白いから読んでるのよ」「叔母さん、英語ペラペラ」「いいえ話すほうは下手よ」と飛び出た目を押し込むように閉じると頬笑んだ。叔母の蔵書は、簞笥や床の間に並んでいたが、岩波文庫と洋書がほとんどで、こういうところは晋助の書棚の中味によく似ていた。そして、時々遊びに来ている晋助とは、外国人の名前が頻繁に飛び交う会話を交していて、話が合う様子だった。晋助に、「ねえ、薫叔母さんて、物知りなの」と訊ねたところ、「女としてはよく読んでいるね。しかし、知識が片寄ってるなあ。イギリスの女流作家のものにしか関心がない。ま、それなりにぼくなんかより深く読めているのかも知れないが」と言った。

秋の運動会は、今年から体錬大会と呼ばれることになった。従来の運動会には遊び楽しむ要素があって聖戦下にふさわしくない、心を引き締め、お国のために戦う強い兵士となる体を鍛える大会だと先生から教えられた。父兄だけでなく、英霊の遺族や傷痍軍人を招待して、軍国の小学生としての日頃の体錬の成果を示すのだという。

校庭に張られた万国旗の中央に、最近締結された日独伊三国同盟を祝して、日の丸の左右にハーケンクロイツと三色旗が掲げられた。二階中央の教室が遺族席、来賓用テントの中心が傷痍軍人席だった。

まずは全生徒の武道体操が披露(ひろう)された。男の子は木刀、女の子は薙刀(なぎなた)で、麦島先生の号令のもとの群舞である。五、六年生は何とか揃った動作でやりおえたが、一、二年生は木刀や薙刀が大きすぎて振り回せず、途中であきらめた子ががやがやと騒ぎ、麦島先生をいらだたせた。

ぼくは八百メートル競走に出た。トラックを二周するのだ。この種の競技に勝ったためしがないので、最初よりあきらめて、気楽に走った。二周目に掛った際、前を張り切って行く者たちの息が切れてきた。何とか追いつけそうで、急に全力を奮って走ってみた。何も見えぬ。わあわあという喚声だけが聞える。何かが腹に触ったと思ったらテープを切っていた。一等だった。生れて初めての一等で、一等印の赤い胸章が本当とは思えず、席に帰ると、まきちゃんが、「やったね。おめでとう」と言ってくれた。まきちゃんは、茣蓙(ござ)に坐(すわ)ってスケッチブックを開いていた。武道にも競走にも参加できず、そうして絵を描いていたのだ。

番外として白衣の兵隊さんのスプーンレースがあった。松葉杖(まつばづえ)の人や隻眼(せきがん)の人が、スプーンにのせたピンポン玉を落さぬよう、ゆっくりと進んだ。車椅子(くるまいす)の兵隊さんが大声で声援し、一人ゴールに到着するごとに全校生徒が麦島先生の合図で拍手した。

最後に呼び物のさかだち競走があった。まきちゃんの出番である。竹井広吉、瀬川、本年度日本一の健康優良児だった六年生の栗田など、筋肉質の均斉（きんせい）のとれた体つきが並ぶと、まきちゃんの白い柔かそうな体がいかにも痛々しかった。が、ぼくらの組の者はまきちゃんの勝利を疑わない。総立ちで応援にかかった。湯浅先生までが前に飛び出し、拳（こぶし）を振りあげ、手メガホンで叫んでいた。

　北の砂場から南へ出発した。二十メートルの線を越えたあたりで、まきちゃんと瀬川と栗田の三人だけが残った。瀬川は堅く締った細身、栗田は逞（たくま）しい大人びた体軀（たいく）、まきちゃんは、ひ弱な赤ん坊を思わせる体だった。瀬川が先頭で、三メートルほど遅れて栗田とまきちゃんが競（せ）り合っていた。四十メートルの手前で瀬川が倒れ、栗田とまきちゃんの二人の争いとなった。体力で優れた健康優良児が先に立った。まきちゃんは懸命に追うが及ばない。相手は汗もかかずに進むのに、こちらは汗まみれ、それに鼻血を出していた。ポタポタと両手が地面が赤く染った。細い動かぬ脚が震えて、ともすれば落ちそうだ。五十メートルのゴールまで、あと数メートルとなって、まきちゃんが突然速度を早めた。あきらかに疲れ果てている相手に、じりじりと迫り、並んだ。がんばれ、まきちゃん。あと一メートル、がんばれ。先生の制止を振り切って級友たちがゴールに駆け集った。二人はゴールに倒れた。ほとんど同時だった。両方とも一等と判定された。やった、まきちゃん。みんなが躍りあがっている。竹井広吉も香取栄太郎も松山哲雄も万歳をしている。誰言うとなく、まきちゃんを胴あげしようと決った。湯浅先生の指揮で、慎重に、ゆっくりと胴あげをした。まきちゃんの汗がぼくの目に散った。

秋になって、家の前の大通りが、それまでに増して騒がしくなった。出征兵士を送る人々がトラックに鈴生りになって万歳を叫んでいる。軍隊の行進が頻繁である。兵隊たちが将校に対して、歩調を取って敬礼をする。軍靴の鋲がアスファルトをザックザックと叩く。「万朶の桜か襟の色　花は吉野に嵐吹く……」と唱いつつ、駆け足で兵隊が通り過ぎていく。そして圧倒的な地響きとともに戦車が来る。

　ある日曜日の午後、子供部屋の机にむかって小説を読んでいると、遠くから地鳴りが伝わってきた。ビリビリとガラスが鳴る。弟たちが、「兄ちゃん、タンクだよ」と言う。央子がヴァイオリンを弾きやめて二階から降りてくる。みんな門の前に走り出た。先頭の戦車が坂の上にぬっと姿を現わした。九七式中戦車だ。蓋を開いて半身を乗り出した兵隊が右手に赤旗を振り、戦車の鼻先に「千葉陸軍戦車学校」という旗がひるがえっていた。つぎつぎに鋼鉄の塊が通り過ぎる。白煙が立ち籠めるなかに突進していく。数えていた駿次が、「すごいなあ、これで三十台」と言った。そのとき、一台が故障でもおこしたのか目の前で停った。なんだ、どうしたと野次馬が寄せてき、ぼくは最前列に押し出されてしまった。ほかの九七式は構わず過ぎ、やがて九五式軽戦車の列となり、それも去ってしまった。停った戦車の中から兵隊が四人抜け出し、後部の蓋を開いてエンジンを覗き込んだ。油を差す。螺子回しを差し込む。中に入って始動してみる。一向に動く気配がなく兵隊たちは汗にまみれ、焦り気味だ。鳥打帽に半天の小父さんが、最初は熱心に、他人を押し除けるようにして見物していたが、「チェッ、なかなかだなあ」と捨て台詞で行ってしまった。大人たちは、つぎつぎ去り、駿次も央子も帰ったが、ぼくと研三は、ますます近付き、車体の迷彩にさわってみたり、無限軌道の履帯一枚一枚を吟味したり、回転砲塔の工合を見極めたりした。このごろ玩具の戦車遊びに耽っていた研三は、兄のぼくの真似をして後手を組んで、あちこち見て回り、ぼくが頷くと頷いた。すこし薄暗くなって寒い。すると隊長の軍曹が、「坊やの家に電話ある」とぼくに訊ねた。電話を借りたいのだという。軍曹を母のところに連れて行くと、電話口で長いあいだ話していた。修理道具を積んだ自動車が千葉から来るまで待つことになった。もう夜だ。

「外はお寒いですから、どうぞ家にお入りになってお待ちください」と母は軍曹に言った。軍曹は恐縮していたが、兵隊三人を呼び、座敷にあがった。父は鵠沼に麻雀に出掛けておらず、兵隊四人と子供たちとで夕食となった。

　軍曹の名は川上と言い、敬助ぐらいの年輩で、唇が厚く、一人で喋っていた。二等兵の兵隊たちは、みんなまだ子供みたいな年齢で、軍曹の前でにこりともせず控えていた。そのうち川上軍曹が、ときやと同じく、栃木県の今市の出身だとわかり、ときやが来ていろいろ突っ込んで見ると共通の知人が何人も出てきた。軍曹が、ときやと田舎弁を交すのが珍しく、駿次は口真似をして軍曹を笑わせた。

　結局、応援の車が来たのは八時過ぎで、修理が終って戦車が動き出したのは深夜となった。母は、兵隊たちを風呂に入れ、汗まみれの下着を洗ってアイロンで乾かし、取っておきの中村屋の月餅を出して、何くれとなく世話をした。ぼくにとって嬉しかったのは、川上軍曹が九七式中戦車の写真を送ってくれると約束してくれたことである。まきちゃんや松山哲雄や香取栄太郎と相談して、冬休みの共同制作を、戦車にしようと考えていたところだった。

十一月に入ると、紀元二千六百年を祝う行事で大通りは一層賑かになった。支那事変のため自粛されていた神輿が繰り出され、いろいろな団体の旗行列や提灯行列が昼夜通る。そしてある夜、近くの大久保車庫から花電車が出発し、そのあと提灯行列があるというので各自提灯を持ち一家をあげて見に行った。「紀元二千六百年奉祝」の金文字が光り、三種の神器を前に即位式をおこなっている神武天皇の人形がある。「奉祝」「八紘一宇」と記された提灯のあいだに金鵄の光を現わす黄金色の飾りがある。日の丸と菊花のさなかに天照大神が瓊瓊杵尊に神勅を降している人形がある。父に神勅が読めるか聞かれて、ぼくは即座に読みあげた。国史の時間に暗記させられていたのだ。

豊葦原の千五百秋の瑞穂の国は、是れ吾が子孫の王たるべき地なり。宜しく爾皇孫就きて治せ。さきくませ。宝祚の隆えまさんこと、当に天壌と窮りなかるべし。

「ほう、よく読めるな」と父は感心していた。「今上天皇まで百二十九代の天皇陛下のお名前だって全部覚えているよ」とぼくは調子に乗って暗誦を始めた。「神武、綏靖、安寧、懿徳……」と称え始めると、「出発だぞ」と声があった。いろいろ趣向を凝らした飾り付けだ。「浦安の舞」「天孫降臨」「聖寿万歳」三台、四台、五台と花電車は華やかな電球に輝きつつ動きだした。どこからか『紀元二千六百年』の歌が流れ出した。これも学校の唱歌の時間に教えられ、三番まで暗記させられていた。

金鵄かがやく日本の
はえあるひかり身にうけて
いまこそ祝えこのあした
紀元は二千六百年
ああ一億の胸は鳴る

そう、この歌は干物のようにかさかさした女の先生が、「今年はこの歌を全国民が唱うのだから、よく歌詞を覚えなさいよ」と睨みつけて、何度も繰り返して唱わせたのだ。
隣組ごとに四列縦隊に並ぶと、提灯の中の蠟燭に一斉に火が灯された。紅白の丸い光が闇の中に川のような帯を作りだし、どよめきがおきた。新宿の方向へむかって群衆が動き出した。進むにしたがって、神社の境内から、百貨店や映画館の横から、別な行列が現れ、合流して人々の数は増えていき、道を埋め尽した。北白川宮の葬列と逆方向に、つまり新宿駅へむかって繁華街を大河となって流れていく。あちらこちらで万歳の三唱がおこる。駅前でブラスバンドが『紀元二千六百年頌歌』と『愛国行進曲』をかわるがわる奏していた。不意に央子が泣き出した。バンドの大きな音に驚いたらしく、「怖いよ。帰ろうよ」とぐずりだした。父が央子を抱きあげ、ぼくらは裏道を歩いて家へむかった。

　紀元二千六百年の意義について子供のぼくが何かを知り、何かを考えていたわけではない。国史や修身の時間に先生が教えることを真に受け、朝、新聞記事を解説する父の言に間違いはないと信じていただけだ。先生によれば、わが大日本帝国は、天照大神の子孫である天皇陛下の治めたまう神国であり、国民はすべて天皇陛下の臣民であり、天皇の御位は天地とともに窮りない（天壌無窮の皇運という言葉をいやになるほど聞かされた）、初代の天皇、神武天皇が即位してから今年まで二千六百年であり、このように長い年月にわたって神の子孫が統治する、万世一系の神国は、世界広しといえどもわが大日本帝国のみであり、だから誇りに思い、感謝し、有難い天皇のために忠君愛国の道につくさねばならぬ、のだった。本当に、どの先生も、鈴林校長も湯浅先生も麦島先生も異口同音にそう言ったのだ。大の大人が大真面目で教えることを、小学五年生の少年が批判できるはずはなく、ただそういうものかと信じただけである。

　そのころは、日本中で奉祝のおびただしい行事がおこなわれていたので、提灯行列、旗行列、式典、神輿、集会、講演会とお祭り騒ぎの真っ最中だった。なかでも宮城外苑（今の皇居前広場）でおこなわれた奉祝式典は、二重橋横に杉皮葺寝殿造りの巨大な式殿を建て、そこに四曲一双の金屏風を背に天皇皇后が坐した前に、皇族、首相以下の閣僚、文武顕官、外国使節、陸海軍の儀仗隊、さらには五万四千人余の一般参列者が居並んだ空前の盛儀であった。親戚の中でこの祝典に美津伯母と一緒に参加した石炭鉱業聯合会常務理事・代議士風間振一郎大叔父は、たしか、その二、三日あとだったと思うが、このときの光栄をぼくら子供にもわかるように語って聞かせた。

「それはもう大したもんだった。二重橋前の広場は叔父さんみたいな参列の人でうずまった。軍人もいるし、代議士もいるし、一般人もいる。なかでも日清日露からこんどの事変までの傷病兵もいる。定刻にラッパが鳴った。喨々と鳴った。空は日本晴、風は秋風、大元帥陛下のおでましだ。『君が代』の奏楽のうちに玉座にお着きになった。金キラキラの屏風の前の玉座に両陛下がお坐りになると、近衛首相が『寿詞』――天皇陛下に対したてまつる祝詞だな――を読みあげた。『臣文麿つつしみてまおす……』というのだな。それから、天皇陛下のお言葉、ユーアクなるお勅語だ。みな聞いたことはないだろうが、陛下の御声は、それはもう鈴を振るように美しい。『紀元二千六百年頌歌』をみんなで唱った。それから、天皇陛下万歳の三唱だ。わがはいも力一杯の大声を出した。いや、実に気分爽快。この世の極楽だった」

　風間の大叔父の話を聞きながら、悔しげな表情で口髭を震わせていた祖父の顔がふと浮びあがる。日本海大海戦の勇士、功五級金鵄勲章拝領者、医学博士の時田利平は、母から聞けば、この世紀の大祝典に参加したくて、随分と運動をし、風間振一郎にも頼んだのだが、日本海大海戦の艦長でもなく功一級でもなく、それに掃いて捨てるほどいる医学博士（〝掃いて捨てる〟というのは大叔父の言葉だそうだ）では、到底参加資格なしと、にべもなく断られたのだそうだ。

　祖父に連れられて宮城前の式殿を見物に行ったのは雨の日の午後だった。新しい大きな木造建造物は、がらんとして暗く、凍えるような風が吹き抜けていた。中央の玉座のあたりに黒っぽい幔幕がはためいているのが淋しい。祖父は「ふうむ、大したもんだ。聖なる歴史の一瞬じゃ」と大声で言い、玉座の前で最敬礼し、孫たちにも真似するようにと言った。ぼくは、五万人の参列者が居並ぶ様子を想像してみたが、まばらな人影しか見えぬ広場では、その実感はえられなかった。

　銀座に出た。「奉祝紀元二千六百年」の日の丸提灯や、国旗や軍艦旗が濡れていた。百貨店の屋上から奉祝と大書した垂れ幕がさがって、べったり窓に貼り付いていた。祭りのあとらしく、紙旗や紅白の紐が散っている。空気は肌寒い。つい最近まで沢山あった「祝へ！元気に、朗らかに」の大政翼賛会の立看板が、「祝ひ終つた　さあ働かう！」に変っていた。前に何度か来たことのある甘いもの屋に入ったが、砂糖不足で汁粉も餡蜜もなく、芋餡入りの小さな饅頭があった。ぼくら四人が並んで饅頭を頬張るのを祖父はステッキの首に両手を組んで顎を乗せ、じっと眺めていた。祖父自身は決して外食をしないのだ。いと祖母が「お茶をお飲みになったら」とすすめても知らん顔だ。母がぼくに目くばせした。祖父は外で作った物は黴菌の巣と見なして絶対に口にしないのだ。そのくせ、外で誰かに御馳走するのは大好きなのだった。祖父の隣には上野平吉が茶色の染料でも塗りたくったような顔に、ポマードで撫でつけた髪をテカテカ光らせていた。この祖父の先々妻の子は、いつのまにか時田病院の事務長におさまってしまい、祖父母の外出にはよくお供をした。ぼくには愛想よく「伯父さんが」「伯父さんの」と話し掛けるのだが、彼を嫌う母から、「あんな人、伯父さんじゃないわよ」と言い聞かされていたので、ぼくは困ってもじもじするだけだった。そのとき␣も、饅頭をあっけなく食べてしまったぼくに、「伯父さんのをあげよう」と皿を押して寄こし、ぼくは欲しくてならなかったのを母の手前我慢していると、駿次が横から、ひょいと手を出して頬張ってしまった。「まあ」と母は駿次を睨み付けたが遅かった。

百貨店の家庭用品売場に行ったのは、祖父の発明品の売行き調査のためだった。汚水濾過器〝真水ちゃん〟は山積みになっていて売行きはよいようだ。〝慰問袋に一つ、戦地の兵隊さんに故郷の真水を〟とか、〝どんな泥水も衛生無害な飲料水に変える。世紀の大発明医学博士時田利平〟などの宣伝文句がさがり、人が群れていた。茶瓶の注ぎ口にひっかけて用いる簡便茶漉しや水切りが出来る二重構造の皿（ちょっと石鹸入れを思わせる構造だ）もなかなかの評判だ。見ている前で茶漉しが一個売れたので、祖父は大きく合点をしていと祖母と顔を見合せた。しかし、フォークの背を窪ませて、米飯を乗せて食べる〝時田式フォーク〟や土鍋に耳をつけ燗のできる〝熱燗鍋〟などは、洋食がすたれ、酒の品薄の昨今は、さすが時代おくれで片隅で埃をかぶっていた。上野平吉は〝真水ちゃん〟売場の女店員に親しげに話し掛け、ほかの店員に気付かれぬよう、手ばしこく心付けを渡した。

三田に戻ると上野平吉は、医員と同じ白衣に着替えて事務室に坐り、人が変ったようにいかめしい顔付きに納まった。ぼくは薬局に入り込み、お久米さんの悪口に耳を傾けた。「何だか下品なんだよ、あの人は。悠太ちゃんにだけ教えてあげるんだから、誰にも言っちゃだめだよ。何しろ朝っぱらから物を食べ始めるんだね。さすが事務室じゃ食べないでね、便所で食べる。干し藷をいつもポケットに入れておいてね、それを食べる。そうしてさ、藷の臭いをプンプンさせて出てくる。そのせいだろうよ、あの人、おならをスウスウやるんだよ。すかしっ屁でね、そりゃ臭いの。事務員たちが大弱りだよ。午後になると、お昼寝ね。大きな口をこう開いて、黄色い虫歯を剝き出しにして、ゴウゴウ鼾をかいて……それが、ここまで響いてくる始末。目が覚めると歩き回る。そもそも事務長ての は病院の要の人物だから、どっしり構えてなきゃ示しがつかないのに、スリッパをペタペタさせて歩き回る。どこへ行くのか、まず便所、また干し藷だろうよ。それから、レントゲン室、物品倉庫、空いてる診察室……ふん、薬品倉庫だけは入れないやね、鍵がガッチリ締ってるからね……で、ドアをバタンバタン、開けたり閉めたり、うるさいの何のって。そのうち、薬局に入ってくる。風邪薬だの、カンペーキだの、もらいに来るんだ。あっ、来たらしいよ」お久米さんが唇に人差指を立てたのと同時に、ノックもせずに上野平吉事務長が入ってきた。

「おや」とお久米さんは、こぼれるような愛想笑いに変った。「事務長さん、何か御用ですか」「あっ」と上野平吉はぼくがいたので驚いてのけぞり、「そうそう、ちょっと勘違いした、ここじゃなかった、物品倉庫のほうだった。失礼」と出て行こうとするのを、お久米さんが呼び止めた。「風邪薬ですか。カンペーキですか。カンプコウですか……それとも」「はいはい」と上野は、頭を掻いて、「下痢止めなんで。何か、きのう飲み過ぎて、きょうは寒い所に外出したんで冷えてしまって、さっきから、こう……」と腹を撫で、ぼくに、「寒かったねえ。悠ちゃんも風邪ひかなかった」と、焦げたような頬をテカテカ光らせて笑った。結局、上野は、下痢止めの薬袋をポケットにせしめ、しきりと礼を言って、去った。「まったく」とお久米さんは舌打ちして、上野平吉の体臭を払うように、しきりに手扇で前を払った。「あの人は卑しいんだよ。来りゃ何かをせびっていく。薬はただじゃないってのが事務長のくせにわからない、大ざっぱで図々しくて、全然事務長むきじゃない。あの人がおお先生の息子さんだっていうのもあやしいもんだよ。顔だって似てないしさ、法律的には何の関係もないんだしさ……」お久米さんの悪口は蜿蜒と続いた。そして最後には、「今の話はね、ここだけの話よ。悠太ちゃんとわたしの間だけの秘密よ」と駄目押しするのを忘れなかった。

上野平吉が事務長になったのがいつであったか定かな記憶がないのだが、そうなりそうだという噂を聞いたのが二月頃であったと思う。たしか、母の話を小耳に挟んだのだ。ずっといと祖母が事務長をしていたのが、このところ国防婦人会の麻布聯隊区の副支部長になって出征兵士の見送り、英霊の出迎え、街頭の千人針、慰問袋作り、時局講演会と大忙しで、誰か事務長を傭い入れぬことには身が持たない有様、そこで利平祖父は史郎叔父に会社をやめて病院を手伝うよう要請したところ、会社の古河電工が軍需景気のためフル操業の最中でやめるわけにもいかずと断られ、去年、ふとした機会に、医療機器商人として病院に出入りしはじめた上野平吉に、(おそらくはいと祖母の差し金で)白羽の矢が立ったというわけだった。そして春になると、上野は事務室の大机に坐るようになった。そして、相変らず父の眼薬を二週間ごとに取りに行くぼくを見かけると、偶然のように廊下に出てきて、「悠ちゃん……」と声を掛け、自分の立場を子供に示そうとして、「伯父さんが何々してあげようか」

と〝伯父さん〟を強調した。お久米さんは「悠ちゃんなんて馴れ馴れしい」と怒って見せ、「あの人を伯父さんなんて呼んじゃいけないよ。お嬢さまから、おかあさんから、叱られるよ」と忠告するのを忘れなかった。

時田病院は相変らず大繁昌で、敷地一杯の建物全体が活気で脹れ上がるような感じであった。外来の待合室は午後になっても患者が溢れ、病室は満員で予約待ちの患者が大勢いる有様であったが、あまりに使いすぎた機械が摩耗して軋みだすように、職員同士の反目や不平が吹き出し、病棟の天井が雨洩りしたり、レントゲン装置が故障したりした。そうして、そういう情報が逸早く集まり、職員たちの秘密の会合場所となるのは薬局だった。ぼくを子供と見て安心しているのか、むしろ祖父に話してもらいたいのか、彼らはぼくの前で平気で誰彼の——とくに上野事務長や末広婦長の——取沙汰をした。むろん中心にはお久米さんがいて、右の話を左に伝え、右の話を訂正し、左の話に大仰に驚き、左と右の話を合成して話の筋を作りという具合で、さながら噂の製造工場のようだった。

木枯しが庭の枯葉を片寄せている夕方、網を張ってゴルフのクラブを振っていた父が、突然「火事だ」と叫びだし、「どこか燃えているか」と振り返りざま、「いかん、また病気がおこった」とうずくまった。すぐさま父を蒲団に寝かし、母は祖父に電話を掛けた。祖父は帝大の眼科教授に連絡したが、日曜日のためつかまらず、結局自身で飛んで来た。反射鏡と凸レンズを用いて診察した結果、やはり去年夏と同じ左側の眼底出血で、出血部位はさらに広範囲だとわかった。翌日、父は本郷の帝大病院に入院となった。教授の診断は、病気の進行具合によっては片側失明の恐れありというので、母はすっかり気落ちして泣いた。教授室まで母について行ったぼくは、教授の前でむせび泣く母を見た。

母は父の付添いとして本郷の病院に泊り込み、子供たちはときやとともに西大久保に残った。ぼくが勉強をそっちのけで本に読み耽るのを母は嫌っており、宿題、復習、予習とやかましく言い、ぼくの学習ぶりを監視していたので、母がたまさかにしか帰宅しないとなると、ぼくはたちまち夏休み以前の自由な読書生活にもどってしまった。去年、『モンテ・クリスト伯』を読み終えてから大人の本に対する抵抗や気遅れが、ちょうど逗子から葉山まで遠泳し通したときに水に対する恐怖が無くなったように、消えてしまい、『レ・ミゼラブル』、『ナナ』、『アイヴァンホー』、『テス』、『クォ・ヴァディス』などの長い小説をつぎつぎに読んで、本の中に広大で奥深い大都会のような世界を見出す喜びにひたっていた。フランス、イギリス、ローマなどが、まるですでに旅をした場所のようにぼくの心に染みついた。おそらく外国を知らないからこそ、『世界文学全集』が好奇心の対象になったので、同時に読み進んだ『現代日本文学全集』に対しては、そういう心をわくわくさせるようなあこがれは感じなかった。それに、日本の小説家の好んで書き綴る身辺雑記や貧乏物語よりも、外国の小説家の取り扱う重層した人間関係や監獄や王侯や金持の生活のほうが、はるかにぼくの想像力を刺戟した。本を読み終えると、ぼくの周囲の景色、梧桐の茂る一高教授の庭や落語家の座敷がいかにも貧相で平板で面白味に乏しく見えたものだ。

小説の中の人物、ジャン・ヴァルジャン、ミュッファ伯爵、ローエナ姫、クレア、ペトロニウスといった人々が、道行く見知らぬ人々にふと貼り付いてしまい、あのいかつい顔の紳士は昔監獄にいただろうとか、あの令嬢はさるやんごとなき身分の人だとか、あの青年は恋人への想いに打ち拉がれてあんなに浮かぬ顔をしているとか、空想するのもぼくの癖になった。こういう空想は、兄弟や友人や親戚の人たちというよく知っている人々には生じないので、いきおいぼくは街を人々の顔や風体を見ながらほっつき歩くのを好み、そのため母からは「お前はまた小さいときの悪い癖、寄り道が出てきたね」と嘆かれ、道行く人からはいらぬ誤解をまねく結果となった。ある日、レンズ工場の前に立ち、赤い磨き粉を手にまぶしてレンズを磨いている中年男を、大金持が仮に身をやつしている姿に見立てて、あれこれ夢想をたくましくしていると、「何だって人の顔をジロジロ見るんだ。あっちへ行け」と怒鳴り付けられた。ぼくの空想癖は街をも素材として繰り広げられたので、ふと発見した空地に捨てられたガラクタ、崩れ落ちそうに傾いた家、ラジオの放送の洩れる棟割長屋などが、ユゴーやゾラがパリの街から物語をつむぎだすときのような、空想の喜びを与えてくれた。街は、ぼくにとって、沢山の未知の小説を隠している楽園であった。父が入院していた二箇月あまり、ぼくは読書にのめりこみ、ときどき物語ではち切れそうになった頭を癒すような気持で、街へさまよい出るような毎日を続けていた。

　冬休みになって、美津伯母や晋助とともに、大学病院に父を見舞に行った。父の眼底出血は、本当の診断は糖尿病性網膜炎というので、元になる糖尿病を治さなくては眼病のほうも良くならぬのだった。厳格な食餌療法ですっかり痩せてしまった父は、一回り小さくなった老人のようで、皺の多い疲れ果てた顔付きをし、近眼の目が、やに突き出して見えた。とにかく安静第一と言われ、まるで赤ん坊のようになって、食事も排泄も母の世話にまかせていた。父は医師の指示を小心に守り、ぼくらと話す場合も、頭を左右から押えた砂袋の間で顔を動かさぬように用心していた。看病に飽きていた母は、ぼくらの来院をことのほか喜び、伯母を父のところに残すと、冬ざれの三四郎池のあたりを連れ歩き、晋助と堰を切ったように喋りまくっていた。風が乾いた落葉をざわめかせ、鴉がしきりと鳴いて、暗く不吉な景色と見えた。父の前では笑顔と冗談を絶やさなかった母も、晋助の前では、あけすけな愁い顔を見せた。「もう治らないような気がして……」「叔母さんが心配しても、よくはならない。治療は医者にまかせて、元気に、朗らかに」「それができないのよ。わたしって、心がすぐ色に出てしまう」「とにかく医者は治ると言ってるのだから」「罪だわ」と母は辛そうに白い息を吐いた。「罪のむくいよ。わたしが悪いんだわ」「叔母さんは気が滅入って、余計なことを考えすぎるんだ」母は肩を落し、薄氷の張った水面に散る落葉を眺めた。さかしまに映った時計台が寒々と揺れていた。

　正月の餅が配給品だけでは足りそうもなかったので、母は三田に頼んですこし融通してもらった。三田も昨年のようにご大層な餅搗きはできず、職員の分だけを手当てするのがやっとの有様であった。当てにしていた金沢の親戚からの小包もなく、寂しい正月を覚悟した矢先に、栃木から林檎箱に一杯の餅が届けられた。秋口に故障戦車に乗っていた川上軍曹の実家からで、その節倅が大変お世話になった御礼だと添書があった。同時に千葉戦車学校の軍曹から、九七式中戦車をはじめ、各種戦車の写真が十数枚送られてきた。このごろ、菓子も乏しく、お八つのビスケットや煎餅や飴にも事欠く有様だったが、せめて正月だけでも甘いものを買おうと、近所の菓子屋で饅頭の売り出しがあると聞き、ときやとぼくが駆けつけてみるとすでに長い列で、ぼくらの二十人ほど前で売り切れになった。

父のいない元旦は、中心が欠けていて、侘しかった。それに例年子供たちの目を奪う、前田侯爵家拝領の金盃を、去年の秋貴金属供出に出してしまい、かわりの漆塗りはいかにも貧相に見えた。二日、三田の時田病院では宴会があったが、落合の風間邸は時局柄の自粛で中止となった。ぼくが物心ついてから、正月に風間邸に行かなかったのは今年が初めてだった。ところで、時田病院も、外部よりの招待客を省き、職員だけが、〝花壇〟の片隅に集り、ひっそりと宴を張ったのだ。酒も各自に一合瓶がつくだけで、往時の盛んな集いとは様変りの寂れようであった。もっとも祖父だけは元気がよく、今年こそ日本は支那事変に完全勝利し、南方に進出して石油資源を確保し、新東亜の盟主として飛躍するのだと演説した。「わが時田病院も、満蒙に、支那全土に聖戦をおこなう皇軍将兵のために、カンペーキ、カンプコウ、真水ちゃんその他を提供して新東亜建設のため銃後のご奉公に邁進してまいりました。今年も一層心を引き締め、第二十七世紀の幕明けの年にふさわしい大活躍をしましょう。では乾杯」

時田病院の宴会を早々に切りあげた母は、子供四人を連れて御台場の永山光蔵鉱物博物館へ行った。夏江叔母と並んで出て来た男が、一昨年秋陸軍病院で会った一等兵だとわかるま

で、ちょっと間があった。カーキ色の国民服と七三に分けた髪の毛が容貌を変えていたから
だ。「叔母さんの御主人の菊池さんよ。透叔父さんと言うの。叔母さん、結婚したのよ」と
母が言った。夏江叔母が誰かと結婚したらしい、何でも、帝大出の学士で、帰還兵士だとは、
父と母の会話からぼくは知っていた。それでもぼくは、驚いたように目を丸くして菊池透を
じっと見、それから丁寧にお辞儀をした。
海を見渡す応接間に、史郎叔父夫妻が待っていた。薫叔母は書棚から抜きだした鉱物図譜を熱心に繰っていた。卓上に並べられた盛り沢山な御馳走は、透叔父（これからはそう呼ばねばならぬだろう）が故郷の八丈島から持ってきた魚で作ったものだった。島特産の藷焼酎も豊富にあって、史郎叔父はすでに、よい加減に酔っていて、巻き舌で、「今年の三田はどんな具合だ。どうせいとと平吉が牛耳ってやがるんだろう。胸糞悪いやね」と母に言った。「まあ、そうね」と母はあっさり肯定した。「あの二人が、おとうさまの病院を乗っ取った形よ。あんなに大儲けしてるのに、宴会ったら、まるでしみったれてるの。近所の人たちを誰も呼ばないで、医員だの看護婦だけが集って、こそこそやってるの。ああいうやり方は、絶対おとうさまの、なされ方じゃないわ。いとよ。それとも平吉の方針か」「いとと平吉はどういう関係なんでえ。怪しいぞ、あの二人も」「まあそれは……」母はぼくや駿次が聞き耳を立てているのを見て口籠った。「悠次おにいさま、いかが」と夏江叔母が話題を変えた。ひとしきり、父の病気をめぐって話が進んだ。史郎叔父が、くさやを嚙みつつ、「でも何だな、こういう時代には、悠次にいさんの病気も倖せかも知れんな。おれみてえな甲種は、

いつ赤紙で引っ張られるかわからねえ」「そんな言いかた、おねえさんに可哀相よ。こんなに病気を心配してるのに、ねえ」と夏江叔母がたしなめた。「このごろ戦死が多いやね」と史郎叔父はなおも言った。「英霊のお出迎えでいとなんか大張切りだが。こっちは、明日はわが身で、いやあな気分だね。どうなるんだろうね、戦争は。ヨーロッパじゃ、ますます戦線が拡大しつつある。日本も巻きこまれて行くんじゃねえか」「日独伊三国同盟、あれがいけません」と透叔父が言った。「あれが、アメリカをさかなでして参戦をうながしています。そうなれば世界大戦になります」透叔父は、腕のない右袖をぶらぶらさせて、額を黒光りさせた。「近代戦は、残酷そのものです。文明国同士が残酷そのものの殺し合いをする。恐ろしい時代です」ノモンハンにおける手柄話を聞きたい、とくに九七式中戦車の活躍ぶりを知りたいと思っていたぼくは、透叔父の消え入るような溜息を見て黙り込んだ。

庭先の紅梅がほころび、風が生温くゆるみ始めたころ、父は退院してきた。糖尿病は軽快し、左眼の視野欠損が若干残るのみで、失明はまぬがれたのだ。二階の八畳間が父の病室となった。父のため、ぼくは新聞を拾い読みし、吉川英治の『宮本武蔵』を巻を追って朗読した。父が、毎日方眼紙に記録する視野欠損部は、すこしずつ縮まって行くようだった。

11

四月から小学校が国民学校と呼ばれるようになった。校門の表札の「大久保国民学校」の墨痕がわざとらしく、木肌に馴染まぬように見えた。始業式のとき、鈴林校長は、国民学校は、小学校と違って、皇国国民を錬成する道場であり、天皇陛下のために立派な赤子となるために身も心も引き締めよと訓示した。いままでと違うのは、登校のさい上級生が下級生を引き連れて行き、校門を入ると御真影奉安殿前に横一列に並び、上級生の「最敬礼」の号令で深々と頭を下げねばならぬことであった。ぼくは、六年生だったから、弟たちのほか、付近の下級生十人ほどを呼び集めて、集団登校の指揮をとった。

新しく級長に指名されたのは吉野牧人だった。級長に選ばれるのは、学級中の成績操行ともに優秀な子と決っており、松山哲雄とか中村秀一など数人が回り持ちでなっていた。一年前に来たばかりの新参者が、見る見る頭角を現し、級長に抜擢されたのは異例の人事だった。ぼくも副級長に指名され、いささか誇らしく思って家に帰って報告したところ、母は失望して項垂れてしまった。「やっぱり今度も級長になれなかったのかねえ。この分では来年の卒業まで一度も級長になれないかも知れない。悠太は、五年の二学期、三学期は頑張って、甲の数が増えたのに、……やっぱり一学期の成績低下がひびいたねえ」成績下落が話題になると母は機嫌が悪く口喧しくなるので、ぼくは早々に退散した。

ところが授業が始まっても、まきちゃんは欠席していた。風邪でも引いたのかと思っていたが、四月の末になっても姿を見せない。そのあいだ、ぼくは級長の代りに、朝礼のときの国旗掲揚をしたり、授業の始終に号令を掛けたりしていた。まきちゃんが風邪ではなく、どうやらもうすこし重い病気らしいとわかったのは、五月初旬、湯浅先生に職員室に呼ばれてからである。「実はな、吉野が入院した。小暮は副級長としてクラスの代表になり、見舞に行ってやれ。病院は、帝大付属病院だ。ちょっと遠いが、道順を書いておいた」「帝大なら知っています。父が入院していましたから」「そうだったか」「どういう病気ですか」湯浅先生は困惑を眉宇に漂わした。「実はな、先生も知らんのだ。うつるような伝染性の病気ではないことは確かだが。では頼むぞ」「はい」この話を母にし、つぎの日曜日にお見舞に行くと告げると、たちまち母は心配し始めた。「おかしいわね。入院するなんて、普通の病気じゃないね。肺病か何かかも知れないよ。うつったら大変だよ」「先生は、うつるような病気じゃないって……」母はそれを聞くや一層疑わしげに眉をひそめた。「先生が、そうおっしゃったのかい。わざわざそうおっしゃったと言うのが変だね。むしろ逆に……」「クラスの代表として行けって」「クラスの代表、それはいいね、名誉ね。そう、大丈夫よ。先生がそうおっしゃったのなら大丈夫。行っておいで。でも、気をつけてね、吉野君の息のかかるような近い所へは顔を向けるんじゃないよ」

帝大付属病院というのは広くて複雑で、くねくねと長い廊下には戸棚や箱が倉庫のように積み上げてあって、湯浅先生の地図に頼っても、たちまち迷ってしまい、まきちゃんの病室に着いたときは、いい加減くたびれ果てていて、まきちゃんのおかあさんが勧めてくれた椅子にぐったり腰をおろした。気がつくと、そこは病人の息がもろにかかるベッド脇だった。

まきちゃんは上半身を起して、スケッチブックに漫画を描いていた。湯浅先生や母から預かった羊羹や果物を差出すとおかあさんが丁寧にお礼を言った。「おかげさまで大分いいのよ。小暮君には、級長の代りをしていただいて、すみませんね。この子ももうすぐ行けると思うけど……」「何ともないいんだよ、ぼく」とまきちゃんが笑顔で言った。「おとうさんやおかあさんが、心配し過ぎるんだ」「そうね、でも病気は病気なんだから、治さなくちゃ」とおかあさんが、存外にきびしい目付きで言った。「小暮君と、ちょっと、屋上へ行っていいでしょう」「いけません。先生は安静にしてろとおっしゃったでしょう。風邪でも引いたら大変」「こんなに暖いんだもの、風邪なんか引かないよ」「いけません」とピシャリ遮られ、まきちゃんは首をすくめて舌を出した。「ね」とぼくに言う。「いつもこうなんだ。大分いいとか、大したことがないと言いながらさ、外へ行っちゃいけないって言う。退屈でかなわないよ」

ひとしきり学校の近況を教えてあげた。香取栄太郎がおたふく風邪になってから、数人が感染し、繃帯姿で学校に来た。日比谷公園でおこなわれた府下国民学校植樹祭に、学校代表として香取栄太郎が出席するので繃帯をとったら、ほんとうにおたふくみたいに頰が脹れあがっていた。大沢勇は、相変らずで、授業中でも秋田弁のお喋りをやめず、ある日お鮨をパクパク食べる話をしていたのを湯浅先生に聞き咎められ、「オススパクパク」という綽名をつけられた。竹井広吉が、鼠を一匹教室に持ち込んだ。鼠捕りにかかったのを得意になってみんなに見せた。子猫ほどもある溝鼠だった。ところが授業中逃げだし、大騒ぎになった。机を片寄せて、みんなで隅に追いつめたところ、牙を剝き出して手向かいし、みんなは物指を構えて近寄ったが、あえて手を出すものがいない。すると湯浅先生が黒板用の大型三角定規でハッシと鼠の頭を叩いた。ころっと死んでしまった。竹井広吉が、「さすが、富士山の山賊はすげえや」と拍手したが、直後先生の大目玉をくい、一時間廊下に立たされた。算数の時間、正五角形の描き方という課題があり、中村秀一が、たちどころに五種類の描き方を披露してみんなを驚かせた。先生が、「中村は将来大数学者になるぞ」とからかったら、中村は大真面目で、「はい、なります」と自信満々で答えたので、みんなが白けてしまった。さらに中村は、この前、明治神宮でおみくじを引いたところ、大吉で数に明るい職業がよしと出たので、そう極めましたと言い、今度はみんなが笑った。松山哲雄は、おとうさんの松山大佐が指揮刀を肩に、そっくりかえっている写真を得意げにみせびらかした。新聞社のカメラマンが撮ったのだそうで、この前の天長節の観兵式に松山大佐は聯隊長として分列行進の指揮を取り、愛馬「白雪」を召された大元帥陛下の御前をイフウドウドウ歩いたのだ。もっとも、あんまりそっくり返ったので、後ろに倒れそうになり、副官があわてて背中を押して事なきをえたのだと言う。

　まきちゃんは、笑いこけた。笑いながら、鉛筆で漫画を描いた。黒い詰襟服のタヌキが鮨を頬張って、「オススパクパク」と言い、「富士山の山賊」と染めぬいた法被のライオンが、猫より大きい鼠を三角定規で打ち、博士帽をかぶったジャガイモ頭（中村秀一の頭は凸凹でジャガイモという綽名だった）のコヨーテがコンパスで五角形を描き、山猫大佐が眼鏡をかけ、八文字髭の虎の大元帥の前で、胸を弓のように張り出して、今まさに後方に倒れんとしている。人物の性格と容貌が巧妙に表現されていて、ぼくは笑いこけたが、虎の大元帥を見たとたんおかあさんは、「いけませんよ牧人。その絵は消しなさい。誰かに見られたら一大事よ」と叱りつけた。まきちゃんは、渋々、虎の大元帥を黒く抹殺した。

　まきちゃんは茶目で陽気で、どこと言って病気らしく見えぬのが、ぼくには不思議で、「ねえ、きみ、どこが悪いの」と尋ねた。「それがわからないので調べてるんだけど、まだわからないの」というのが答で要領をえなかった。おかあさんは、この話題を避けたがっているようで、「そうそう牧人、あの漫画をお見せしたら」と促した。入院中に描いた長篇漫画が数冊あり、いずれも水彩絵具で丹念に色がつけられていた。そのころ子供に人気のあった『タンク・タンクロー』、『蛸の八ちゃん』、『のらくろ』などの影響が明らかに認められたにしても、それらはまきちゃん独自の、つまり誰が見てもまきちゃんの絵だと判定できる何かを備えていた。例のマキマキマキン少年シリーズが多く、なかでも『火星旅行』と言うのが、印象強くぼくの記憶に残っている。少年がロケットに乗って火星に到着すると、大戦争のまっただなかで、殺人光線やロケット砲や無線飛行機や空飛ぶ戦車が闘っている最中だった。やがて、少年は、大戦争によってすべての火星人が絶滅する様子を見て、地球にもどってくる。話の筋はありきたりだが、ぼくが今でも感心するのは、作者が、ロケット、レーザー光線、ミサイル、リモコン飛行機、細菌爆弾などの基本原理を踏まえていたことで、たとえば重力圏を離脱するためには、ロケットのスピードは宇宙速度が必要だと知っていて、科学知識に合致した漫画を描いていたのだ。あのころ、子供たちの読んだ『少年倶楽部』や『機械化』や『少国民新聞』には、最新兵器や未来兵器の記事がふんだんに出ていて、その知識が子供たちの夢の素材になっていた。わけても、まきちゃんは抜群の記憶力でそういう知識を脳髄に貯蔵していた。「ナチスがね、フランスの海岸からロンドンを砲撃しているベルタ砲というのは砲身の長さが三十六メートルでさ、弾の重さが三百キログラムあるんだぜ」という類の会話がひょいと出てくるのがまきちゃんだった。

病院からもどると、母は微に入り細を穿つ質問でまきちゃんの病状を聞き出したが、結局、首を傾げた。「咳も痰もないところを見ると、どうも肺病ではなさそうだね。あの吉野君は、幼いとき脳性小児麻痺にかかったそうで、そのため脚が不自由なんだけど、今度も病気になるなんて、お気の毒だね。それにしても……」と愁い顔になり、「戦時下だからね、男はやがては戦場に出ねばならない。悠太はせめて病気にだけはならないでおくれ」と付加えた。

湯浅先生は、「ご苦労だった」と頷き、「時々見舞ってやれ。このつぎは、仲の好かった者と一緒に行け」と指図し、「副級長として、みんなに、吉野を見舞ったが割合元気だったとだけ報告しておけ。入院先は言わんほうがいいな。大学病院だと知ると、重い病気だなんて心配する者が出るからな」と言った。先生の言うことは、矛盾していたので、仲の好かった者と見舞うのと入院先を言うなというのと、どこでどう調整したらよいか判断がつかず、まず香取栄太郎と松山哲雄に帝大病院見舞の顚末を話したところ、あっと言うまにクラス中にひろがり、「まきちゃんが重病で帝大病院に入院したんだってさ」「結核だそうだ」「ちがうよ何とかいう伝染病だよ」「死にそうだってよ」「ちがわい。もうよくなったって言うぞ」と雑多な流言が飛び交った。が、すぐさま、子供たちは不在の友人を忘れていった。とくに五月半ば、まきちゃんの代りに中村秀一が級長に命じられてからは、まきちゃんの噂はばったり跡絶(とだ)えてしまった。

ところで、中村秀一の級長就任に対しても母は、口を尖(とが)らし、「湯浅先生も湯浅先生だねえ。悠太がこんなに一所懸命副級長を務めたんだから、級長に昇格してもよかったのにね。中村君の下につけってえのは解(げ)せないね。思いやりがないね」としきりにぼやいていた。

央子のヴァイオリンの温習会が聖心女子学院の講堂を借りて開かれたのは、やはり五月半ばの日曜日だった。ヴァイオリンを習い始めて一年ちょっとだが、央子の進歩はめざましく、課題曲の『オーカッサンとニコレット』はとっくに仕上げてしまい、バッハの『協奏曲イ短調』を与えられて、それを自在に弾きこなすようになっていた。先生の富士彰子(あきこ)は鈴木鎮一の才能教育の信奉者で、「汝(なんじ)弾くなかれ、弓をして弾かしめよ」とか「我心少なければよし」という標語を常に口にし、子供の記憶力は絶大なのだから暗譜にて弾かせるべしと主張していた。母は自分の長唄稽古(ながうたけいこ)の経験から「譜を初見で読み取る練習も大切なのだがね」と当初不服を言っていたのだが、央子が曲をどしどし空で弾いていくのに目を細め、先生から「お宅のお嬢さんは才能があります」と言われてからは、「ひょっとするとオッコは天才だよ。うちの子に一人ぐらい天才がいてもいいね」と言い、二階で央子の練習が始まると天井を指差し、「ほら、上手じゃないか、才能のひらめきがあるだろう」と、ぼくに同意を求めた。

温習会で着る洋服も早くから、たしか去年の秋から用意した。銀座で買ってきたピンクのドレスで、央子も気に入っていたのだが、今年になって着せてみると、すでに央子には窮屈すぎ、狼狽した母は、新宿、銀座と探し歩いて、やっとのこと新しい白のドレスを見付けたところ、間近になって、温習会は非常時下、赤や白を遠慮して、地味なのに限ると通知があって、母の落胆は大きかった。「女の子と言うのは、綺麗な洋服を着なくちゃいけないのにねえ。赤や白でなくちゃ、こんなちっちゃな子に似合いはしないよ」と嘆きつつ、しかし、母は大急ぎで自分で編んだブルーのセーターを央子に着せ、自分が聖心女子学院時代に使ったリボンを髪に結んでやることにした。

　そんな騒ぎを横目に見つつ、ぼくは何とか自分も一緒に行きたいと母にねだった。「お前、ヴァイオリンが好きなのかい」「うん、大好き」「それなら行ってもいいけど、おかあさんは央子の世話で手一杯だよ」「いいよ、ぼくおとなしくしてるからさ。晋ちゃんの演奏も聞きたいんだもん」「晋助さんのは午後の終りのほうよ」「知ってる。最後までいて、聞きたいの」「そうだねえ……」母はプログラムを開いて見た。央子は朝の年少組で七番目、晋助は午後の年長組の最後で二十八番目だった。そのあと、特別演奏として富士一家の三重奏がある。富士彰子先生のヴァイオリン、朋奈のチェロ、千束のピアノであって、これこそがぼくのお目当てであった。「ま、一緒においで」とやっと母は言ってくれた。

　聖心女子学院は、高台にあって、バスを降りると、すぐさま登り坂であった。母は、不断、ちょっとした坂道でさえ嫌がるくせに、急に元気のよい足取りになり、自分の家を案内するように得意になって話し始めた。「懐かしいわね。とにかく、おかあさんは、小学校から高等女学校と、この学校にいたんですからね。でもね、その当時とはすっかり変ってしまった。毎年、同窓会で来るんだけど、来るたんびに新しい建物が増えるようね。あの、出来たてのほやほやみたいのは小学校の建物で、五年前にできたのよ。あれが武道館、あっちが寄宿舎……この学校はどんどん大きくなるよ。あ、マザー××」胸に十字架をさげた黒衣の修道女に、母は丁寧に頭を下げた。まだ早すぎて、会場の講堂が閉っていたので、散歩しましょうと庭を歩き回ったところ、知合いの修道女が多くて、あちらこちらで挨拶を交し、短い立ち話をした。「オッコも、聖心にはいれるといいね。そう、頑張りましょうね」と央子の頭を撫でた。

「富士彰子ヴァイオリン教室演奏会場」の立看板のそばで、晋助は、ほかの年長組のお弟子さんたちと一緒に受付係をしていた。千束が出てきた。黒繻子のワンピースに白いレース襟がよく似合う。ぼくが会釈しても、何だかつんと澄ましている。しかし央子とは仲が好くて、「いいわねえ」とリボンを賞め、「いつものように、お弾きなさい」と励ました。千束と立ち話がしたかったのだが、さすが先生のお嬢さんだけあって知人が多く、その隙がなかった。

年少組の未熟な演奏が続くなかで、央子のバッハは際立って上手だった。度胸もあって、もっと大きな子でもあがって失敗したのに、するすると弾いてしまった。晋助が来て、「やっぱり、ヴァイオリンが違う」と母に囁き、母はにっこりした。央子が今年になって弾き出した八分の一の小ヴァイオリンは、イタリア製で相当高価なものだった。最初の温習会だからと、母は父にねだったのだが断乎断わられ、三田の祖父にこっそり金を出してもらって購入したのだ。むろん、楽器の質など知らぬ父には気付かれなかった。このイタリア製をほかのお弟子さんから譲ってもらうのに晋助が仲介の労をとったのだ。

楽器演奏というのは、はっきり才能に左右されるものだとぼくは知った。小学校二、三年で修得歴五年などという子が、六歳で一年歴の央子よりも下手だった。リズムや音程が乱れて、曲の体をなしていない。そうかと思うと半年歴の五歳の子が、クライスラーの『ロンド』を楽々と弾きこなしたりする。まきちゃんの画才が天成のものであることを思った。ぼく自身には何の才能もない、とぼくは気が滅入った。画も音楽も運動も、さっぱり駄目(だめ)である。読書は多読のせいで、漢字なんかは多少知っているが、まきちゃんのように物語を創(つく)る才能はない。算数や理科は中村秀一に到底かなわない。駄目だ、駄目だ……。時々、ピアノ伴奏を千束がした。彼女が弾くあいだ三つ編みの髪が揺れ、心なしかふっくらとした胸が呼吸するのに、ぼくは見惚(みと)れたが、彼女が去ると、あんな素晴しい才能を持つ少女は、ぼくみたいな無能の子供を軽蔑(けいべつ)するにちがいないと、すっかり気おくれした。

昼休みに、ホールで弁当となった。おかかや梅干を芯(しん)にした海苔(のり)むすびを母は晋助にもすすめた。彼は今年の三月、帝大を卒業し、小さな出版社に勤めていた。小学生や中学生の多いお弟子さんの最年長で、背も高いし、背広姿も異色だし、目立った。大学生ぐらいの青年が三人来て晋助と話し始めた。外国のヴァイオリニストが話題でぼくにはよく通じない。しかし、外国人の名前が耳に快く響いた。たぶん、ハイフェッツ、ミルスタイン、フランチェスカッティ、シゲティ、チボーなど、のちにレコードでお馴染(なじ)みになる人々の名であったろう。

　千束が出てきた。紺の制服の女の子に囲まれている。雙葉学園の友達であろう。梅田という男の子も近寄っていき、親しげに語らっている。梅田はお河童頭をやめて五分刈ぐらいにしていた。ちゃんとした坊主頭ではないのが、国民学校生徒としては軟弱に見えた。麦島先生は、すこしでも髪の長い生徒をどやしつけていたのだ。千束に接近する切掛けがなかった。うじうじとためらっているうち、彼女は姿を消していた。

　午後のプログラムが始まった。ぼくぐらいの子がつぎつぎに演奏した。梅田の伴奏は千束だった。彼がたくみに弾けば弾くほど、ぼくは楽しめなかった。そして千束が退場すると、あとの演奏はどれも聴く気がせず、屈託した。晋助が、お弟子さんたちの最年長者として、見事に弾いたバッハの無伴奏ヴァイオリンのためのパルティータ（たしかシャコンヌの入ったニ短調）でさえ、何だか味気なかった。そして千束の出番となった。曲はモーツァルトのピアノ三重奏曲、七つあるトリオのどれであったかもう詳かにしないが、今でもそのどれかを聴くと、あのときの情景がまざまざと浮び上ってくる。彰子先生は紺色の衣裳だったが、顔や腕が白く明るくて、そのあたりがキラキラ煌めくようにヴァイオリンをあやつり、朋奈は濃緑のドレスを着て、どっしりとした樹木のよう、まるで枝葉を震わせるようにチェロを弾き、さて、千束は黒ずくめでピアノの精が飛びだしたように細い腕、細い指、細い腰を動かし、そこだけは艶かな胸をはずませていた。若草が萌えでる原に、あからかな光が充ち、幾千幾百の妖精が踊りまわるような、生暖かな春の風とともに花の香りが渡ってくるような、喜びの世界を前に、ぼくはうっとりとしていた。それはレコードでは伝わってこなかった、新鮮な世界だった。そう、ぼくは晋助が央子へお祝いとして送ったモーツァルトを何度も聴いていたのだが、何よりもレコードには演奏者の生身の存在感が稀薄だった。

アンコールがおわって、お弟子さんたちが舞台の裾に駆け寄る。央子の花束を用意していなかった母が、「あら、あんなことするのね、忘れたわ」と残念がると、晋助が小さな花束を央子に渡し、「これを先生んとこへ持って行きなさい」と言った。央子は大喜びで走り去り、一番最後に先生に差し出すと、先生はわざわざ下に降りてきて央子を抱きあげた。拍手。彰子先生は央子を振り回しながら、「きょう一番のできは、小暮央子ちゃんでした」と言い、母と晋助は顔を見合せ頷き合った。

庭先での記念撮影がおわって散会となった。母は央子の手を引き、先生に挨拶に行った。先生の隣にいた千束に、ぼくは、「さっきの演奏、とってもよかった」と言った。これだけ言うのに二階から飛びおりるような勇気が要った。「ありがとう」と彼女は、頬笑んだ。生毛のふわふわと浮いた頬に片靨ができ、すこし不揃いな前歯が宝石のようにまぶしかったのを、その後何度も思い出した。彼女の一言でぼくは充ち足り、坂道を両手をひろげた飛行機の形で走りおりた。体が本当に浮きあがり、飛んで行く気持だった。

まきちゃんの病状が思わしくないと湯浅先生から聞いたのは梅雨時になってからだった。香取栄太郎と松山哲雄を誘って、つぎの日曜日に見舞に行くことに決めた。学校の引け時に、また先生に呼ばれて、去年の夏休みにぼくらが作ったメッサーシュミットを持って行ってやれと言われた。この模型は、生徒の模範制作として学校の正面玄関脇のガラスケースに飾られていたのだ。「校長先生の特別許可をいただいた」と先生は言った。「病気が悪いんですか」とぼくは心配になった。「まあ、そうだ。この前、見舞に行ったらな、しきりとメッサーシュミットを懐かしがっていた。だから、持って行ってやれ」「はい」先生にケースの鍵をあけてもらい、模型を取り出すと、香取と松山の三人で埃を払った。ラッカーが所々剝げ、風防のセルロイドが割れているのを直そうということになり香取の家へ運んだ。修繕には思いのほか時間がかかり、終ったときは日が暮れていた。雨が降っていた。濡れながら走って家に帰った。

　日曜日も雨だった。香取栄太郎は、濡れぬよう革の大型トランクに模型飛行機を入れて持ってきた。三人で爆弾でも運ぶ様子に見えたのだろうか、市電のなかで目付きの鋭い中折帽の男に、中身は何だいと聞かれた。「模型飛行機です」と香取が答えた。男は、疑わしげにぼくらを睨め回し、なおもどこへ行くんだと尋ねた。「病院です」「病院に模型飛行機など持って行ってどうするんだ」「お見舞です」「お見舞に模型飛行機は変だな」男は、蠅が食べ物にまとわりつくように執拗に寄ってきた。「ちょっとそれを、あけてみい」「あなたは誰です」と松山哲雄が問い返した。男は、生意気な子だと言うように、ぐいっと顔を振り向けた。香取が、「せっかく新聞紙で動かないように詰めたんです。あけちゃうと、なかなか閉められなくなるんです」と言った。二人の友が勇敢にも男を睨みつけているので、ぼくも怖々、男を睨んだ。男は、中折帽の庇を、ぐっとあげて身構えたが、にやりと笑うと、「ま、よし」

とそっぽを向き、つぎの停留所で降りた。「あれどういう人」「刑事かな」「刑事じゃないよ。刑事だったら黒い手帳見せるはずだもん」「刑事の真似（まね）してるのかなあ」「いやな大人」「いやだね……」そのまま、三人は黙りこくった。湿った灰色の街が、ぬるぬると滑って行った。赤門前で降りた。銀杏（いちょう）の葉が分厚いトンネルをつくり、そのむこうに病院の建物が墓石みたいに陰気に建っていた。「まきちゃんの病気は何なんだろう」「さあ」「治らないのかな」「まさか……治るさ」「思わしくないって、どういうことかなあ」「ながびいてるってことだろう」

　まきちゃんは横になっていた。最初に見舞ったときと較（くら）べると随分痩（や）せた感じで、頬が陰圧で吸われたようにくぼんでいた。頬骨が尖（とが）って、唇（くちびる）が粉でも塗ったように白かった。「やあ」というのが、まきちゃんの最初の一言だった。その一言が、変に物憂（ものう）い発音だった。ぼくらは、こもごも用意しておいた見舞の言葉を述べた。まきちゃんは、ゆっくりと頷いた。ぼくが言った。「湯浅先生がね、メッサーシュミットの模型をね、持って行ってあげろって。でね、持ってきた」香取栄太郎がトランクをあけた。新聞紙のなかに、きっちり飛行機が埋れていた。そっと取り出して枕元（まくらもと）に置いた。まきちゃんは、翼や胴に触って、にっこりした。「懐かしいね」「ほんとだね」四人は、期せずして去年の夏を思い出し、頬笑み合った。それは何だか遠い幸福な幼年時代の出来事のように思えた。まきちゃんは風防を引いて、操縦桿（そうじゅうかん）を動かした。昇降舵（しょうこうだ）と方向舵が交互に動く。それから車輪を引き出して毛布の上に置いた。「どこか見える所に置こうか」と松山哲雄が言い、ぼくらはあたりを見回したが、床頭台も戸棚も雑品でふたがれていた。まきちゃんのおかあさんが現れた。ぼくらは改って挨拶をした。おかあさんは飛行機を柱の釘から釘に紐を渡して吊ったらいいと言い、紐を出してくれた。踏み台も持ってきてくれた。丁度、まきちゃんの左上のところに、急降下爆撃をする形で吊られた。最近描かれた長篇漫画を三人は読んだ。それは鉛筆だけで彩色が無かったが、マキマキマキン少年がニューヨークの摩天楼に、アメリカのスパイを追い詰める話で、素敵に面白く、三人はときどき吹き出した。マキマキマキン少年の手助けをするのが、山中峯太郎の『敵中横断三百里』や『亜細亜の曙』で大活躍する柔道の達人本郷義昭や、大佛次郎の『角兵衛獅子』や『山嶽党奇談』の剣客鞍馬天狗で、当時の子供たちの共通のヒーローだった。まきちゃんと話すよりも、漫画に夢中になり、三人はつい時を忘れた。病人が疲れるから三十分以内で帰ってくるように先生から言われていたのに、ぼくらは二時間もいて、あわてて帰り支度をした。まきちゃんは、「また来てね」と言った。「うん、早くよくなってね」「飛行機ありがとう」「どういたしまして」「さようなら……」まきちゃんは頰笑んだ。靨のある左頰のほうが余計にくぼんだ。

雨の中をぼくは二人を三四郎池に案内した。どうした訳か以前沢山いたアヒルが一羽もいなかった。池のほとりを、アヒルを捜して巡ったが見付からない。「不思議だね」「出征しちゃったんだ」「まさか……」その代り、鴉の数がやたらと増えていた。梢のあたりにべったりと群らがり不吉に鳴き交していた。「痩せちゃったね、まきちゃん」「病気がひどくなったんだ」「おかあさんも痩せちゃったね」「治らないのかなあ、駄目なのかなあ」「さあ……」

三人は顔を見合せた。朝から、こうして何度も悲しげな顔を見合せていた。

　七月下旬になっても梅雨は終らぬ気配だった。ある日、晴れて、真夏の太陽が街を焼いたかと思うと、翌日は朝からびしょびしょと雨が降り、風もつのって、夕方には暴風雨となった。庭が池のようになり、溢れた水が玄関前から急流となって門に向い、滝のように通りに落ちた。唐楓の太い幹がたわみ、枝々の葉裏が一斉に返った。ゴオーと空が鳴っている。母は雨戸を締切って、子供たちを茶の間に集め、「何だかこの世の終りみたいだねえ」と、央子を抱きしめながら言った。夜中嵐は続いた。どこか雨洩りするかも知れぬとバケツや盥を用意したが、何事もなく過ぎた。しかし、旧屋を借りているお茶の師匠の所では、二階の瓦が飛んで雨洩りし、大切な軸に染みができたそうだ。

　翌朝、起きて見ると素晴しい青空だった。しかし、風はなお強く、天の底を引っ掻くようにして渡っていた。落葉やトタンや雨戸の破片などの散乱する道を学校へ行った。もう夏休みなのだが、中学進学者だけを集めて湯浅先生の補習授業がおこなわれるのだ。組の者六十人のうち進学者は二十数人だった。先生に呼ばれて目標とする中学の名を一人一人告げられた。松山哲雄や中村秀一のような秀才は府立四中（現戸山高校）、ぼくのような二番手は府立六中（現新宿高校）と定められた。母は、四中でなかったのが不服だったが、「まあ、六中でもいいわ。あそこは幼年学校や海兵の合格率が高いからね」と言った。

　学校に通うので、およそ夏休みらしからぬ毎日であった。昼には帰宅するが、午後も母の作った予定表に従って勉強である。ようやく解放されるのは午後三時頃であった。竹井広吉や大沢勇のように中学に行かず高等科に進む者が、終日遊び呆けているのに、こちらが机にむかうのは、最初ちょっと辛かった。しかし、中学生になるのは嬉しかったし、馴れてしまうと長時間の勉強もあまり苦にならなくなった。先生がおこなう時々の模擬試験でぼくの点数はじりじりとあがっていった。ある日、国語の試験の最中、突然小使が来て先生に何かささやいた。先生が眉をひそめた。「きょうの明け方、吉野牧人君が亡くなった。いま、おかあさんから電話があった。みんな起立。牧人のために黙禱をささげる。モクトー」油蟬が鳴きやんで一瞬しんとした。静かな風が耳元で何か話していた。涙が溢れ出てきて、とまらなくなった。誰かがむせび泣きを始めた。それが伝染して、ぼくの咽喉も震えだした。目を開くと、先生も目頭をハンカチで押えていた。

午後、先生に連れられて組の代表で級長の中村、副級長のぼく、それに親友ということで松山哲雄や香取栄太郎など十人ほどが、お悔みに行った。

去年の夏、電気機関車のレールをひろげた八畳間に、まきちゃんの床が敷かれていた。みんなが焼香をすますと、おかあさんが、「では」と言うように頷いて、白布をそっと持ちあげた。青白い死顔だった。また一段と瘦せて、額のあたりは頭蓋骨が透けて見える感じだったけれども、頰は何か中に詰めたらしく、ふっくらとして、唇は朱を塗ったらしく、異様に赤かった。すすり泣きがおこった。涙が心に沁み入り、胸は悲しみで重くなった。

枕元に、まきちゃんが描いた長篇漫画が二十冊ほど積み重ねられ、メッサーシュミットも置いてあった。おかあさんが挨拶した。まきちゃんは十日ほど前——ちょうど嵐の日あたり

——危篤状態になり、本人の希望でそっと自宅に連れてこられた。それでも寝たまま漫画を描いていたのが、二日前に突然鉛筆を落とし、手をあげる力もなくなった。けさは、「おかあさん」と呼んで息を引き取った。「ほんとうに、みなさん、牧人と仲好くしていただいて、ありがとうございました」とおかあさんは頭を下げた。「この子は、最後まで、この模型飛行機を見るのが嬉しいらしく、見える位置に置いてくれと申しました。この飛行機は、どうかこの子の形見として学校にお持ち下さいませ。前と同じように展示していただければ、この子も喜びますでしょう」ぼくと香取と松山で飛行機を持って学校に行った。それは前と同じく玄関のガラスケースの中に収められた。

その夕方、自宅でおこなわれた通夜には、級友代表として中村秀一とぼくが、鈴林校長、杉原教頭、湯浅先生とともに出席した。大変な人出で、庭に焼香の長い列ができた。母も美津伯母も来ていた。意外だったのは、風間の大叔父夫妻が姿を見せたことで、まきちゃんのおとうさん吉野市蔵大使と親しい仲らしく、長いあいだ話し込んでいた。蒸し暑くて蝉の声がやまず、池のあたりより蚊柱が立って、半ズボンのぼくは大分刺された。庭のテントの中で振舞いが始まった。まきちゃんと無関係な大人たちが大勢押しかけて、飲み食いしているようで、いやな感じだった。「帰りましょう」と母にうながされて外に出た。「吉野君はね、ハッケツビョウという恐ろしい病気だったそうよ。でも、うつる病気じゃなかったわ。とても助からないって、初めからわかってたんですって。可哀相ねえ」「吉野君のおかあさんに聞いたの」「いいえ、湯浅先生」先生は、まきちゃんが死病だと知っていたんだ、それならそうと教えてくれれば、もっと何度もお見舞に行ったのに、とぼくは恨めしく思った。

12

秋になっての最初の出来事は富士一家の渡欧だった。ヴァイオリンの腕を磨き(みが)にウィーンに行く彰子先生に、音楽史家の夫が付き添い、ついでに子供たちもチェロとピアノの先生につくためだそうだ。情報をもたらした晋助は、母の前で溜息(ためいき)を何度もついて、羨(うらや)ましがった。「いいなあ、ヨーロッパか。ぼくも行きたいけど、金がない、引きもない。フランス語がすこし出来るぐらいじゃ、誰も金なんか出してくれない」「オッコはどうしたらいいのかしら、せっかく、ヴァイオリンが上達してきたって言うのに……」「大丈夫、彰子先生が代りの先生を紹介して下さるはずだ。ぼくは、もうヴァイオリンをやめる」「まあ、惜しいじゃないの、あそこまでの腕前になったのに」「いや、所詮(しょせん)、シロウトのお遊びだ。それに来年は徴兵だ。皇軍の一兵卒に西洋の楽器はいらないよ」「あなたも、いよいよなのね」「そうですよ、時勢ですよ、年ですよ」「二等兵になるの」「もちろん」「敬助さんとは大変な差ね」「ああ、ぼくは兄貴の前に土下座しなくちゃならない」「今は軍人の世の中ね、うちの旦那(だんな)さまなんか」「叔父さんはあれでいいんですよ。丙種で眼病となれば絶対赤紙が来ない」「史郎もそう言うの。だけど、そういうのって、気が引けるのよ。防空演習も隣組の常会も、うちのお旦那さま、出ないでしょう。事情を知らない人は、非国民だっていう目で見るし、実際あれこれ言うし」「防空演習に隣組か、わずらわしいね。ぼくなんか出たことない。でも、何も言われないよ」「お宅は別よ、何しろ万里の長城とノモンハンの勇士、敬助大尉がいらっしゃいますからね。この節、軍人の家族には誰も何も言わないのよ」

央子は、彰子先生の友人の太田騏一先生につくことになった。彰子先生がオーストリア系の技法を修得していたのに、今度の先生はパリへ留学して、コンセルヴァトワールを卒業した人だった。問題なのは、太田先生が芝白金に住み、通うのに時間がかかることだった。しかし、央子を聖心に入れるつもりの母は、そうなれば学校の帰りに先生宅に寄れて、かえって便利だと言った。

千束が遠い外国に去ると聞いて、ぼくはすっかり気落ちした。世界地図で見るとウィーンは、ヨーロッパの中心部にあって、三年前の独墺合併以来ヒトラーのドイツ領である。日独伊三国同盟以来の友好国に行く点では何となく安心な気がしたが、途轍もなく遠い。満鉄とシベリア鉄道に十日間乗り続けて、大陸を横断せねばならぬ。千束の出発が間近になった九月末のある日、ぼくは思い切って抜弁天の富士家へ行って見た。高千穂学園の脇から坂道を自転車を押して登り、登り切った先は、西向天神の裏側へ下って行く。寺の築地塀に沿った緩かな坂の先、細い曲りくねった急坂に入ったところ、家々に備えられたコンクリート製の防火用水が道に張り出して、通り抜けが厄介だった。と、ブレーキのかけ間違いで転倒し、膝を擦り剝いてしまった。千束の家の前に来た。表札が無い。カーテンを取り去った窓から、からっぽの家の奥まで見通せる。もうとっくに引っ越したあとだ。迂闊にも、出発間際まで千束が家にいると思っていたのだ。庭へ回る木戸には鍵が掛っていなかった。どの部屋も雨戸が締っている。音楽室に使っていた中央の洋間の雨戸に隙間があったので覗いて見た。絨毯にピアノの跡が鮮明に刻印されていた。そこで千束が奏でた音楽が聞えてくるようで、ぼくはうっとりとした。ふと視線を感じた。斜面の下の家の物干台から婆さんが胡乱げにこちらを睨んでいた。泥棒と間違われぬよう、婆さんを平気なふうに見返してから、ゆっくりと庭を抜け出た。坂をスピードを出して下り、西向天神まできて、やっと落ち着いた。御手洗で膝の傷を洗ってから、石段に腰掛けて、新宿のビルが夕日に赤く、立体化して輝くのを見た。まきちゃんは死んだ。千束は去って行った。そして、来年ぼくは中学生だ。幼稚園から小学校へと連続してきた時間が、今、断ち切られようとしている。胸を痛める悲しい思いで、じわじわと赤から黒へ変色していくビルの壁を眺めていた。

たしかその頃だ。夜、『世界文学全集』の『神曲』を開いてみた。この全集の、小説のほうは何とか読めたのだが、詩のほうは、文語文が難しくて敬遠していたのだ。それをあえて、手に取ってみたくなったのは、〝地獄〟という怖気をふるうような文字が、自分の気持に何か通う気がしたからである。生田長江訳は、つぎのように始まっていた。

七十の人の命の中程にして、正しき道を失へりし我は、とある小暗き森の中に我自らを見出でき。

嗚呼、埒もなく生ひ茂りて、荒れにあれたるこの森のありさまを述ぶることの、いかに易からぬ業なるかな。
ただ想ひ出づるさへ我が恐れをあらたにし、死の苦しみにも劣らぬほどの苦しみなり。

子供のぼくが、どの程度までこういう文章を理解しえたか心許ない。が、理解は不充分でも心に響くものはあったのだろう、たどたどしく行を追い、一日に一歌ぐらいの速度で読み進み、ダンテとともに〝小暗い森〟を遍歴していったのだ。勉強机の上に、いつも『神曲』が置いてあり、栞の位置がすこしずつ移動するものだから、母は疑わしげに、またちょっとからかい気味に、「お前、ほんとうにこの難しい本を読んでいるのかい」と言い、母にそう言われるたんび、ぼくはまた向きになって本を開くのだった。

地獄の門を過ぎると逆落しに暗い道は下っていき、亡者の群は船頭カロンの渡し舟でアケロン河を渡る。

我が来りし処には如何なる光も黙し、あらしの時逆らふ風と戦へる、かの海の如くにも咆ゆるものを聞くのみなり。

ぼくは受験勉強のため、母の言いつけで独り二階の応接間に籠っていた。秋は深く、虫の鳴き声が繁かった。大都会は果しもない森のように暗く奥深くひろがり、さまざまな物音を送ってきた。汽笛、サイレン、鐘、電車、叫び、そして得体の知れぬ唸り、呻き、響き。そうして息衝き、活動し、眠りこむ大都会にとって、ぼくのような子供は何と小さく、無に等しかったろう。たとえ、今、ぼくが死んでも、大都会には何の変化も影響も与えないのだ。人が死んでも、この世に何の変化も現れないとは、何と侘しい事実だろう。菊江祖母、洋服屋の子の柳川、まきちゃん、この人たちが死んでも、この世は平気だった。そして、この人たちなど最初からいなかったかのように人々は生き続けている。現に、ぼくは、もう彼らの死をそう悲しがっていない。忘れさえしている……。

ある朝、死んだ菊江祖母の夢を見た。祖母と風呂に入っている。三田の五右衛門風呂だ。祖母は、湯に漂わせた長い乳房の前に、餅のようにふっくらとした両手を組み、指のあいだから噴水を出して見せ、ぼくが喜ぶと、今度は両手の水鉄砲で高く水を吹きあげて天井を濡らした。ぼくは幼い子のままで、立ってどうにか湯の上に顔を出していたが、不意に祖母が「悠ちゃんも大きくなったねえ」と言うと、急に背丈が伸びて、大きくなった分だけ祖母は小さくなってしまった。すると、祖母は淋しげな表情になり、俯いた。湯が冷たくなるとともに祖母も冷たくなり、段々に淡くなって消えた。目を覚ますと、蒲団から片脚を出して、寒さに震えていた。「死んだおばあちゃまの夢を見たよ」と告げると、「まあ気味が悪い」と母は顔をしかめた。「何だかねえ、淋しそうだったの」「何かの悪い前兆かねえ」と母は嘆息した。「三田もすっかり様変りだもんねえ」

上野平吉が事務長になってから、時田病院の人事に大分変化があった。まず、奥向きの女中頭だった鶴丸が引退した。ぼくは年をとったせいかと思っていたら、母は、「おいとさんと衝突したんだよ。元々、あの二人は仲が悪かったからねえ」と言った。奥には新しく雇われた若い女中が入った。今年の春になって、大工の岡田爺さんが急死した。何でも高い所で柱に釘を打っているうち、突然、梯子から落ちて死んだそうだ。お久米さんに言わせると、「酒を飲んで、ぐでんぐでんで、仕事などしたから天罰よ」となるのだが、いと祖母は、「中風の発作をおこしたのよ、かわいそうねえ」と弁護していた。岡田の代りに、新田から五郎が来て、院内の細々とした改築に当るようになった。傴僂の五郎が、小さな体を敏捷に動かして出没する様子は、岡田爺さんが、のんびりと院内を歩き回るのと違って、何だかせせこましかった。相変らず無口で、「ウン」とか「アア」と言うだけだったが、仕事振りを見物していてもうるさがらず、模型飛行機の材料によさそうな角材やトタン板を気前よくくれるので、ぼくは大いに徳としていた。末広婦長は病気がちだった。いつのころからか婦長はすっかり肥ってしまい、そっくりかえって歩くと見えるほどにも乳房が突き出していた。血圧が高く、回診中などに、ふらふらと倒れるので、しょっちゅう、薬局に降圧剤をもらいに来ていた。体が重いため動作が鈍く、のっしのっしと歩くさまは、お久米さんの毒舌の恰好の標的となった。「あの人はね、昔は几帳面で清潔好きの人でね、看護婦の勤務割当てだって病棟の掃除だって、きちんとやったものだよ。そういう人に限って、病気になると正反対になるんだねえ。夜勤の看護婦に穴ができたり、緊急手術の助手が行方不明だったり、近頃は乱脈そのものなんだからね。院内の掃除がいい加減になったことも、ひどいね。このあいだなんか手術室に紙屑が捨ててあったんだよ」こういう〝有為転変〟をもっとも敏感に受け止めているのは利平院長だったろう。祖父は、前よりも一層癇癪持ちになり、外来の待合室に筒抜けの大音声で看護婦を怒鳴りつけたり、発明研究室のなかでせっかく仕上げた素焼の製品を粉微塵に叩きこわしたり、絶えずいらいらしていた。と言っても、ぼくたち孫にはやさしい、おじいちゃまであって、外へ連れ出して御馳走してくれたり、孫の誕生日を覚えていてプレゼントをくれたりしていた。さすが、上の三人はもう遊園地へ連れていかれなかったが、かわりに央子がその恩恵に浴した。祖父は、初の女孫がかわいくてならぬらしく、央子も祖父にたくみに甘えるすべを身につけていた。

　ある夕方、学校から帰ってみると、家には誰もいなかった。放課後の補習でおそくなったため、弟たちは外へ遊びに行き、母は央子を白金の先生へ連れていき、ときやはお使いに出掛けた、まあそう言った訳だったらしい。勝手口の石の下から鍵を出して家の中に入った。二階で勉強していると木戸の閂を押して誰かが庭に入ってきた。ときやが帰ったにしてはおかしいと窓の隙間から覗くと、背広の男が歩いている。八の字の口髭に眼鏡で、押し出しのよい四十前後の紳士だが、見知らぬ人だ。びっくりして、息を殺し、相手の動静を窺った。泥棒かも知れぬと思った。しかし、男は家の中に侵入する気配もなく、後手を組んで庭を歩き回っている。楕円形にゆっくりと巡るのだ。二回、三回……その目的が全く摑めない。男の顔をもうすこしよく見ようと窓を細開きにしたとき、男が振り向いたものだから、ぼくは見付かってしまった。男は、「やあ」と右手の掌をヒトラーがやるように返して、「こんにちは」と言った。仕方がない。窓をがらっと明け放ち、「そこで何をしてるんです」と上から、こわごわ訊ねた。「庭を拝見してるんですよ。よい庭です。この鉢植は菊ですね。もうすぐ開きますよ……」「ちょっと」ぼくは、何とか言葉に迫力を持たせようと、力を込めたが、かえってかすれ声になった。「ここは、ぼくんちですよ」「わかってます」男はおかしそうに笑った。「ぼくがいるからね」「だって、ぼくんちに無断で入るなんて……」「けしからん。すみません。失礼しました」男は木戸から出て行こうとした。そのとき、門が開いた。ときやかと思ったら、白衣の看護婦だった。三人もいる。男は突如身をひるがえし、素早く家の裏に隠れた。年輩の看護婦がぼくを認めた。「坊やちゃん、男の人、来なかった」ぼくは事情を察した。大通りの坂上に精神病院がある。ときたま患者が逃げ出して看護婦たちが血相変えて追い掛けている。今の男もそうらしい。しかし、気違いにはまるで見えなかった。物柔かで礼儀正しい人当りだった。「さあ……来なかったよ」とぼくは答えた。〝坊やちゃん〟なんて呼び方も、他人の家に来ていきなり物を尋ねる態度も気に入らなかった。「おかしいね。たしかにここら辺りに入るのを見たんだものね」「どっかへ隠れたんじゃないですか」「捜してみようか」「ねえ、坊やちゃん」と年輩の看護婦がまた言った。「お家の庭に入っていい。わたしたちね、篠田病院の看護婦よ。患者が逃げたの。気が変な人だから、どっかに隠れてて、お宅に迷惑をかけると大変」あの男が何か狂暴な行為を働くという恐怖がぼくの胸をよぎった。考えてるうち、看護婦は木戸を開けて庭に侵入してきた。央子の三輪車にスカートを引っ掛けて倒し、舌打ちした。不意にぼくは決心した——断然怒るべきだと。「来なかったと言ってるのにさ、どうして捜すのさ」「あら、ごめんなさい」と年輩のが言う間に、若いのが庭の奥にずかずか歩み入った。ぼくは歯を剝き出して叫んだ。「入ってくるなよ。ぼくんちだぞ」看護婦たちはひるんで、顔を見合せ、相談した。それから挨拶もせずに出て行った。しばらくして、家を一周した男がお勝手のほうから出てき、ぼくに向って真面目くさった顔で最敬礼した。「どうもありがとうございました。ぼくは狂ってないのに入院させられてるんです。では、さようなら」男は門の所で用心深く外を偵察したすえ、ひょいと去った。ところで、この男の件を母には内緒にした。死人の夢を見たと報告しただけで、悪い前兆ではないかと気をもむくらいだから、気違いが訪れてきたなどと知ったら、この世の破滅だと大袈裟に悲観するだろうと思った。

十月半ばのある夕刻、祖父からの電話で、史郎叔父に召集令状が来たと知らされた。五日後の午前八時までに原隊である陸軍立川飛行隊に入隊せよという命令だそうだ。夜、ぼくは父と史郎叔父の所に行ってみた。叔父はすでに坊主頭になっていて、「とうとう来やがったよ。まあ、しゃあねえ」と快活だが、薫叔母は、すっかり気落ちしていた。三日後の日曜日の夕方、三田で別宴が開かれた。陸軍少尉の軍服を着た叔父は、大急ぎで買い集めた、ピストルや双眼鏡や軍刀や将校行李を得意げに、みんなに披露した。敬助大尉に対して、酔った叔父はおどけて敬礼してみせたが、敬助から、「そんな敬礼のやり方では、物の役に立ちませんな」と言われ、何度も敬礼のやり直しをさせられた。父は、この時局に病気になるのは、召集に対して免疫があるようなものだという史郎叔父の、すでに何回となく繰り返された冗談に対して、「いや、このごろ、つくづく、そう思うよ」と真顔で応えた。史郎叔父に召集令状が来た当日、近衛内閣が総辞職し、さらにその翌々日、東条陸軍大将が新内閣を発足させていた。何だか、時代が、ぐいぐいと動き始めた気配があった。

十月二十一日（その日付を覚えている）の払暁、史郎叔父宅に親戚一同が集った。完全軍装に赤襷を掛けた叔父をみんなで取り囲みながら、ぞろぞろと新宿駅へ向った。風間の大叔父が幟に「祝出征時田史郎君」と書いて若い社員に持たせていたが、あとの人たちは紙の日の丸を持つだけの地味な集団だった。それでも史郎叔父は照れて、人の輪のまん中に潜り込むようにして歩いていた。薫叔母は最後尾に付いていて元気がなかった。泣き腫らした目が、莫迦に出っ張って見えた。

駅には古河電工の社員が二百人ほど来ていて、こちらは大小の幟を沢山押し出し、万歳の唱和も繰り返され、派手な出征風景となった。史郎叔父は器械体操で鍛えた筋肉質の体に軍服がよく似合い、度胸がすわったのか、みんなの歓呼に歯切れのよい口調で応答し、敬助直伝の挙手の礼を恰好よくやってのけた。祖父は、軍医少監の軍服を着て、胸の金鵄勲章をキラめかしながら、電車に乗り込む息子と握手をし、「帝国軍人として恥じない働きをしてこい」と四周に轟く大声を発した。発車のベルが鳴ったとき、母が「あら、薫さん、どこにいらっしゃるの」と気が付いた。薫叔母は、社員の大集団に押し除けられた形で、柱の陰に立っていた。母が、あわてて呼びに行ったとき、もう電車は滑り出していた。あとで母は、いかにも歯痒そうに言った。「あの薫さんて、どういう人だろうねえ。夫婦が今生の別れになるかも知れないと言うのに、みんなの後側にいて、とうとう一言もお別れを言わない。遠慮深いのか、情が薄いのか、わたしにゃ、到底できない芸当だね」

突如として新しく戦争が始まったと聞いたのは、学校に行ってからだった。教室では、松山哲雄を中心に数人が騒いでいた。松山は朝七時の臨時ニュースで知り、さらに父の松山聯隊長から、皇軍はこの日のために万全の準備をしてきたのだと教えられていた。「大変だな。アメリカもイギリスも大国だからな」と香取栄太郎が言うと、松山は、「絶対大丈夫さ。日本は電撃作戦でやるからな」と事情通らしい自信ある口振りだった。もっとも彼も、どういう種類の電撃作戦かはわからなかった。

晴れて寒い日であった。朝礼で整列していると半ズボンの下の裸の両脚が芯まで凍りつき、繃帯を巻いた両手の凍傷が痛んだ。級長の松山哲雄が掲揚した日の丸は勢いよくはためいた。鈴林校長が大戦争が開始された、みんなも大君のおんために力一杯勉強せねばならぬと訓示した。しかし、戦争の内容については、何も言及がなく、生徒たちはがっかりした。昼休みに、また全校生徒が集められ、校長が登壇した。「アメリカとイギリスに対して宣戦の大詔が発せられました。これは正式に両国に対してセンセンフコクしたという意味です。今までのような事変ではない。戦争です」校長は、いつもの悠揚とした態度ではなく、うわずった早口で、語尾を震わし、声をかすれさせた。午後の授業を休み、全校生徒は、戦勝を祈願するため明治神宮に参拝する、と言い渡された。徒歩一時間の行程だった。新宿の商店街は例外なく日の丸を掲げ、号外売りの鈴が人を寄せていた。明治神宮の参道に来ると、どこから現れたかと目を見張る人波だった。ぼくらのような国民学校生徒もいれば、中学生も大学生もいる。白線帽にマントをひるがえす高校生、水兵、兵隊、紋服袴の壮士、旧式の軍服を着た在郷軍人、モンペの主婦たち、まあ、帝都の住民すべてが、我も我もと繰り出してきたようだった。拝殿前は、押すな押すなの活況で、カシワデが機関銃のように響き、お守り札やお御籤に人が殺到していた。空前の大事出来に、大人たちは興奮していた。身動きもできぬ雑踏のなかで、地団駄を踏み、拳を振りあげ、今にも破裂しそうに力んでいた。「すごいすなあ」と大沢勇が栗のように円い顔を振り立てた。「すくすも、すすめないす」「オススパクパク」と誰かがからかった。「はやく、しんでしまえばいいす」と大沢が応じ、笑いが起った。すると麦島先生の叱責が飛んだ。「こらあ、陸に海に兵隊さんが大戦争をしておられる大事な日に笑うのは誰だ」参拝が終るとぼくらは参道の脇道へ出て、やっと息をついた。麦島先生が、どこからか情報を集めてきて触れ回った。「陸軍はシンガポールを爆撃、海軍はダバオ、ウエーク、グアムの爆撃だ。敵の損害はジンダイだ。すごいことになったぞ。みんなも、陛下のおんために戦う、立派な兵隊になるんだぞ。きょう、この日の感激を、一生忘れんようにせい。どうした、返事がないのか」「ハアーイー」と生徒たちは叫んだ。

　帰宅したとき、常には不機嫌に黙りこくっている父が、玄関に手をつく母に、いきなり声を掛けた。「大変な一日だったな。あれは、八時二十分頃だ。市電が飯田橋に来たとき、乗りこんできた客が、今買ってきた号外をひらひらさせて、大声で言った。『みなさん、戦争が始まりましたよ。大本営陸海軍部午前六時発表。帝国陸海軍は本八日未明西太平洋においてアメリカ、イギリス軍と戦闘状態に入れり』すると、おうっとどよめきが起り、坐っていた乗客まで総立ちになって、電車がぐらぐら揺れた。みんな寝耳に水だったんだな。大体、朝のラジオを聴く人なんかいないもんな。会社でも、みんなそわそわして午前中は仕事にならん。正午を待ちかねるようにして、社員が続々外へ、宮城前へと押し出した。宮城外苑は、ものすごい人出だった。近所一帯の会社員が、みんな出てきちまったんだね。土下座して動かない人たちが前の方に詰めていて、到底二重橋前には行き着けない。士官学校の一隊が整然と最敬礼をする。かと思うと若い娘が玉砂利をつかんで涙を流している。聖寿の万歳、米英撃滅の雄叫び、どこかで軍楽隊が『軍艦行進曲』を奏している。……ところで、株が高騰したぞ。とくに南方株が一斉高で、おれは大儲けだ。前からマレーゴムや日産農林なんかの南方株を買っとけ、と忠告しといてやったのに、耳をかさなかった連中は顔色なしさ。満鉄もあがった。まだどんどんあがるさ……」父はとめどもなく喋りまくっていた。

警視庁の告示で、その夜から灯火管制となった。母とときやが黒布を笠にたらし、部屋の窓を黒いカーテンで覆った。ぼくは何度も外に出て、灯火洩れが無いかどうかを確かめた。望遠鏡を持って物干台にあがってみた。きのうまでの夜景が嘘のように街は暗かった。その代りを勤めるように明るい月が東に顔を出していた。月齢十九、寝待ちの月である。望遠鏡を向けて、クレーターや海を分析した。満月のときよりも明暗の境い目が立体化して、構造がよく見分けられた。親の地球は今や修羅の巷だが、子の衛星は、いつもと変らぬ静寂を保って美しかった。灯火管制のおかげで、ぼくの天体観測は、これから好条件のもとで行なわれることになった。受験勉強の合間に、本当に頻繁に、ぼくは物干台にあがったものだ。

続けさまに大戦果の報道があった。今度の戦争を大東亜戦争と呼ぶことも定められた。さっそく、父は〝大東亜共栄圏図〟を子供部屋の壁に貼り、戦果のあった場所に日の丸のピンを立てるのを日課とした。このところ、大陸戦線の日の丸はまるで動きを停止していたので、南方各地にひろがった日の丸の林立はにわかに花が咲いたようだった。暮に香港の英軍が降服したとき、父は、「東亜侵略百年の夢空し、か」とつぶやいて一段大きな日の丸を立てた。元旦の新聞に載った〝海鷲〟撮影の真珠湾奇襲の組写真を、父はまた丁寧に切り抜いて、スクラップブックに貼った。戦争中、ずっと、父はこの種の切り抜きを熱心に続けたものだ。

元旦の夜、美津伯母の招待で、一家は脇家におもむいた。あまり人を呼ばない伯母の招きとあって、母は、「どういう風の吹きまわしかしらんねえ。気味が悪いね」と言っていたけれども、行ってみると事情が判明した。昨年秋に陸軍大学を卒業した敬助大尉が、今度南方軍参謀となって出征し、加えて晋助が徴兵で麻布第三聯隊に入営するのだった。敬助の幼年学校や陸士時代の友人が十人ばかり、いずれも軍服姿で快気炎をあげていたのに、晋助は友人もいなくて、今年二等兵として入営する自分を憐むように、ひっそりと盃を重ねていた。父は、戦局の行方について、敬助大尉にいろいろと説明と予想を求めた。「まず、春までに、フィリピン、蘭印、馬来半島は完全に制圧できるでしょうな。すでにフランスの植民地はわが勢力下です。アメリカ、オランダ、イギリスの植民地も崩壊しつつある。白人種の東亜侵略の息の根を止めるんです。そしてつぎの目標はインドだ。インドの解放、それこそ世紀の偉業となるでしょう」「支那はどうなるだろう」「ＡＢＣＤ包囲陣あってのＣです。ＡＢＤが無くなれば、重慶は自滅でしょう」「そうだな」父は我意を得たと言うように大きく頷(うなず)いた。

　途中で晋助は、ふと用事を思い出したように、二階の自室にあがった。母と子供たちがついて行った。いや、そうではなく、母が晋助をうながして二階に逃避させたのかも知れない。すると、晋助は一変して陽気になり、母と話し込んだ。「いやあ、戦争のことはわからない」「そんなこと言っていいの、あなた、兵隊になるんでしょう」「兵隊は何も知らないものなんだ。何も知らないほうが楽でいい。どうせ殺される以上、知らないうち殺されたほうが楽だ」「殺されるなんて……あなた、生きていなくちゃ。生きて帰ると言ってちょうだい」「いっさい誓うな。天を指して誓うな。ぼくが言えるのは、生きて帰ると軽々に言えないということだ。今度の徴兵は、単なる現役入隊じゃない。徴兵召集というやつだ。いずれは戦場に狩り出される。お袋は名誉の出征だと思って、今日だって祝宴を張ってくれたんだろうが、ぼくにとっちゃ、葬送の宴なのさ」「不吉なこと言わないでよ。わたし悲しくなっちゃうわ」母は目頭を押さえた。晋助は、母の涙を呆気(あっけ)に取られたように見ていたが、「叔母さん、泣かないでよ。ぼくだって死にたくはない——日本語の表現はおかしいね。死ぬというのは自動詞だものね。フランス語的発想でいこう。受身形で言う。ぼくは殺されたくはない。沢山やり残したことがある」と言い、麻紐(あさひも)で束ねた原稿やノート類に思い入れした。「そうそう」と晋助はぼくに言った。「入営記念に何か本をあげよう。岩波文庫はまだむつかしすぎるかなあ」母が傍(そば)から言った。「この子ったらね、大人の本をもう読んでるのよ。『世界文学全集』なんかを、すこしは読んでるらしい。このごろは『神曲』。あんなのわかるのかしらんねえ」「『恋は我等を導きて共に死なしめき』か」「それなあに」「パウロとフランチェスカ。ねえ、悠ちゃん、今、どのあたり読んでるの」「自殺者の森。あそこ恐いよ。自殺した人が変な木になっちゃうんだ。葉っぱが黒くて、刺だらけの枝で、折ると血が出てきて、木が喋るんだ」「ああ、読んでるんだね」母が気遣わしげに言った。「子供が読んで大丈夫なのかしらんねえ。この子、本の読み過ぎ。受験まぎわだってのに、余計なもの読んで、頭が変になるわよ。この前も、気味の悪い夢を見たの。死んだ母が出てきて、お風呂に入れてくれたんですって」「死んだ人の夢は縁起がいいんだよ。死者の復活」「逆よ。死者が生きてる人間を引きずりこむ」「やめよう、この話。悠ちゃん、これあげよう。でも、受験が終ってから読むんだよ」と晋助が渡してくれたのは、『ブッデンブロオク一家』の三冊本だった。それは、その後ぼくの愛読書となり、何度も読み返したため手垢にまみれ表紙がとれ、ページがまくれてしまっている。読むたびにぼくの興味は、さまざまに変化したが、最初読んだときは、子供心にハンノ少年に感情移入したのだ。病身のハンノの学校生活と死は、ぼくの涙を誘ってやまなかった。「おにいちゃん」と駿次が呼びに来た。ぼくは下の部屋に行き、弟や妹と、双六をした。帰り道、母は、晋助の原稿やノートの風呂敷包を大事そうにかかえ、ぼくには晋助のヴァイオリンを持たした。父が、「そいつはどうしたんだ」と尋ねた。母は、「晋助さんがオッコにあげるっておっしゃったの。自分は軍隊にいてもう弾く機会なんかないからって。どうせ安物ですわよ」「フウン」父は何も言わなかった。家に帰ると母は、父に聞えぬ所で、ぼくに呟いた。「このヴァイオリンはドイツ製でちょっとしたものなのよ。助かるわ。

どうせオッコも今に必要になるんですものねえ。ところで、きょうは大変な御馳走だったわね。あの締り屋のおねえさまが、あんなに奮発なさるなんて、未曾有のことね。やっぱり、おさびしいんだねえ。息子さん二人が去っていくんだもの」〝肇国以来未曾有の大戦争〟と喧伝されて以来、〝未曾有〟は流行り言葉となっていた。「晋ちゃん、死んじゃうのかな」「莫迦なことを言うんじゃないよ」母はひっぱたくように叱りつけ、その口調をやわらげるように、「男の人はかわいそうだねえ。みんな兵隊にとられる。晋助さんみたいに、およそ兵隊に向かない人を、消耗品みたいに使うんだからねえ」と言い、大息をついた。

　正月二日には恒例の三田の新年宴会に行った。去年は何だかみみっちい集りだったが、今年は、がらりと趣向が変って、〝花壇〟に溢れるほど大勢の招待客を呼び、酒は薦被りを積み重ねて飲み放題、料理も気張って一人一人に尾頭付きの鯛がついたうえ、利平院長が向う鉢巻に印半天でフグの刺身を作った。下関から特急便で送らせたものを、特殊な庖丁ですっすと〝引く〟のだった。素早い指の動きで、薄い魚肉が大皿に菊の花弁のように並んでいった。客から感嘆の声があがった。「そんなに早くして、よく指を切りませんな」「下拵えも先生がなさったのですか。フグは毒を避けにゃならんので大変ですな。いや、驚きました。先生はフグ料理屋を開店できます」祖父は破顔一笑し、「実は本人もそう思うちょるんで。なにせ先祖代々の漁師じゃから、外科手術よりも魚料理のほうが血筋として優れちょるようで」客が笑い、祖父は上機嫌だった。刺身ができあがると、上野平吉事務長がポマード頭をテカテカ光らせて立った。「新年おめでとう存じます。肇国以来未曾有の大戦争の大勝利を祝しまして、きょうは特別奮発で料理をととのえました。陸に海に空に、無敵皇軍は、ハワイに、比島に、マレーに、つぎつぎと大戦果をあげ、米英膺懲の正義の剣を振っております。当時田病院は、かねてより、胃潰瘍の洗滌療法、結核の紫外線療法で御国に仇する病魔と闘っておりますうえ、時田院長発明の虫刺されの特効薬、カンペーキにカンプコウ、汚水濾過器真水ちゃんを皇軍兵士のお役に立たせてまいりました。ところで、今般南方軍が熱帯性の昆虫やジャングルの汚水に悩まされたところから、右の三発明品について軍の特需あり、本院も御国のためにと工場を急遽拡張、二十四時体制にて——むろん、こんにちただいまも、フル操業中でして——増産に励んでいるわけでございます。それに加えて、こんにちは、最近時田院長が発明いたしました新製品、〝マッチちゃん〟を御披露いたします」上野平吉は、真四角な鏡をかざして見せた。客席にも一枚ずつ同じものが置かれてあり、ぼくは何だろうと思っていたのだ。それは十センチ四方、厚さ一センチほどの銀メッキをした鉄製の鏡で、片側が平面鏡、片側が凹面鏡になっていた。平面鏡は通常の鏡として用いられるが凹面鏡は太陽の光を集光して発火させられる。上野平吉は、丁度窓から射し込んでいた日光を鏡で反射させ、手に持つ黒い紙に当てた。煙が出、やがてポッと火がつき、客たちが拍手した。

「この通り、このマッチちゃんは、マッチ替りに用いられるのでありまして、南方戦線は河を渡る頻度が大なるため、往々マッチは濡れて役に立たないのでありますが、これさえあれば、もう大丈夫であります。さらに、今次の大動員においては、老眼の中年者にまで召集令が掛りましたが、このマッチちゃんは眼鏡替りの拡大鏡としても用いられます。さらに、さらに、これは勇猛なる皇軍の兵隊さんには全く必要ないのかも知れませんが、このマッチちゃんを左側胸ポケット――軍服では物入れと申します――に入れておけば立派な弾除（たまよ）けになります。事実、これを用いて、多くの方々が命拾いをなさり、感謝のお手紙を院長に下さっておられます。以上お耳をけがしました」要するに新年宴会はマッチちゃんの披露宣伝を兼ねていたわけで、客に陸海の軍人、それも少佐中佐といった中堅クラスが多いのも頷けた。上野平吉は、そういう上客の間を順ぐりに回って酒を注ぎ、ペコペコと頭を下げて愛想笑いを向けていた。

母が席を立った気配でぼくは察した、これから永山光蔵鉱物博物館の夏江叔母を訪ねることを。「ぼくも行く」と追い掛けると、母はすこしの間困惑の表情でいたが、「いいわ、そっとついてらっしゃい」と言った。祖父が央子を、いと祖母が弟たちをかまっている隙（すき）に、ぼくは座を抜け出した。道々母は沈み切った顔付きで黙々としていたが、お台場が見え、人通りが絶えた海沿いの道に来ると、声をひそめて話し掛けてきた。「悠太、これから言うことは誰にも言っちゃいけないよ。実はね、透叔父さんが警察につかまったんだよ。別に何も悪いことはしてないんだけど、透叔父さんの知合いのある神父さん、アメリカ人なんだけど、その方がスパイの疑いでつかまってね、それで叔父さんまで疑われたってわけ。そのために、夏江叔母さんも監視されていて、なかなか会いに行けないの。きょうは、お正月だから年始という口実があるし、子連れの訪問なら自然だしね。でも、誰かに何か聞かれても、透叔父さんのことは何も知らないと答えるんだよ」「誰かって……」「お巡（まわ）りさんとか憲兵さ」この前電車の中で中折帽の男にあれこれ質問されたときの恐怖がよみがえった。「でもさ、嘘言うとつかまらないかな」「いいえ、本当を言うとつかまるの。だから、もし途中で尋問されたら大変と思って、言っておくのよ。たとえばさ、透叔父さんは、不断、戦争は悲惨だとか、三国同盟は駄目だとか、今の日本の悪口を言うでしょう。ああ言うことはね、内々ならいいんだけど、お巡りさんだの憲兵に聞かれると大変なのよ。もう悠太は大きいからわかるでしょう」「うん……」「何だか怖い世の中になってるのよ。ついでに言うけど、晋助さんが、不断、いろいろ言ってる皮肉や冗談なんかも、外に洩らすと誤解されちゃうのよ。気をつけてね」「はい」ぼくは深く合点をした。火遊びすれば火薬庫に放火するスパイだと疑われ、天ちゃんと言えば非国民として先生に張り手をくらう、そういう経験を持つぼくには、母の注意が身に沁みた。鉱物博物館の付近は軒並み人気のない倉庫だ。そのどこかに誰かが隠れてこちらを監視している、夏江叔母を訪問する人間を見張っている、丁度麦島先生が茂みに隠れて奉安殿への最敬礼をさぼる生徒を見張っていたように……ぼくは緊張のあまり小用をもよおした。が、立ち止るのが怖くて、母に寄り添って先を急ぎ、結局、誰にも会わずに博物館に行き着いた。

　夏江叔母は独りでいた。一目でひどく憔悴した顔だとわかった。ぼくに、「新年おめでとう」と言ったのが弱々しげで、いつもの優しい微笑には、無理に作った強張りが加わっていた。母は、「あなた、お正月の用意したの」と尋ねた。叔母が頭を振ると、持ってきた風呂敷包を開き、重箱の御節を取り出した。叔母と母に内密な話があるだろうと気をきかして、ぼくは鉱物標本を見てくると言い置いて、遠ざかった。火の気のない館内は冷え切って、掃除もしてないのか、埃にスリッパの跡がついた。去年は、各部屋にストーブが焚かれ、リノリウムの床が光っていたのに……。応接間に戻ってみると、母と叔母は料理をつっつきながら盛んに話していた。達磨ストーブに石炭が燃えて暖い。叔母の顔に生気がよみがえり、微笑も丸くなっていた。

正月二日にマニラを占領した皇軍は、二月十五日にシンガポールを陥落させた。目を悪くしてから父は、朝食のとき母に新聞を読ませるので、それでぼくはニュースを知るのだった。「死闘猛攻七日間、全世界の環視をこの一点に凝集したシ島攻防戦は、わが皇軍の完全勝利におわり、日章旗は南国の抜けるような青空高く燦としてひるがえり」「大東亜戦争の大局はこれで決し、帝国は十年、百年を戦い抜く不敗の態勢をとりうるにいたった」母は、抑揚をつけて新聞を読むのが上手で、ぼくらは落語か講談でも聞くように耳を傾けた。灯火管制下のため紀元二千六百年のときのような提灯行列は禁止されたが、旗行列はさかんにおこなわれ、大通りを、歓声をあげ、軍楽を奏する行列がひっきりなしに通った。学校、隣組、警防団、在郷軍人会、大日本婦人会とさまざまな集団の旗行列であった。しかし、夕暮になると、急に静まり返った。車も群衆も跡絶えて、寒空の下に下駄の音が冴えた。三月初めジャワ島に皇軍が上陸し、蘭印戦が始まったころ、ぼくは府立第六中学校に合格の通知をもらった。同じ中学には、香取栄太郎ほか三人が合格、四中には松山哲雄と中村秀一の二人が合格であった。

国民学校の卒業式は三月二十五日。冷い北風の吹く日で、冬がぶり返したよう、日が翳ると寒さが肌に沁みた。式の開始を待つあいだ、校庭で数人が固まった。ふと、こうしてここに来るのも最後だと思った。校舎、砂場、肋木、鉄棒、雲梯、プール、そして白線で区切られたアスファルトのひろがりに視線を移していくに従って、そこで過した時間が懐かしく浮びあがった。「十年後には、みんなどうなってるかな」と中村秀一が言った。「さあ……」と一同は首を傾げた。前からこの日の来るのはわかっていたのに、それは突然来て、未来をざっくり切り離すように思えた。

卒業生代表は松山哲雄で、壇上でみんなの卒業証書を受け取った。優等賞は彼と中村秀一、あと三人ほどに授与された。香取栄太郎は精勤賞を受けた。ぼくは何ももらえなかった。後ろの父兄席にいる母が残念がっているのが目に見えるようだった。「優等賞ももらえず終いか。六年間、級長にもなれなかったねえ。悠太は、ちゃんと勉強すれば出来るのに、気が散り過ぎたんだよ。教科書以外に小説なんか読み過ぎたねえ。天体観測にも模型飛行機にも、凝り過ぎたわねえ。まあでも、中学に入れたんだからいいわよ。今度は中学で頑張ってね」事実、家に帰ったとたん、母は、ほぼ思った通りの愚痴と小言と激励をぼくに言った。

父と母とどちらが計画したのか知らないが、卒業記念に母はぼくを旅行に連れて行ってくれた。同行は、香取栄太郎とおかあさんだった。京都経由で伊勢の山田へ行き、伊勢皇大神宮に詣で、二見に一泊、夫婦岩の日の出を見た。六年生になると秋の京都奈良への修学旅行が恒例で、そのための積立てもして楽しみにしていたのが、時局柄物見遊山は自粛しようという雰囲気で中止になったため、この伊勢行きはぼくにとって六年間に唯一の大旅行だったから、旅の印象は深かったろうに、今思い出せるのは、伊勢神宮の五十鈴川で白装束で禊していた人々の異様に真剣な姿と、二見の宿で深夜まで聞えた物悲しい波の音ぐらいのものである。早朝、夫婦岩の前で日の出を待っていたはずで、ついこのあいだ同級会で会った香取栄太郎もその光景を懐かしがっていたが、ぼくはさっぱり記憶していない。思うに、旅を終えて帰宅したとき起きた出来事が、あまりに不可解で強烈であったため、その記憶に旅の記憶が吹き飛ばされてしまったらしいのだ。

　家に帰り着いたのは夜の十一時過ぎだった。眼病を患ってから父は早寝の習慣だったし、むろん弟や妹やときやは就寝中と思い、母とぼくは足音を忍ばせて門をくぐった。茶の間と座敷のカーテンから明りが洩れていて、母は、「おや、おとうさん、まだ起きてらっしゃるのかしら」と不審がった。勝手口の鍵をあけて、ぼくが台所に入ったとき、「誰だ」と大声で咎められた。意外にも祖父の声だった。「ぼく」と言うと、「悠坊か」と祖父が言った。いと祖母が出てきて、「おや、お帰りなさい」とぼくと母に言った。直後、祖父の、前にも増した、本当に破れ鐘のような大声が、「初江、ここに来い」と言った。瞬間、母はおびえたように身をすくませ、「何でしょうね」と弱々しく呟いた。いと祖母が、ぼくにあわてて言った。「悠太ちゃん、今晩はね、二階で寝なさい。みんな二階で寝てるからね」「どうして」「ちょっとね、下で用事があるんだよ」「おとうさんにお土産があるんだよ」「あすにしなさい」ぼくは追いたてられるように、歯を磨き小用をすますと二階にあがった。広間で弟と妹が、応接間のソファに驚いたことにときやが寝ていた。ぼくは駿次の隣にもぐりこんだが何だか寝付かれない。こんな時刻に祖父母が来たのはなぜか。父の病気が再発したのか。耳を澄ましてみたが、下では物音一つしない。下に人がいると話し声がくぐもって伝わってくるものだが、死んだように静かだ。様子を見に行こうかと思ったが、ぐっと強い力で押さえ付けられたように体が動かない。誰かがそっと階段を登ってきた。「悠太ちゃん」と呼んだのはいと祖母だった。何かがひらめいてぼくは寝た振りを決めた。「悠太ちゃん」と三度呼ぶと、足音は、ゆっくり降りていった。

その直後、突如、重い物を投げるような震動が伝わってきた。ズシン、ズシンと箪笥（たんす）でも倒したような鈍い音がした。祖父が動物の吠（ほ）えるようなどら声を張り上げた。それとともに、母が、「ごめんなさい、ごめんなさい」と引き裂かれたように泣き叫んだ。……それでぼくは眠ってしまった。好奇心よりも睡気（ねむけ）のほうが強かった。

翌朝、目覚めたとき、弟や妹はとっくに下におりていて、八畳間にはぼくの蒲団（ふとん）だけがポツンと取り残されてあった。応接間をのぞくと、そこに寝ていたはずのときやの姿も無かった。

駿次と研三は机に向って、日課の書取りをしていた。央子は縁側の日溜（ひだま）りでピッちゃんや人形を並べて独りママゴトをしていた。父は会社に出掛けたあとだった。

「おはよう」とぼくは母に言った。「すっかり寝坊しちゃった」

母は怖い顔をして長火鉢の横に坐（すわ）っていた。白眼のところが朱を塗りたくったように赤く、いつにない厚化粧で肌の表情が隠れてしまい、それで怖く感じられたのかも知れない。しかし、ぼくに朝食の膳を顎で示し、「はやくお食べ」と言った声はやさしかった。

ときやが味噌汁を運んでき、母が御飯をよそってくれた。ぼくはなるべく母を見ないようにして、行儀よく箸を使った。音を立ててはいけないような気がして、唇をぴったり閉じて奥歯で嚙むようにし、こっそりと呑み込んだ。食事を終えると、母が言った。

「中学の制服が届いているから着てごらん」

芥子色の長ズボンをはくと、ぐんと大人になった気分だった。戦闘帽をかぶり、ズック鞄に本を数冊入れて肩から掛けてみた。父の洋服簞笥の鏡で見ると、完全な中学生がそこにいた。弟や妹が来て、「にいちゃん、すごい」「兵隊さんみたい」と言った。ぼくは、得意になって部屋のなかを歩き回り、母に笑い掛けた。すると母は、ぼくに頷いて見せた直後、突然、長火鉢の猫板に突っ伏した。何だか急に力を失なって倒れた感じで、弾みで銅壺から湯が洩れて灰が舞い上った。

「おかあさん」と子供たちは悲鳴をあげた。ぼくは母が、何か病気の発作でもおこしたのかと仰天し、両手をその額に当てて引きあげようと努めたが、母は石のように固くなっていて、肩を震わせるばかりだった。母は泣いていたのだ。ぼくにできたのは、落しに嵌っていた袖をつまみあげることだけだった。春のこととて、火鉢には火が入っておらず、袖は焦げないですんだ。

「みんな、むこうへ行きなさい」と母が叫び、弟たちは逃げて行き、妹は泣きべそをかきながら縁側へ退いた。ぼくは風呂場へ行き、母の手拭を取って来ると、母に渡した。母は、それで顔を拭い、灰を払い、髪を撫でつけると顔をあげた。目蓋の腫れあがった奇妙な目付きだった。

「ごめんね、悠太。お前の中学生姿を見ていたら、急に嬉しくなってね」と頰笑む。

「なあんだ。おどかさないでよ」とぼくも笑い掛けた。

が、一刻経つと、母はまた怖いように引き攣った、今にも泣き出しそうな顔付きになった。そのときぼくは悟ったのだ、母の目が赤いのは散々涙を流したせいで、厚化粧は目蓋の腫れを隠すためだったと。何事がおこったのか、母はぼくに何も打ち明けなかった。ぼくも知らん振りして、母に何も尋ねなかった。

母を気懸りに思いながらもぼくは中学生としての新しい生活に気を奪われていった。

中学校の制服はペラペラの薄手のスフで、二、三日で糊が取れてしまうと、上着は形が崩れズボンの膝が丸く飛び出してしまうような代物だったし、肩掛けのズック鞄は雨に当ったとたんぐにゃぐにゃとなって変な恰好で腰にぶらさがったが、半ズボンにランドセルの小学生たちの前では、兄さんぶった歩き方となり、胸を張った。編上靴の鉄鋲が歩道にカッカと鳴った。

中学校までは徒歩で十分ほどだった。家の前の改正道路を、南に坂をのぼって行くと花園神社の前に来、すぐさま新宿の商店街に入る。伊勢丹百貨店と映画館のビルの間を通り抜けてすこし先は、京王電気軌道の踏切で、それを渡って左に入った所に府立六中の校門があった。小勾配（しょうこうばい）を下ると左側に明治天皇御製を掲示した縦額があり、それに対し軍隊式の挙手の礼をする習し（ならわし）であった。

英語、漢文、生物、武道など新しい学科が増えたが、ぼくが最も興味を引かれたのは英語だった。アルファベット文字や日本語と違う構文が面白かったし、何よりも、英語を通じてヨーロッパの香りが伝わってくるのが嬉しかった。晋助があこがれているフランス、千束のいるオーストリア、父の八ミリ映画が写し出したベルリン、ロンドン、パリの街や古城や森、そういったものがまだほんの初歩の英語のリーダーの文章や挿絵（さしえ）からも連想されたのだ。

武道の時間は柔道と剣道とのどちらかを選択するのだった。竹刀（しない）を持ってみて、それがあまりに重いので失望し、柔道を選んだ。一時間の正課のほかに放課後の〝錬成〟がある。受け身から始めて投げに入ったとき、選択を誤ったと悟った。運動神経が鈍く、まるで体力のないぼくは、初っ端（しょぱな）から投げられ通し、相手を投げるなど思いも及ばなかった。

火曜の午後には園芸というのがあった。京王電気軌道で郊外へ行き、そこの学校付属の農園で畑を耕すのだ。畑仕事など初めてで、たちまち手にマメを作り、ひどく疲れた。ただ付近の農家で野菜を買って帰ると母が喜ぶので、葱（ねぎ）一貫目、蕪（かぶ）一貫五百匁（もんめ）という具合に買い、泥（どろ）のついたのを車内に持ち込むと駅員に咎められるため、持参した新聞紙に包むのだった。

そうこうしているうちに、四月十八日、土曜日、東京初空襲の日を迎えたのである。

第四章　涙の谷

1

なみやの体付きが変ったと気付いたのは、昭和十五年の正月送りのころだった。水餅のぬめりを洗っているところへ、初江は何気なく話し掛けた。

「すこし肥りやしないかい」

「そうですか」なみやは、小さな目を剝いて、自分の肩や胸を見て笑った。「きっとお餅の食べすぎでございますですよ」

「そうね、近頃、すごい食欲だものね」と初江も笑い返すと、

「いやでございます」となみやは恥かしがった。

「あんたも、すっかり女らしくなったねえ」と初江は、なおも女中の体を視線で撫で回した。事実、初めて家に来たときの筋張った小娘の体格は消えて、肉付きもよく、化粧などほどこした顔には、女の色気が漂っていた。

女の直感で、もしや身重ではと疑い、注意深く観察していると、怪しいふしが多々あった。なによりも多食の傾向が際立ち、残飯をきれいに平げてしまうほか、料理をしながら味噌を手摑みで舐めたり、卵の殻を煎餅のようにバリバリ食べたりする。一度、庭先で吐いたり、

何か仕事をしているうち大あわてで憚りへ駆け込む。気持の揺れが大きく、莫迦に陽気で、洗濯をしながら流行歌を唱っているかと思うと、その夜は女中部屋で忍び泣きしている。ずっと以前の山だしの向う見ずが現れたと見ると、遠慮深くて小心な娘を演じたりする。要するに、春さきの天気のように不安定なのだった。そして、お腹の脹らみは、ますます目立ち、隠しようもなくなった。

三月中旬のある日、初江は思い切って訊ねてみた。

「妙なことを聞くけどね、あんた、お腹が大きくはないかね」

「肥りましたんでございますです」

「そうかねえ。どうも、おかしい。わたしには身籠ってるように見えるけどねえ」

なみやは、「とんでもない」と笑い飛ばし、生芥の入った重いバケツをわざと乱暴に持ちあげ芥箱に捨てに行った。が、翌日、同じ問いをすると、急に泣き始め、切れぎれの言葉で、「そうなん……です……わたくし赤ちゃんができ……ましたです」と告白した。

子供たちがそばにいたのでそれ以上の追及はあきらめ、男の子たちが学校に出、央子が昼寝しているときをねらって、さらに問い詰めると、今度は口をへの字に結んで、睨みつけるだけであった。初江は口調をやわらげ、「わたしね、あんたを責めてるんじゃないのよ。こうなると女は悲しい立場だからね、心配しているの。これからどうするか、ようく相談しましょうね。それにしても相手の男は誰なのかねえ。その男に責任を取らさなくてはねえ……」なみやは俯いて頬を濡らしていたが相変らず口を開かなかった。ただ、「男にこのことを知らせたのかえ」と言うと、真っ赤になり、かすかに頷いた。

悠次は大阪に出張中で、なみやの件を相談できず、初江が独りどうしたものかと茶の間で思案していると、なみやがそっと入ってきて、いきなり、「子供を生むためお暇をいただきたいです」と、言った。つい最近、上野まで行って医者の診察を受けたところ、現在六箇月で、出産予定日は七月八日と告げられた、それまで千葉の実家に帰って、お産の準備をしたいという。

「でも、相手の人は、何と言ってるんだい」

「そうしろと言うんです」

「その人は結婚しようとは言わないのかい」

「いいえ……駄目なんです」

「それは困った人だね。結婚もせずに子供を生めば、その子は私生子になるんだよ。あんた、それじゃ……」

「それでいいんです」

「しかし、それじゃ、あんただけが苦労を背負い込む結果になるし、そんなのをご両親だってお認めにならないだろうよ。一体、その人は誰なの」

それ以上何を問うても、なみやは頑なに口を噤んでいた。ところが、翌早朝——夜明け前になって、突然、初江が寝ている八畳間の外から、「奥さま」と声を掛けてきた。あわてて身繕いして呼び入れると、いきなり突っ掛るように言った。

「相手の人は……旦那さまです」

「……」驚愕のあまり、初江は声を詰らせた。なみやはじれったそうに、畳を爪で掻いた。

「旦那さまですよ」

「何をお言いだね、そんな根も葉もないこと」

「本当でございますです」

「あんた、言い掛りじゃないだろうね」

「いいえ」

「どうして今まで黙っていたのかい」

「黙っていろと言われたからです」

「じゃ、どうして急に言う気になったのかい」

「旦那さまが、はっきりしねえだからさ」突然なみやは伝法な口調となり、泣き腫らした目蓋を、今にも裂けそうなほどに開いて、力み返った。「最初は堕せって言っただね。堕すなんていやだ、子供は生みてえって言ったら、そんならどこかの家に住んで生め、つまりお妾さんになれって言う。そんなのいやだ、家に帰るって言ったら、ちょっと待て、妻とよく相談して、お前に悪いようにはしねえと言うだけど、言うだけで、さっぱり話がすすまねえ。きのうの奥さまの様子じゃ、何にも知らねえようだった。まだ相談もしてねえんだろう。もう待てねえよ」

初江は、生々しい言葉の一つ一つで、心の襞をつぎつぎにひん剝かれる思いでいたが、ついに耐え切れず、卓袱台に片肘を突いて肩で息をし、「わかったわ。わたし、主人とようく相談してみるから」と、やっとこれだけを言った。

なみやが出ていくと、初江は考え込んだ。夫の不始末は本当のことなのだろう。なみやの態度から推して嘘だとは思えない。お腹の子は六箇月だという。とすれば、間違いがあったのは昨秋、つまり悠次が眼底出血のため会社を休み、二階で独り寝ていたあいだの出来事となる。あのころ、初江は、買物やら里帰りにかこつけて、よく外出し、留守中の看病はなみやにまかせっきりだった。迂闊にも、悠次が女中に手を出すなんて思いもしなかった。悠次とは近年夫婦のいとなみがまれになり、とくに去年の夏、眼病となってからは跡絶えてしまっていた。糖尿病で性欲がおちたせい、それとも愛情が乏しいせいかとも思っていたが、実はなみやとの関係があったせいだったかと今になって思い当る。不器量な小娘と、ものの数にも入れていなかった女中が、悠次にとっては一人前の女であったのだ。

何よりも若い。初江よりも十以上も若く、若さは男にとって魅力なのだろう。初江は、皺のない、簡潔ななみやの顔と目尻に皺の寄った自分の顔とを思い較べて嫉ましく思った。が、悠次に対しては大して怒りを覚えない。むしろ、妻以外の女をもとめた男の気持に憐みを覚えた。自分が妻としていたらないからだと自分を責めるとともに、すべての元は、自分の犯した罪にあるような気がするのだ。

央子は成長するにしたがって、ますます晋助に似てきた。色白でまっすぐな鼻、すこし出っ張った広い額などが、光線や表情の加減ではっと胸を突かれるほど晋助そっくりに見える。

やはり、央子は晋助の子だと思う。初江は、あの二・二六事件のさなか、戦車の轟音に全身を揺すられながら晋助に抱かれた日を、今でもまざまざと思い起さざるをえない。ところで、央子の血液はB型で、AB型の悠次とO型の初江のあいだの子として通るし、色白な悠次にとっては、自分によく似た娘と見えるのだ。とくに、すこし目尻の下ったところは自分の遺伝と思えるらしい。実は下った目尻は晋助や美津伯母にも見られ、故小暮悠之進に端を発する一族の特徴なのだが。自分が罪深い女だと思う初江は、悠次の間違いを咎める気にはなれない。むしろ、おのれの罪がいつまでも尾を曳いてくるようで恐ろしいと思う。そうして、この恐ろしさの底には、もっと罪深い喜びの念が潜んでいた。ついに悠次も自分と平等の罪深い配偶者になったという安堵の念が、悠次への怒りをやわらげ、憐憫の情へと変えていた。そうして、初江は無性に悲しかった。自分も悠次も、そのようにしか生きられない悲しい人間なのだと泣けてくるのだった。

雨戸を開けると、とっくに夜が明けているはずなのに暗かった。雨が降っていた。建仁寺垣のむこう、お茶の師匠の家で古い家にありがちな立て付けの悪い雨戸をだましだまし開けている女中たちの声がした。風が吹くと栗の裸木から滴が散って、北側の日蔭に植え込まれた八つ手の葉がパラパラと単調な音をたてた。

風は段々につのり、午後になると嵐のような吹き降りになった。もっとも風は生温く、春の到来を告げていた。駿次と研三は子供部屋のコルク床を踏みならし、兵隊ごっこでもしている様子だ。央子は縁側に出て、縫いぐるみのピッちゃんを前にぬり絵に余念がない。悠太は音無しの構えだが、多分二階の応接間で小説でも読んでいるのだろう。初江は央子のそばで、娘用の毛のセーターを編んだ。軒端にざっと雨脚がかかり、目をあげると、庭は白く煙り、隣家の椎や楠が陰気に葉裏を返していた。

夕方、悠次が帰ってきた。傘を持たなかったのでびしょ濡れとなり、洋服には跳ねがあがって哀れな有様だが、本人は、出張先の仕事が大成功だったと上機嫌で、珍しく、そしてわざとらしく鼻歌をうたいながら風呂に入った。浴衣に着替えてから、八畳間で満ち足りた顔付きで紙巻きをくゆらしている夫に、初江は真剣な顔付きでにじり寄った。

「あなた、お話があるの。二階に来て下さらない」

「よし」事情を察したらしい悠次は、すぐに立った。応接間で本を読んでいた悠太に下へおりるよう命じ、夫婦は、呼ばれた客のように改って向き合った。

「なみやが相手の名前を打ち明けましたわ。それはあなたですってね」

「うっ」と悠次は押し潰されたような声を出して、タバコの煙にむせた。

「あなた」と初江は努めて感情を抑えて言った。「本当ですの」

なおも咳込んでいるけれども、故意にそうしているとも見えた。煙たそうに目をしばたたく。眼鏡をとっているため、目許の脂汗が目立つ。

「本当のことを言って下さいまし。わたし平気ですから」

「本当だ」とようよう返事があった。

「そうですか」と言ったとたん、けさから胸に蟠っていた悲しみが、一度に溢れ出、涙がとめどもない。何とか顔を起したが、ともすればがっくり首が折れてしまいそうだ。自分に言い聞かせるように言う。

「平気のつもりだったけど、おかしいわね。自分で自分がわからない。ねえ、あなた、これからどうしたらいいか、ようくご相談しましょう」

「ウム、そうだな」彼はチェリーをすぱすぱ吸い、煙の中に真剣な表情を浮べた。そらしていた眼差(まなざし)をこちらに向ける。初江は袖(そで)で涙を拭(ぬぐ)い、夫をじっと見返した。

「なみやは里に帰って子供を生みたいと言ってます。それでよろしいんですか」

「よくはない。それで困っている」

「あなた、堕すようにおっしゃったの」

「あいつ、そんなことまで話しちまったのか。実は、最初、そう言った。しかし……」

「頑(がん)として承知しなかった」

「そうだ」

「そのつぎに、家をあたえるから、そこで生めとおっしゃった」

「そうだ」悠次はいまいましげに口をゆがめた。「みんな喋(しゃべ)っちまうんだな」

「あの子は何もかも打ち明けましたわ。あなたが、ぐずぐずなさって、態度をおきめにならないからです。今は、里へ戻ってお産をするから暇をくれと言っています」

「それでは困ると反対した……」

「そして、妻(さい)と相談して善処するとお答えになったんでしょう。あなた、本当にわたしと相談なさるお気持、あったんですか」

「あったさ。もう、独りじゃ解決できなくなってな。しかし、こういうことはお前には話しにくくて、延ばし延ばしになった」

「あの子は待ちきれなくなったんです。それで、癇癪をおこしてわたしにぶちまけたんです」

「そうらしいな」

「あの子は本気で里帰りしてお産をするつもりですわ。それでいいんですか」

「いいも悪いもない。言うことを聞かんのだ」

「では、そうさせるとして、先方の親はどうなんですか」

「親か……まだ考えてない」

「考えてないでは困りますわ」初江は背筋をしゃんと伸ばした。「娘が身重になって帰ってくる。大事件です。当然誰の子か詮議立てをするでしょう。あなたのお名前が出る。親が乗り込んでくる。子供を引き取れとか、養育料を出せとか、騒ぎになるでしょう。そのときはどうなさる、おつもり」

「まだ、そこまでは考えとらんのだ」悠次は困惑をあらわに額の縦皺に刻んだ。「それに……あいつ、親にはおれの名を出さんだろう」

「そう、あの子と約束なさったんですか」

「そうだ。その代り子供の養育費を出してやると言ってある。すくなくとも成年までは、金銭的な援助をしてやると……」

「甘いですわ」初江は焦(じ)れったそうに足踏みした。「あの子は何もかも親に告白しちまいますわ。わたしにさえ持ち堪(こた)えられなかった子ですもの。そうなれば、親は黙ってないで、責任を取れと要求してきます」

「そうかな」悠次は弱々しく言った。背中を丸めて俯いている。最近糖尿病の治療のための節食で痩(や)せ、皺の増えた顔が爺(じじ)むさい。

「そうですとも」初江は夫を励まそうと力んだ。最初の日、なみやに付き添ってきた母親の、いかにも田舎の魚屋のおかみらしい鄙(ひな)びた、しかも押しの強そうな顔が思い出された。なみやが時々洩(も)らす父親というのは威勢のよい、頑固一徹の人物らしかった。魚についてのなみやの庖丁(ほうちょう)さばき一つを見ても、父親の徹底したきびしい仕込み具合が察しられた。

「どうしたもんか」

「あなた、なみやの納得のうえで、むこうの両親と話し合って下さいな。のちのちのためにも後腐れのないようにして下さいまし」

「そうしたい……しかし大変だ」

「大変な面倒をお起しになったのはあなたですわ。しっかり責任を取って下さいまし」

「わかった」悠次は、タバコをもう一本くわえるとライターで火をつけ、ひとしきり吸った。それから目をそばめて煙を吐き出した。

「まったく、面目ない失敗をした。お前、怒ってるだろうな」

「そりゃ怒りました。でも過ちは誰にでもありますわ」

悠次が、寛大な妻を不思議そうにジロっと見たので、初江はどきりとした。

「でも、怒ってるだけでは、わたしたちも子供たちも不幸になると気付いたんです。今は何とかこの問題を解決したいと、それだけを思ってます」

「そう言ってくれるとありがたい。よし、そうしよう」初めて悠次は明確な態度を取った。

その夜、夫婦はなみやを二階に呼んだ。悠次が口火を切った。

「まず、なみや、お前の希望をたしかめたい。どうしても里に帰ってお産をしたい、そうなんだな」

「はい、そうだよ」

「子供の父親は誰かご両親に言わないつもりだな」

「そうさ」となみやは言下に肯定した。「絶対に言わねえだよ。言うもんかい」体を合せた男にむかって女が話すように、敬語抜きの口調だった。

「しかし」と初江が口を挟んだ。「お父上は、あんたの話じゃ、随分激しい方なんでしょう。相手の男の名前を言わなかったら承知なさらないでしょう」

「男の名前を言ったほうがコンリンザイ承知しねえでございますです。親父はすぐ出刃庖丁持ってすっ飛んでくるわ。旦那さまなんかぶっ殺されちまうだね」

初江は悠次と顔を見合せた。ありうる事態だという気がする。屈強な魚屋の前に、やわで非力な悠次はひとたまりもないだろう。

「それによ。親父はスッポンかウツボだよ。喰らいついたら離れねえ。旦那さま、一生金を絞り取られるだよ」

「あんた、その親父さまの前で男の名を言わないでいられるの。ぶったたかれるでしょう」

「ぶったたかれようが、半殺しにされようが言わねえです。絶対言わねえ」

「そう……」初江は、なみやの一所懸命な様子に感動を覚えた。どうしてこの娘は芯が強いし堂々としている。「しかし、そうするとその子は私生子になるのよ。父なし子。その子は将来、苦しむことになりはしないかしら」

「……」

「赤ちゃんを家の子として認知したいのよ」と突然初江は思いついたことを言った。悠次の驚いた表情が視野の端に見える。「あんた、お里に帰るのをやめて、どこかの宿……そうね、箱根かどこかの温泉宿でお産するのよ。子供はわたしが自分の生んだ子として引き取ります。わたしが育てます」

「つまり、わたくしから赤ん坊を取りあげるつもりだね。いやだ、自分の生んだ子は自分で育ててえ」

「でも、あんたは若いし、これから先、父なし子をかかえて苦労するわよ」

「いいです。覚悟はできてるだから」

初江はふたたび悠次と顔を見合せた。

「それならば」と悠次が言った。「前にも言ったように、子供の養育費は出す。この家も子供が育ってきて、出費がかさむけれども、出来るだけのことはする。それでどうだ」

なみやは、なおも気むずかしい顔でほつれ毛を掻きあげていたが、ようようかすかに頷いた。

悠次が今度は初江を見て頷いた。

「なみや」と初江は涙ぐんで言った。「ありがとう。心底から恩に着るわ。あなたにも赤ちゃんにも、わたしたち決して悪いようにしないわ。ね、あなた」

「そうだ。ありがとう」悠次も取って付けたように言い添えた。

なみやが千葉の実家に帰るのは四月上旬と決まった。昭和十年に小暮家に来てから丁度満五年になるので切りがいいしお腹があまり目立たぬうちに帰りたいと、本人が希望して、そうなった。両親とはどう話をつけたのかと初江が訊ねると、「どうせ、そろそろ結婚しろなんて言ってましたから、やめる潮時だ、いいあんばいだと思ってるんでしょう」とひとごとのように言った。

それで一件落着のはずであったのに、かえってもろもろの心配が増えて、初江は思い悩んだ。実家に帰ったなみやが両親の追及のただなかで秘密を守れるだろうか。秘密を守り通したとしても、誰の子とも知れぬ子を両親や兄弟親戚の目に曝された所で育てられるだろうか。やはり、実家以外でお産をさせ、子連れで働く場を東京で世話してやったほうがよくはないか。いや、生れた子の養育は自分が引き受け、なみやは自由にしてやるべきだ、その上で里に帰り然るべき男と結婚するのが、彼女にとって最も幸福な道ではないか。考え惑うと切りがなくなり、初江は物思いと不眠の日々が続いた。

小学校の終業式がおこなわれた日は、西風が強く、黄塵が空を閉ざす、薄暗い日だった。帰宅した悠太は「おかあさん、きょうは風の音がすごくてね、校長先生のお話がさっぱり聞こえないのさ。それに、寒くてね、みんなガタガタ震えて、式の最中に、おしっこを洩らした子がいたよ。でね、式と言ったって、校歌斉唱をやっただけみたいなものだったよ」と言った。そこへ弟たちが学校から帰ってきた。三人の通信簿を見ると、研三が全甲で優等賞をもらってきたが、悠太と駿次は乙が四つ、三つとあった。弟に負けないように勉強するよう兄二人に言い聞かせているところに、央子が鼻血を出し泣きながら駆け込んできた。砂場で遊んでいるうち、突風で吹き倒され、顔をバケツで打ったのだ。

子供たちに、家の中にいるように言い、硝子戸を締め切った。硝子戸は絶えず震動し、木々が枝を触れ合せて軋んでいる。空全体がゴウッと吼えて物凄い。ふと、この風は何かの不吉の前兆のように思えてきた。睡眠不足で濁った頭に、風音が渦を巻いていた。央子のために編んでいる春のセーターを手にしたが、編棒を動かす気力がなくやめた。本を開いても、活字が無意味な列を作るのみで、さっぱり読めない。出るのは溜息ばかりだった。

「おかあさん、どしたのよう」と央子が心配そうに顔を覗き込んだ。「泣いちゃいやよ」

「なんでもないわよ」と初江は涙を拭った。「ゴミが入ったんだよ」

「おかあさん、おなかがすいた」と研三が言い寄ってきた。

いつも早目に昼食の支度をするなみやが、きょうは女中部屋に引き籠ったまま出て来ない。

仕方なく初江が台所に立ったとき、三田の時田いとから電話があり、利平が孫たちの顔を見たがっているから寄こすようにと言ってきた。土曜日で、悠次は折からの取込みを忘れたように鵠沼の友人佐々竜一宅に泊り掛けの麻雀に出掛けて不在、ならば気分転換に里帰りをしようと、初江は子供四人を連れて外に出た。角筈まで市電の線路づたいに歩き、中村屋で〝インド・カリーライス〟を食べた。子供たちは、この辛い〝カリー〟が大好きで、水を何杯もお代りしながら食べる。央子までがちゃんと一人前を平げるのだ。もっとも、非常時とあって、鶏肉は申し訳程度の小片が入るのみだったし、米飯も水っぽくて粥に近かったが、それでも子供たちにとっては、久々の非常なご馳走であった。

食後、三越に入った。なみやに何か餞別の着物を買おうと思うのだが、絹や木綿は品薄で、ほとんどがペラペラと紙のように安っぽいスフ製品ばかりだった。書籍売場で、子供たちに一冊ずつ本を買ってあたえた。央子は絵本を、駿次と研三は漫画本をえらんだが、悠太は、『原子の話』という厚い本をほしがった。「男の子が女の子の話を読むのかい」と咎めたら、「これ、物理の本だよ」と逆襲された。

2

三田の時田病院では、院長の利平が、丁度、急患の手術を終えたところで、手術着に外科帽の姿で手を拭いながら、一同の前に立った。

「おう、坊主に嬢やが来よったな。すごい風で大変じゃったのう。黄塵万丈ちゅうやつじゃ。手術室も砂だらけで、いやはや消毒に苦労したわ。みんな元気か」

「はい、おかげさまで」

「小暮の目は順調か」

「元気で会社に行ってます」

「まだ糖尿病が治っちょらんから眼底出血は再発の公算があるのう。気をつけんといかん。ほれ、おいで」利平は央子を抱こうと手を出したが、こちらは消毒薬の臭いと白い帽子を怖がって後じさりし、折よく出てきた鶴丸に手をひかれて奥へむかった。ほかの子供たちも後を追った。

「内緒の相談がある」利平は声をひそめた。「発明研究室に来い」

「何でしょう」初江は不安になった。

利平は、娘の耳元に口を近付け、「史郎に縁談があるんじゃ」とささやき、先に立って、鉄扉を開けて地下への螺旋階段をおりて行った。大きな穴蔵に大小の機械や道具がごたごたとしていた。炉の火が赤々と燃えているのは、何か研究中であることを示している。相変らずだ、父は昔とちっとも変らない、と初江は思った。

「今は、何の発明ですの」

「いろいろじゃ。〝真水ちゃん〟が好評でな、軍関係から発明品の需要が殺到しちょる。靴擦れのできん靴下、マッチのいらん発火装置、野戦病院用の携帯手術台、そうそう、おれの発明した携帯手術用具箱は、関東軍で採用されて大好評じゃ。ノモンハンでも大活躍した。ほれ、脇の敬助大尉が斡旋してくれてな。あの男は、なかなか目端が利く。近代戦は機械化部隊が素早く移動する。軍医も身軽に移動できるよう装備を整える必要があるから、その方面の研究をしてくれと手紙を寄越しよった。専門の軍医は、頭が固うて、大病院主義で駄目じゃとも言う」

利平は、組立中の手術台を得意げに見せ、組立の簡略化と軽量化が、もうすこしすすめば、量産できると胸を張った。

「ところで、おとうさま、縁談とは何ですの」

「あ、そうじゃった。ま、これを見い」

利平は写真と履歴書を初江に手渡した。塚原薫、顔の長い、あまり美しくはない女性である。神戸の私立女学校を卒業して十九歳。父はやはり神戸の大学で英語の教授をしているが、元々は津山の出身である。

「どう思う」

「美人ではありませんね」

「そうじゃ。しかし、父親の薫陶もあって、英語がようできる才媛じゃという」

「それなら……まあ……人の顔は見方によって違いますから。史郎ちゃんはどう思ってるんですか」

「まだ、見せとらん。実は、そこで相談じゃが、この資料を史郎に見せる役をお前にたのみたい」

「なぜですか。ご自分でなされればよろしいのに」

「おれではまずい。史郎は父親の指図に反抗ばかりしちょる。おれが持ち出した話となれば、見向きもせんだろうし、それに、この塚原巳之介という教授の妻は、いとの遠縁にあたる。史郎は、いとが大嫌いじゃから、おれがいとと一緒になってから、さっぱりここに寄り付かん。いとの縁戚の娘では気に入らんに決っちょる」

「まあ、随分と思い過しなさってること」と、初江は笑った。「史郎ちゃんて、そんなに反抗的じゃありませんわ。ただ気楽が好きな性分なんです。医者よりも勤め人が気楽、人の出入りの多い病院より下宿が気楽、それだけです。それに縁談なんて人物が第一で、誰が紹介者だとか、誰の縁続きだとかで、左右されませんわ」

「ほうほう」と嘆声をあげ、利平は半白の口髭を左手の人差指でしごいた。からかうように口を尖らしている。「お前、なかなか訳け知りじゃな」

「これでも結婚して足掛け十三年、三十二歳の年増でございますもの」

「なるほどな。その、三十二歳の大年増の経験と貫禄を買って、お前に頼んどるんじゃ。三十歳の弟の結婚をまとめてくれんか」

「でも、わたしじゃ……」

「お前しかいないんじゃ。どこの家でも息子の縁談ちゅうのは、母親が世話を焼くもんじゃ。そうして母親が熱心になれば、うまくまとまる。が、母親がいないもんで、史郎は三十になって、まだ身が固まらん。おれは忙しく、いとでは代りはつとまらんうちに、時が経った。あの子が不憫でな」

「独身が気楽でいいと、史郎ちゃん思っているようですわ」

「困ったやつじゃ。もっとも、そう思わせるようにしたおれの責任でもあるが。ところでこの話は、先方がえろう乗り気なんじゃ。父親は英語の方面では、ちいとは名の出た人らしいが、ぜひに娘をと、いとに鄭重な手紙が来た。な、お前、一肌脱げ」

「女に脱げなんて、やなおとうさま。いいですわ。話してみます。ただし、おいとさんの親類だってこたあ、秘密にはしませんわよ。どうせばれることですから」

「そいつは言わんほうが……ま、仕方ないか。よろしく頼む。こいつはお前にあずける」

話は終った、出て行ってくれという合図に、利平は手を振った。初江が螺旋階段をのぼり切って振り返ると、利平は、役者の早変りさながら、工員用の作業服に着替えていて、炉の火を熱心にのぞきこんでいた。初江はほっと溜息をつき、このところ頭を悩ましていた家庭内の秘事が、父に感付かれずにすんでよかったと思った。同時に、もし母だったら、何もかも告げて、共に涙に暮れ、慰めてもらえたものをと、物足りなくも思った。

時田病院から慶応義塾に沿って坂をのぼって三田同朋町の市電通りに出ると、学生むけの喫茶店や飲み屋や雀荘がチマチマ並ぶあいだに、この付近に多い家具屋の大きな門口が割り込んでくる。春日神社を通りすぎると店屋はまばらになって、仕舞屋や住宅が並びだすが、丁度そのとば口の、薬屋の二階を史郎は借りていた。〝水虫特効薬〟〝世紀の驚異毛生えぐすり〟などの貼紙のある店の奥へ、店番の親爺に断って入る。声を掛けると、すぐさま史郎が応じ、「あがってこいや」と言った。

「何だい、姉上様か。わざわざご来訪とはどういう風の吹き回しだ。何か大事件でもおきたか」

「そうよ、大事件なの」初江は坐って、ぐるりと見回した。続き間だが、四畳半には麻雀卓が常置されていて、八畳が生活の場である。洋服箪笥とラジオと卓袱台だけの簡素な配置で、すっきりと片付いている。青い畳にも紙屑一つない。壁に吊された体操着も洗濯されて清潔だった。

「どうだ、整頓検査は」

「整頓検査……」

「軍隊用語さ。内務班で班長が抜き打ちにやるやつだ。何なら箪笥を開いて見せようか」

「その必要なし。合格と認める。男ヤモメにしちゃ、綺麗好きなのね」

「〝にしちゃ〟はご挨拶だね。ところで、大事件とは何なんだい」史郎は、紙巻きをくわえた。バットだ。悠次のはチェリーだった。

「あなたの縁談」初江は、写真と履歴書を差し出した。

　史郎は写真を見たとたん投げだした。

「ひゃあ、まずいツラだ。馬面てえんだな、こいつは」

「でも英語ができるのよ。英語教授の娘だもの」

「才媛か。ますますご免だね」史郎は履歴書を斜め読みして、これも投げだした。

「全然関心ないの」

「ねえな。おれにゃ、独り暮しが気兼ねなしで、性に合ってら。それに、いつ赤紙がくるか知れねえ身の上だ。これでも、陸軍少尉だからな」

「でも、おとうさま、史郎ちゃんに結婚してもらいたがってる。早く孫の顔が見たいのよ」

「ねえさんとこに四人もいりゃ沢山だろう」

「うちのは外孫。内孫がほしいのよ、時田家の直系を」

「病院を継がせようってのか」

「その通りよ。一代であれだけの大病院を作りあげたのに、後継者がいない。うちの子は小暮家の人間で、時田家を継ぐには養子にでもならないとできない。すると、史郎ちゃん、あなたの子が必要なの」

「養子でいいじゃねえか。悠坊が駄目なら、駿坊、研坊、どれか一つ親父にやればいい」

「人の子だと思って気安く言うわね。いやよ。自分の子をよその家にゆずるなんて、まっぴら。これ仕舞うわよ」初江は写真と履歴書を風呂敷にくるもうとした。

「待てよ」と史郎は手を出した。「もう一遍、履歴書を見せてくれ。大正十一年二月四日生れ、十九歳か。若いな。おれより十一歳年下か。一度会ってみてもいいな……」

「なあーんだ」と言おうとした笑顔を、初江は真面目くさった顔に変えた。「そうよ、とにかくお見合いしてみて、いやなら断ればいいわ。じゃ、写真もおいておきます」

「面倒をはぶくため、あらかじめ先方に伝えてほしい条件が二つある。一つ、おれは、朝風呂が好きだ。毎朝、風呂をわかしてほしい。一つ、おれは花柳病になった経験があって、性器に瘢痕（はんこん）がある……」

「いやあね」

「まあ聞けよ。初夜になって逃げ出されちゃ困るから、前もって言っておく。これだ」史郎はズボンと股引（ももひき）と褌（ふんどし）を一気に引き下げた。初江は目をそむける暇もなく、見てしまった。陰茎の根本に黒いただれの跡があり、グロテスクだ。史郎は、陰茎をつまんで引きあげた。袋にも跡がある。それにしても男の性器は嗤（わら）い出したいほど奇妙きてれつな形をしている。男の子三人を育てて、見馴（みな）れていると思ったが、成人男子のはまた格別である。

「な、ひでえだろ。梅毒じゃねえぞ。軟性下疳（なんせいげかん）てやつだ。洲崎（すさき）の女がうつしやがった。いてえのいたくねえの、ヒイヒイ言った。しゃあねえ、親父に頭さげて治してもらった。水銀で洗うのよ。これがまた、いてえ」

「早く仕舞いなさいよ」

「はいよ。だけどねえさん、随分熱心に見てたね。悠次さんのと違うかね」

「うちの人のなんて見たことないわよ。女であれのとき、目を瞑（つむ）っちゃうでしょ。だから何も見えないの。こんなによく見たの初めてだわ」

「今の二条件を、ようく先方に伝えてくれ。それを聞いて後込（しりご）みするようじゃ脈はねえ」

「言いにくいわよ、そんなの。とくに花柳病は、言いにくい。黙って見合いして、史郎ちゃん、その場でたしかめなさい」

「見合いの席で、裸を見せるのかい」

「そうよ。必要とあらば仕方ないでしょ。言い忘れてた。この塚原薫さんのおかあさん、おいとさんの遠い親類にあたるんだって。まあ、血のつながりが無い程度の遠さらしいけど」

「いとか」史郎は、吐き出すように言い、しばらく黙って、バットを吸った。「それを聞くと、いささか嫌悪感を覚えるのは事実だな。あの女は虫が好かないし、その縁続きじゃ、あの女の息がかかってる可能性はあるな」

「正直、わたしにはどうだかわからないけど……」

「いいさ。一応会って見て、その点も見極めてみよう」

「じゃ、話を進めるわよ。ああ、これで肩の荷がおりたわ。こんな使者の役、わたし気が重かったの。おとうさまが、あまり熱心にお頼みなさるから引き受けたんだけど。ね、おとうさま、史郎ちゃんのこと、本当に心配なすってるわよ」

「親父は、おれに会えば、早く結婚せいの一点張りだからな。おや、もう帰るのかい」

「ええ、使者は派遣者に報告に帰らねばなりませんからね」

初江は、さっさと腰をあげて部屋を出た。

まっすぐ利平のところへ戻って報告するつもりが、強風に乱れる裾をおさえ、前こごみに歩いているうち、急に夏江に会いたくなった。正月に会ったきりだ。史郎の縁談について意見を聞きたいし、久し振りに妹と気兼ねのないお喋りをしたかった。このところ家庭内を閉していた暗雲を風が一気に吹き飛ばしてくれる感じで、札ノ辻の陸橋を渡った。倉庫やゴルフ練習場を通り抜けて海岸に出た。刺立った高波で海は荒れ狂っている。堤防をどどんと突きあげてしぶきがあがった。日が射すなかを、黄砂の粒が金の針のように飛んでいく。人通りが絶えたので、もう裾の乱れも気にならない。結髪が空気を含んで脹れあがった。女ひとり、山姥の形相でひた走りという感じだった。

永山光蔵鉱物博物館の前に来たとき、しまった、土曜日の午後は閉館で、夏江は古川橋のほうにいるはずと気付いた。入口の硝子戸は鍵が掛っている。あきらめて帰りかけたとき、奥のほうで人影が動いた。男らしい。空き巣狙いか。初江が逃げだそうとしたとき、男がこちらに歩み寄ってきた。紺色の事務服を着た、痩せた小柄な青年だ。新入の事務員らしい。鍵をあけて戸を開いてくれた。

「どうぞ」と男は言った。「風が強いので、鍵を閉めてあるんですが、博物館は開いています」

「時田夏江はいますか。姉ですが」

「ああ、おねえさんでしたか。います。今呼んできます」

男が踵を返そうとしたとき、夏江が顔を出した。モンペ姿で姉さん被りだ。右手に叩きを持っている。

「おねえさん」と夏江は喜びの声をあげた。「よく来てくれたわね。ものすごい風でしょう。けさから、来館者ゼロ。でね、掃除を始めたとこよ。どこもかしこも砂だらけ」

「手伝いましょうか」

「いいの。あとでゆっくりやるから。それよりね。菊池さんを紹介します。キクチトオル、トオルは透明の透。わたしの婚約者よ」

「えっ」初江は驚いて、男を見た。男は神妙に頭をさげた。

二階の応接間で三人はあらためて向き合った。夏江はしきりに微笑を浮べながら、菊池の紹介を始めた。

「透さんとは、帝大セツルメント時代からのお付合いなの。わたしが託児所の手伝い、彼は法律相談部の学生だった。その後、セツルは解散、わたしは中林と結婚そして離婚、透さんは現役入隊などで別れ別れになっていたのだけれど、去年の秋、満洲(まんしゅう)で負傷した彼が陸軍病院に入院したのをお見舞に行ってから、親しくなり、ほんとについ最近、ほんの十日ほど前、結婚する約束したの」

「そうだったの。おめでとう」と初江は言った。妹の幸せそうな笑顔が、こちらの心まで明るくしてくれるようだ。

「透さんは傷痍(しょうい)軍人なの。右腕を砲弾で飛ばされて、今、義手なの」

どうりで右肩が変に出張り、右の袖(そで)が長いと思った。菊池は、手の形をした木製の義手を袖をまくって見せた。

「でも、左手で何でもできるの。書きものも、箸も左手」

「いえ、まだ練習中で、下手くそです」菊池は、魔法瓶の湯で紅茶をいれた。左手を無器用に使っている。それから干し藷を煉炭焜炉で焼き出した。「ぼくは八丈島の出身で、これは島の藷です」

「本当に不思議」と夏江が干し藷焼きを手伝いながら言った。「さっき、おねえさんが見えたとき、わたしたち、おねえさんに、いろいろお願いしようと話し合ってた最中だったの」

「お願いってなあに」

「おとうさまの許可を受けてほしい。わたしは、中林と離婚してから、事務長をやめて病院を出てしまった、つまりおとうさまを捨ててしまった形で、敷居が高くて近付けないし、透さんは傷痍軍人で片腕がなく、それにカトリック教徒なの。実はわたしも、今度の復活祭に洗礼を受けるんだけど」

「洗礼を……それは、おめでとう。復活祭というと……」

「四月十三日、午後二時、四谷の聖テレジア教会。ホイヴェルス神父さま」

「うらやましいわ」初江は、聖心女子学院の高等科時代に受洗を思い立って、公教要理の学習会に一年ほど通ったことがある。クリスマスに受洗する許可を神父よりもらって、母に打ち明けたところ賛成してくれたが、そのあと父から猛烈な反対を受けた。「耶蘇はいかん。家風に合わん。第一、おれに断りもせず、こっそり耶蘇の勉強をするとはけしからん」「でも、おとうさまは、聖心の校医をしてらっしゃる、耶蘇はえらい人じゃとおっしゃってたじゃありませんか」必死の思いで初江がそう反論すると、利平は、体中に力こぶを作ったように力みかえった。「そりゃ、耶蘇は釈迦とならぶ偉人じゃ。じゃから、それをうやまうのはいい。しかし、信じてはいかん。離れた所から見る。それでいい。時田家の家風ちゅうのは、神も仏も信ぜず、うやまえばよいというのじゃ。つまり、天皇陛下みたいなもんじゃ。おれは昔、日露戦争の凱旋観艦式で明治大帝のお姿を遠くから拝したが、生涯あの感激は忘れられん」初江が納得できず、なおも何か言おうとするのを、菊江がとめた。結局、受洗の件は、神父に事情を話して延期してもらい、一年、二年と経つうちに、沙汰止みになってしまった。しかし、もしもあのとき洗礼を受け、クリスチャンになっていたら、自分の人生も随分違った道行になったであろうとは、その後も折に触れて思うことだった。

「ところで、おねえさんだって、おとうさまのキリスト教ぎらいは知ってるでしょう」

「きらいじゃないのね、認めなさるのよ。だけど、距離を持って眺めてろと言うの」

「それが困るのよ。だから、おとうさまにようく話して、何とかわたしたちの結婚を認めるようにして」

「また、大役だわ」初江は苦笑して、今さっき利平から史郎の縁談の取持ちを頼まれたことを話した。「長姉てのは損ねえ。弟や妹の世話をみんなさせられる」

「みんな、頼りにしてるのよ。おかあさま亡きあと、おねえさんだけが頼りなんだもの」

「いいわ。史郎ちゃん説得の成果と引き替えに、夏っちゃん結婚の承認を迫る、この手でいくわ」

「ありがとう。恩に着るわ」

「でも、もし、承認をえられなかったら……」

「残念だけど、わたしたち勝手に結婚しちまいます。そうして、おとうさまにはもうお会いできない。だって、勘当になるでしょうからね」

「まさか……しかし、それでは残念ね。あなたたちも、おとうさまも、不幸ね」

初江は、一斉に剣を突き出す、歩兵部隊のような水平線を眺めた。この強風のさなかに一艘の漁船がよろよろと進んでいる。艪をこぐ人の形が、波の加減で、点滅する感じで見える。

菊池透と結婚すると、夏江は、あの荒波の船のように、新しい苦労を背負うのではないかと、ふと思った。菊池という人は、団子鼻の素朴な風貌だが、どす黒い、何か病的な顔色で、そのせいもあるだろうが暗い性格に思える。それに、痩せていて、いかにもひ弱である。左手ですべての用をしているというが、のろのろとしていて、実にまだるっこしい。こんなので、何かの職につくことができるのだろうか。

「菊池さんのお体、いかがなの」と初江は誰にともなく尋ねた。答えたのは夏江だった。

「まだ完全じゃないの。お腹に受けた弾が通り抜けたの、ほら貫通銃創ての。あれで肝臓が半分こわれちまったの。一時は危かったたんだけど、持ち直して、やっと退院できた。でも、まだ外来通院中」

「ぼく」と菊池透が言った。「八丈島の漁師の息子で、子供のときは父と漁に出ていたんです。そのため体は頑健だったたんです。負傷したときも、普通の兵隊だったら死んだほどの傷でしたが何とか恢復してきました。このごろは、体力も出てきたし、働いて稼ぐだけの自信はあります」

「満洲で負傷でしたわね。どちらで……」

「ノモンハンです」

「言い忘れた」と夏江が話をつないだ。「彼、歩兵第三聯隊、敬助さんと同じよ。もっとも、彼は速射砲中隊、敬助さんは第五中隊だそうだけど。彼が現役入隊したとき、わたし敬助さんによろしく頼もうとしたら、彼、頑として拒んだの。ほかの人と平等な、一兵士としてありたいから、たしか、あなたそうおっしゃったわね、紹介だの、引きだのはいらないって」

「えらいわ」

「えらくないんです」と菊池透が急いで言った。「ぼくはセツル時代に二度ぱくられた札付きで、軍隊では元主義者のブラックリストにのっている。だから、夏江さんのご親戚の大尉殿に迷惑かけたくなかった、それだけです」

「えらいわ」初江はまた言った。「で、そのブラックリストで苦労なさった」

「はい。下士官や古参兵が、どこからかその事実を聞いていて、非国民思想の持ち主として、陰に陽にいびられました」

「たとえば、どんな……」

「ちょっと口にできんような……殴る蹴るはまだいいほうで、革の上靴でひっぱたく、柱にのぼって〝蟬鳴き〟をさせられる、寒中を裸で走らせられる……ま、いろいろです。ただ、ぼくは腕っぷしが強く、速射砲なんかの運搬には調法な兵でしたから、体をこわすほどはやられませんでしたが」

「軍隊て大変ですのね。男の方って、可哀相」

「本当に可哀相」と夏江も頷いた。

日が傾いてきたので、菊池透に博物館の留守番を頼んで、初江と夏江は連れ立って外に出た。初江は時田病院に、夏江は古川橋の下宿に帰るので、方向が同じだった。

風はまだまだ吹き荒れていて、空気が乾いているせいか舞い上った埃が黄塵に混って、空は絵具を塗ったような茶色である。埃が目に飛びこんで初江は目頭を押えた。夏江に取ってもらおうとしたが、埃はかえって目蓋の裏に滑り込んで、結膜を痛めつけた。目を洗おうにも付近に水道もない。

「おねえさん、上を向いて」と夏江は、初江の顔に覆い被さり、いきなり舌先を眼の中に入れた。細い舌先がたくみに異物を探り出すと唇で吸う。すっと痛みが取れた。

「どう」

「治った。ありがとう。驚いた。蛇みたいなベロね」

「おねえさん、何か悩みごとがあるでしょう。ずうっと不眠症ね」

「わかる……」

「わかるわよ。目が充血して真っ赤だし、隈ができてるし、それに急に黙りこむと、遠くをぼんやり見て、溜息ばかりついてるもの」

「シャーロック・ホームズね。実はそうなの、なに、夫婦のあいだのゴタゴタよ」

「聞かない……聞けば中林を思い出すし、透さんとの未来が翳るから」

「じゃ話さない。でも皮肉ね。わたしが夫婦の危機にあるとき、弟と妹の縁談の世話をやく破目になるなんて」

「いやならいいわよ」

「いいえ、うちのゴタゴタから気がそれてありがたいの。わたし、うんと張り切って、あなたの結婚、おとうさまに認めさせちゃう」

札ノ辻の陸橋の上に来た。海からの突風にあおられて、姉妹は欄干に身を寄せた。また埃に目を撃たれそうで初江はぎゅっと目を瞑った。耳翼が風をはらんでぼうぼうと唸っている。その唸りのなかに何かまがまがしい気配を感じて、薄目を開いた。街が傾斜面を滑り落ちていくような気がした。急に脚の力が抜けて跪いていた。

「どうしたの」と、夏江が驚いた。

「大丈夫よ」と、初江はどうにか立ち上った。めまいだったらしい。すこし歩いてみると、体が重い感じで、脚が疲れ切っているのがわかった。流しのタクシーを待ったが一向に来ない。あきらめて歩く。汗が吹き出し、動悸がして、ときどき休まねばならなかったが、来たときの二倍も時間をかけて病院前に辿り着いた。

「じゃ、わたしはここで」と夏江が言った。

「寄って行かないの」

「どうも敷居が高くてね。例の件、おとうさまによろしくね」と言い捨てると、夏江は振り返りもせず歩み去った。肩の薄い淋しげな後姿だった。

子供たちは二階にいた。悠太は『原子の話』を読み、駿次と研三は、以前夏江の部屋だった八畳間の押入れに入り込み、鬼ごっこをしていた。〝お居間〟で央子はいとと折紙をしていた。

「史郎ちゃん、何と言ってました」

「ええ」と初江は曖昧な表情を向けた。まず、利平に報告しようと思っていたことを、いとに先に言うのが嫌だった。

「断ったのね」

「いいえ。一応会ってみてもいいって」

「へえ、そう」といとは言い、また折紙を続けた。自分は史郎の縁談などに何の関心もないという態度である。自分の親戚の話なのだから、初江にねぎらいの言葉を言ってもいいのに、それもない。むっとした初江が、発明研究室の利平の所へ報告に行こうと階段をおりかけると、いとの言葉が追ってきた。

「おじいちゃまは、往診にお出掛けですよ」

「お嬢さまですわ」と末広婦長が言った。

ほっそりとした女が強風によろめくように歩いてくる。利平は老眼鏡をはずして、見た。

夏江だった。むこうもこちらに気付いて立ち止った。左右をとみこう見、逃げ出しそうな気配だ。父親はぐいぐいと近付いた。娘は硬い仮面の表情で迎えた。

「どうした。元気か」

「ご無沙汰してます」

「たまには姿を見せい。今なら、初江も来ちょる」

「さっき会いました。博物館に来てくれたんです。あのう……」夏江は末広婦長をすがめに見た。

「さきに帰っちょれ」と利平は婦長を追いやった。

砂埃が舞うなかで父と娘は向き合った。

「元気のようで何よりじゃ」

「おとうさまも……」

「年を取った。最近は不眠症でな。疲れて困る」

「働きすぎじゃありませんこと……」

「人手不足じゃ。医者はつぎつぎ応召しようるうえに、看護婦になり手がない。薬も器材も足りん。それじゃのに、満床で患者の大群じゃ。病院を大きくしすぎたわ」

「戦線を縮小なさればいいのに」

「それがむつかしい。他院の治療では満足せん胃潰瘍と結核が、わんさと集っちょるで。医学博士時田利平の診察を請いに、全国からわざわざ来る者を追い返せやせん」

「でも……」

「大丈夫じゃ。老いたりといえども、まだ診療技術はおとろえちょらん。ただなあ……」

「人手不足なんですね」

「それだけじゃのうて、職員の能率が悪いんじゃ。看護婦はだらけちょるし、女中は気がきかん。腹の立つことばっかりじゃ。第一、事務長がなっちょらん」

「上野平吉さんですね。あの人駄目ですか」

「まずは人望がない。職員の統率ができん。それに……」利平はつぎの言葉を呑み込んだ。

平吉は看護婦に言い寄ったり、美人をえこひいきするという噂だ。噂の出所は、久米薬剤師と鶴丸だからどこまで信憑性があるかわからぬが。つい数日前にも、新しく新潟から来た無資格の若い看護婦を事務長付きの事務員に転用してしまったと、末広婦長から抗議が来て、結局、看護婦として採用することにしたのだが、両者のごたごたを調停するのにえらく神経を使った。そして、気が昂ってなかなか眠れず、小便をしようと溲瓶を探すと女中のお民がうっかり忘れていて見当らない。呼鈴を鳴らしてお民を呼びつけ、きつい叱責を加えたが、てんとして反省の色なく、こっぴどく怒鳴り散らしたところ、いとが取りなしに掛り、今度はいとと口喧嘩となった。なおさら目が冴えて、仕方なくブロバリンを一グラム飲み、やっと寝入ったところ、けさからの強風で病院全体が軋み、また目覚めてしまった……。

「お気の毒」と夏江は目を伏せた。自分が何の力にもなれぬのを恥じるふうである。風が擦り抜け、娘の首筋は鳥肌立っている。粗末なモンペに羽織もなしで、いかにも寒そうだ。しかし、「寒くありませんか」と尋ねたのは娘のほうだった。

「寒くはない」と利平は答えた。事実、純毛の分厚い海軍外套(がいとう)は風を通さない。「ではな」と行きかけて振り返った。「何か言いたいことがあるんじゃろ」

「おとうさま」と夏江は、無表情な顔にこころもち朱をのぼらせて、言った。「わたし、結婚します」

「ほうほう」と利平は目を剝(む)いて頷いた。「そいつは重畳(ちょうじょう)」

「相手は帰還兵士です。そしてカトリック教徒ですの」

「耶蘇か」

「はい」

「いかんとは言わん」通行人が来た。中年の主婦の二人連れを、行き過ごさせてから、利平は吐き出すように言った。「赤よりは、ぐんとましじゃ。帰還兵じゃと……」

「はい。傷痍軍人です。右腕がありません」

「働けんような男では困るの」

「働けます。左手で事務がとれます。当分博物館の事務をやってもらいます。こちらも人手不足ですから。ねえ、おとうさま、結婚式に来て下さいます?」

「いつじゃ」

「五月二十日、四谷の教会です。ごくうちうちでします。披露宴(ひろうえん)は、時節柄(がら)、無しにします」

「耶蘇なら教会は仕方がないが、披露宴無しは貧相じゃ。水交社を使え」

「水交社はぜいたくすぎますわ。もし、おとうさまが来てくださるなら、博物館で簡単な宴を開きます」

利平は手帳を開いた。二十三日、水交社にて「八雲会」とあるが、二十日はあいている。

「よし、行く」

「うれしい」と夏江は、初めて笑顔を見せ、小娘のように躍り上った。「わたし、てっきりおとうさまが反対なさると思っていました。条件が悪いんですもの。悪すぎますもの」

「何を言う。耶蘇だろうが、右腕がなかろうが、無学だろうが、男は人物次第じゃ。人物はよいのだろうな」

「はい。大丈夫です」

「それならよろしい。ただし、披露宴は、おれが持つ。水交社でせい」

「でも……」

「父親の喜びなんじゃ。それくらいはさせてくれ」

「わかりました」夏江は頷いた。

「ちょっと家へ来い。細目を相談する」利平は先に立った。夏江はついてきた。

病院の玄関を入ったとき、上野事務長が迎えに出た。うしろに末広婦長が脹れっ面で――いや、近頃肥ったため、そう見えるのかもしれないが――立っていた。

「困ったことがおきました」と事務長は、夏江に黙礼すると、院長の耳元に口を寄せ、尻を

突き出し両手を組み、いかにも卑屈な物腰で言った。新潟から来た子の件と、察した利平は、

「あれは、決着をつけたはずじゃ。蒸し返すな」と言った。

「それがですね。急に郷里に帰りおったです。はい。結核患者の痰壺の清掃をやらされたのが気にくわんと、帰りおったです」

「まったく」と婦長が言い添えた。「この節の若いもんは堪え性がなくて。田舎で肥溜をいじってたくせに、だらしがなくて」

「いきなりじゃ無理だった」と事務長が言った。「百姓と言っても、小地主の子で、汚れ仕事には馴れてないんだ。事務員なんかが適当だったんだ」

「おや、それは言い掛りだよ」と婦長は気色ばんだ。

「よせ」院長は断ち切った。「帰ったものは仕方がない。また探す。平吉、須佐の知り合いを当ってみい」

「はい」事務長は、また尻を突き出した。

「いいか。人集め。これは事務長の肝要な任務じゃ。乗組員の払底した軍艦はよう働かん。それに、軍紀の乱れも由々しき大事じゃぞ。下手すればバルチック艦隊の憂き目を見る」

利平は、上野平吉の、ポマードで塗り固めた髪を見ているうち小腹が立ってきた。自分はおしゃれして、ドスキン地の背広なんか着て、小癪にも院長のおれと同じ糊のきいた白衣をまとっているくせに、院内は薄汚れたままだ。見ろ。待合室の長椅子は破れている。廊下には繃帯の糸屑が落ちている。あの窓硝子のひび割れはまだ直していない。上野平吉という男、

肌の黒さと密生したこわい髪の毛は母親ゆずりだが、目ん玉の大きいのはおれの遺伝だ。しかし、この卑しい顔立ちはどこから来たか。いやいや、この男が夏江の兄だとは到底思えない。去年の秋、医療器具商として目の前に現れた平吉が、自己紹介のすえ、実は先々妻上野サイの子だと言ったとき、本当に魂消た。別れたとき四歳だった幼な子は、突如、四十男として目の前に立っていた。そして、つぎの瞬間平吉が、「おとうさん」とおれを呼んだとき、おれは激怒した。籍を抜き、他人となった男が、三十数年の歳月を無視して、「おとうさん」など呼ぶことをおれは断じて許せなかった。以来、この男は、この言葉をピタリと口にしなくなった。と言っても、平吉はおれの子には間違いない。彼を事務長として傭ったとき、彼がおれの子でなかったら、そうはしなかった——おれの子として育てなかった三十数年への償いの気持がどこかにあった。もっとも彼の前では、おれは冷やかで高圧的な他人の態度をとり続けているが……。

　利平は、足早に二階にあがった。階段の上で振り返ると、夏江がこの子特有の軽い足音をたてながらついてくる。いとが「お帰りなさいませ」と廊下に顔を出し、夏江を見て、怪訝そうに眉をしかめた。初江も央子を連れて出てき、妹の存在に意表を突かれた面持だ。「そこで、おとうさまにお会いしたのよ」と夏江は弁解した。

　居間で、利平は夏江に、「まあ、坐れ」とソファをすすめた。そこへ初江といとが押し合うようにして入ってきた。

「会っても、いいそうです」と初江が言った。

「話を進めましょう」といとが言った。

二人の女が競争して話し掛けてくるのに、利平は目を剝いた。

「何じゃ、何の話じゃ」

「いやですわ、おとうさま」初江は一歩前に進み、豊かな胸を突き出した。肉付きのよい初江は、細作りの夏江とは異質の女らしさを備えている。「史郎ちゃんですよ。会っても、いいそうです」

「あ、そうか」

「最初はいやだと言い張ったんです。でも、散々説得したら、ねえさんがそうまで言うなら、会ってもいいですって」

「それはお手柄だ」

「でしょう。本人の気の変らぬうちに会わせちまいましょう」

「早速に話を進めたらよろしいですわ」といとが言った。「先方はいつでも上京してきます。史郎さんはお勤めがあるから日曜日がよろしいでしょう」と机上の日捲りを繰った。「きょうが三月二十三日、土曜日。あすの日曜日は無理ですから、つぎとすると、三月三十一日ですわ」

「そんなの早すぎますわ。お見合いの場所も設定しなくてはならないし、先方さまのご都合もあるでしょうし。それに三月中は、わたし、子供の新学期の準備で体があかないんです。四月になったらよい日を見て、わたし、設定しますわ。うちの二階なんか、よろしいと思いますけど」

「歌舞伎座はいかがでしょう」といとが言った。「あの薫さんて人、演劇に趣味があるんですよ」

「史郎ちゃんには、まるでその方面の趣味がないわ」と初江は鼻で笑った。「歌舞伎なんか退屈して、弟には逆効果です。単純に会わせたほうがいいんです」

なおも口を出そうとするいとを利平は目で止めた。

「この件は初江にまかせる。よしなに取り計らえ。さてと……夏江の結婚披露宴を考えにゃならん」

「おや」と初江が夏江を意味ありげに見た。いとは呆気(あっけ)に取られていた。利平は手短かにいとに説明した。

「よかった」と初江が言った。「わたし、おとうさまが反対なさると思って、どう説得しようか、悩んでましたのよ」

「反対するはずはない。結婚は本人同士がよければ、それでよい」

「おとうさまって案外進んでらっしゃるのね」

「当り前だ。おれはな……」〝お前たちの母、菊江に恋した男じゃ〟と言おうとして、いとの手前言いそびれた。

近日、夏江が菊池透を連れてきて利平といとに引き合すこと。その上で、八丈島の菊池の両親と利平夫妻とが会い、婚約。五月二十日、午後三時、四谷の聖テレジア教会で結婚式、午後五時より芝の水交社で披露宴。みんなの意見が一致し、段取はすらすらと決ってしまった。

その夜、利平は、久し振りに上機嫌で、娘二人と孫に囲まれて食事をとった。しかし、独りになるとにわかに後悔し始めた。夏江に久し振りに会った喜びで、その言い分を調子よく聞いてしまったが、すこし度を過しすぎた。せめて相手の男に一度会ってから判断すべきだった。耶蘇で片腕のない傷病兵なんか夏江とあまりにも不釣合いではないか。学歴の件も聞き忘れた。何もかも打ち毀してしまいたい衝動がおこって酔いがさめ、利平は大声で叫びたくなった。

3

庭に誰かの気配がする。しきりと物を引っ掻いている。誰だろう。初江はそっと寝床から抜け出した。風呂場の曇り硝子は暗い。まだ、夜は明けていない。女中部屋の襖がすこし開いている。蒲団は片付けられており、なみやの姿が見えない。勝手口が半開きだ。忍び足で外へ出た。白み初めた空の薄明かりにうごめくのは、なみやだった。竹箒で勢いよく掃いている。

「どうしたことなの、こんなに早く」

「ひゃあ奥さまか。眠れませんのですよ。横になってても仕方がねえで、働くことにしたでございますよ」

「でも、まだ夜ですよ」

「へえ、もう大通りは掃き終えたよ。落語屋さんちから人形屋さんちまで、ぜえんぶ掃いたよ。見てくだせえよ、芥ひとつねえで、ピカピカだあ」なみやは叫ぶような大声で、それは四周に筒抜けに違いない。

「あんた、近所迷惑だわ。とにかく早すぎるわ」

「箒の音なんて、大したこたあねえ。それよりさ、道は芥だらけだったからねえ。そいつをピカピカにしてやっただからよ。みんな喜んでるに違いねえよ」

「もっと小さな声で喋りなさい。もう掃除はいいから眠りなさい」

「無理だよ、奥さま。無理でございますです。眠れませんのですから。あんな、ちっちゃな女中部屋にゃ、いられねえだよ。さあ、働かなくちゃ。ほら、もう朝だい。

　春になれば　氷コも溶けて
　どじょっコだの　ふなっコだの
　夜が明けたと　思うベナ……」

「おやめったら」初江も思わず叫んでしまった。しかし、なみやはやめない。力一杯に唱っている。落語の師匠の家の電灯がつき、窓が開いた。こちらを覗いている。

　なみやは庭の隅から隅まで、木の幹のうしろまで回りこんで、垣根の裾をこすり取るようにして、掃いた。そんなに掃いたとて大した芥はないのだが、芥を木の塵取に集めると、下駄でけたたましく飛石を踏み鳴らして、芥箱まで捨てに行った。今度は、井戸のポンプをギッコギッコ漕いでバケツに水を入れた。水を庭に撒き散らす。しかも、朗々と歌を唱いながらである。

「ああ黎明の　明けの鐘
　いま朗らかに鳴り響く
　見よ東の薔薇の雲
　紅い匂う　頰の色
　歌え讃えよ　われらが青春を……」

やめさせようとすると、ますます向きになって騒ぎたてるようなので、初江は黙って見守ることにした。と言っても、隣近所をはばかって、気が気ではない。お茶の師匠のほうも目覚めたらしく、電灯がついた窓硝子に、人影が動いている。

「どうした」とうしろで声がした。悠次だった。

「なみやですよ。ああやって、明け方から騒いでいるんです。やめろと言っても、聞きませんし」

「わざとやってるのか、いやがらせを」

「そうとも思えない……一所懸命働いているんです……何だか怖いわ……気が触れたんじゃないでしょうか」

「まさか。きのうまでは普通だったじゃないか」

「そうでもないんです。こんところ、不安定で。莫迦に陽気に笑ってるかと思うと、てんで潮垂れてしくしく泣いたりして。全然、普通じゃありませんよ」

「とうとう狂っちまったか」

「あなた、ひとごとみたいにおっしゃらないで。どうしましょう。あんなんじゃ、お腹の赤ちゃんに障りますわ」

夜が明けた。なみやは、なおも唱いながら、突き出た腹をゆさゆささせて水撒きをしている。庭から玄関前、門の外と、あわただしく動き回っている。しかし仕事は正確で、八分目まで水を入れたバケツを、こぼしもせずに運び、割烹着を濡らさずに巧みに水を掌で掻い出している。さいわい、人々が起きる時刻となり、市電やバスが動き、雨戸が開き、納豆売りが声を張りあげ、なみやのたてる物音も、まぎれてしまった。悠次は、「もう一眠りする」と去ったが、初江は心配で、なみやのそばから離れられなかった。が、そうしても、何もできず、ただただ相手のなすがままにまかせたのだ。

なみやは、飯炊き、味噌汁作りと朝食の支度を終えると、風呂場にしゃがみこみ、洗濯を始めた。いかにも苦しげに腹を抱えるような姿態なのに、一向に苦にする様子もなく、のべつに歌を唱っている。初江が驚嘆したのは、なみやが流行歌の歌詞をよく諳んじていたことである。つぎからつぎへと、まあ、よくぞ記憶できたものだ。それも一番だけではなく、全部を通しでおぼえている。

「ようく、覚えてるわね」と試しに言ってみる。すると溢れるような返事がかえってきた。

「そうだよ。昔はね、ラジオだって、レコードだってよく聴いてね、ようく覚えたもんでございますですよ。こりゃ、みんな古い歌だあ。一昔前のだあ。つぎは何にするかねえ。奥さん、これ『国境の町』ての知ってるかね。知らねえの。唱ってやらあ。

　橇の鈴さえ　寂しく響く
　雪の曠野よ　町の灯よ
　一つ山越しゃ　他国の星が
　凍りつくよな　国境……」

とまらない。いつまでも唱っている。洗濯板に石鹸をガリガリ言わせながら、調子をとって唱っている。

子供たちが、続いて悠次が起きてきた。飯も汁もあんまり早く作りすぎたため冷え切っている。汁を暖めるだけ手間がかかった。

日曜日だった。悠次は悠太を連れて新宿駅近くのゴルフ場へ行くと言いだした。

「運動なんかなすって大丈夫なんですか」と初江は聞き咎めた。昨年夏の眼底出血以来、ゴルフはピタリとやめていた。恒例の二月のスキー行きも今年は中止していた。

「気候がよくなったし、そろそろ体を動かしてみようと思ってな」

「でも……」選りに選って、なみやが変に興奮気味の日に出掛けなくてもと初江は不満だ。

そう言えば、なみやの告白以来、悠次は、まるでなみやを避けるように外に行きたがる。先週、黄塵の土曜日も、ながいあいだ行きもしなかった鵠沼での泊り掛けの麻雀を再開した。

「お昼にはお帰りですか」

「いや、悠太に、ひさしぶりに鮨でもくわしてやるから、おそくなる」

外食を嫌い、時分どきには帰宅するのを常とする悠次にとっては、鮨など珍しい。この節米飯不足で碌な鮨などないと知っている初江は、夫の言種がなお不自然に思えた。

「あなた」とつい刺立った口調になった。「なみやの様子がおかしいんですよ。わたし一人では不安です」

「ああ」悠次は厚い近眼鏡の奥で、こそばゆげに目をしばたたいた。「でも、大分おとなしくなったじゃないか」

「洗濯してるからです。聞こえるでしょう。ああやってのべつ唱っています」

「なるほど、うむ、まあ」と意味不明の間投詞を残して、悠次は悠太を連れて行ってしまった。

初江は、暖い春の風に吹かれながら、縁側で男の子たちの半ズボンを繕った。破れや綻びのひどいのは、活溌に運動する駿次だ。兄の悠太は新品をあたえるせいもあって面倒を掛けない。もっとも、三男の研三は兄たちのお下りをもらっているのに、大事にはいている。

物干台でなみやが唱っている。唱い続けているため声が嗄れてしまったが、唱いやめようとはしない。子供たちは庭の砂場で歓声を振りまいている。門の外で自転車の鈴が鳴った。長身の学生服が入ってきた。脇晋助だ。阿弥陀の帽子の下に無精ひげの濃い笑顔があった。時々ふらっとあらわれる。しかし、今日はひと月ぶりだった。

「ご無沙汰ね」

「旅行に行ってたんだ。京都奈良の古寺巡礼」

「いいわね、暇で」

「暇はあるけど金がない。もっと旅を続けたかったんだが、金が無くなったんでね、花を見捨てて、南より北へ歩みを運ぶ春とともに帰ってきた」

「むこうは桜が咲いていたの」

「ああ、満開だ。もっとも東京も八分咲きだ。きのう小金井のを見てきた」

「花見か、行きたいわ」

「行けばいいのに」

「それが駄目なのよ。こんところ、いろいろ憂きことのみ多くてね」

「叔母さんでも憂きことなんてあるの」

「お言葉ね。ありすぎるわ」

晋助に、子供たちがまつわりついた。子供好きの従兄が遊んでくれるのを期待しているのだ。

「ねえ、晋ちゃん、自転車でどっか行こうよ」と駿次が言った。「行こうよ」と研三も言った。

「よし、行こう」という晋助の返事にいそいそとして、駿次と研三は自転車を軒下から引き出した。駿次のは悠太のお古で研三のは補助輪つきだった。ところで、兄たちが車を押して門へ向うと、央子も三輪車にまたがり、「オッコも行く」と足を踏ん張った。

「オッコは待ってなよ」「そうだよ」と兄たちが言う。晋助も、「オッコちゃん、すぐ帰ってくるからね」と言った。央子は断然頭を振り、三輪車を夢中でこいでついてきた。しかし、石段をおりられず、泣き始めた。激しく甲高く泣く。

「よしよし、ぼくと一緒に行こうね」晋助は央子を抱きあげて、大通りに出た。「ちゃんとつかまってるんだよ」と幼い子を荷台に乗せる。

「そんなの、危いわよ」と初江はとめようとしたが、彼はもう坂を下り始めていた。子供たち二人が追いかける。三人は右に曲って見えなくなった。時折車が通る。乗用車もバスも木炭車が大半で、背より白い煙を吐いていく。出力がすくなくて坂を登れない車もあり、ぜいぜいと咳き込むようにエンジンを震わせている。初江はぼんやりと待っていた。鈴懸並木が赤い芽を脹らませているのが、春の生命力を見せつけられるようで、生々しい。なみやの動静が気掛りだが、家の中へ戻る気になれない。と、反対側、坂上に子供たちの歓声があがった。晋助を先頭に駿次、研三の順で走ってきた。スピードがあがりすぎ、危いと思ううち、晋助の学生帽が飛んで坊主頭が剝き出しになった。学生服の青道心というのはこっけいだ。去年の六月に学生の長髪禁止令が出てからも、ずっと晋助は長い髪のままでいた。それが秋に憲兵につかまり強制的に髪を刈られた。以来帽子を常用しだした。学生帽、ベレー、ソフト、スキー用の正ちゃん帽……。今も帽子を飛ばした彼はあわててブレーキをかけ、弾みで転倒した。央子は転げ落ちた。初江は駆け付けた。子供は右の膝小僧を擦って血を流して泣いていた。立たせてみると、しっかりと立てる。ほかには怪我はなさそうだ。

「ごめんね、オッコちゃん」と小さい体に触ろうとした晋助を初江は邪慳に突きのけ、央子を抱いて門内に走った。茶の間の薬箱から赤チンを出し、完皮膏を塗って絆創膏でとめた。

「ごめん」と晋助が母親に頭をさげた。「ちょっとはしゃぎすぎた」

「チチンプイ、ほら治った。どこも何ともないでしょう」と初江がなだめると、央子はようやく泣きやんだ。

「帽子を飛ばしてあわてたのがいけなかった」晋助はなおも頭をさげた。

「あなた、帽子は」と初江は目だけを動かした。

「ここにあるよ」駿次が庭先から縁側に帽子をほうって寄こした。男の子二人は、妹の怪我が大したことなかったと知って安心したのか、庭でチャンバラごっこを始めた。

央子のために積木や人形を出してやる。幼ない子は、おとなしく、一人遊びを始めた。

「晋助さん、何ともなかった」初江はやっと大学生に顔を向けた。

「大丈夫だ」

「あなたって子供みたいにはしゃぐのね。はしゃぎすぎよ」

「子供みたい……いや、子供だったら、あんな無様な転び方はしない。年をとったんだ。年をとって体がきかない。そこへ持ってきて、このごろ、ぼくは気も転倒している。みじめで混乱している」

「何があったの」

「いろいろあった」

「あなた人相悪くなったわ。いえね、坊主頭のせいじゃないのよ。目づかいよ。何だか、すぐ近くの落し物でも探すみたいに、キョロキョロしている。焦ってるわね。小説が書けないの」

「書けない。ラディゲが傑作を書いた年齢は遥かに越したのに、まだ才能の片鱗も現れてこない。夢のなかではものすごい小説を書きあげて得意になっている。時代に迎合した戦争小説が枯葉となって粉と散るのをあざ笑っている。ところがうつつとなると、書いたもののただの一行も光っていない。そうして、戦争小説の氾濫のなかで、ぼくは窒息している。息苦しくて、あえいでいる」

「焦らなくてもいいでしょ。あなたは若いのよ」

「もう二十三だぜ。大学を卒業すれば徴兵という処刑が執行される。先は短いんだ。二十三歳にして、ぼくは瀕死の老人なんだ」

「でも、まるで子供みたいなところもあるわよ」

「そう。老人が子供に返るってえ現象がある。あれさ。ああ、五年前はよかった。ねえ」男は、ひたと女を直視した。茶の眸の額縁のなかに、女の姿が小さく描かれている。一瞬のちに、女は融けて流れた。

「あなた、泣いてるの」

「そう、処刑を前にした死刑囚の涙だ。ぼく、このごろパスカルを読んでいる。彼は人間は死刑囚だと言っている。悲哀と絶望にひたっていると言っている。ただし、どんな悲しみに満ちた人間も、気ばらしのあいだだけは幸福だとも言っている。ところが、ぼくには気ばらしの時間もない」晋助は、二ミリほどに伸びたひげを掌でこすった。手は大きくて厚い。ふと男の息が額にかかると、初江は、自分のなかで消えた火が赤く熾されるのを覚えた。

　二階でなみやが唄っている。いつのまに二階にあがったのか。

「何だか、やけくそに唄ってるね」

「なみやよ。けさから唄い続けてるの。ほら、もうすっかり嗄れ声でしょう」

「悲しそうだな」

「わたしには陽気に思えるけれど」

「あれは絶望した人の唄いっぷりだ。引かれ者の小唄」

「あなた、みんな死刑囚にしちゃうのね」

「胸に沁み入る悲哀の歌だ。泣けてくるよ」

「本当に泣いてるのね。あなた、いつからそんなに涙もろくなったの」

「年をとってから。涙もろいのは老化の徴候なんだ」

「きょうは何か用があって来たんでしょう。顔に書いてある」

「ズバリ、お見通し。実は、オッコちゃんにヴァイオリンを習わせたらどうかと、すすめに来たんだ。ぼくが習ってる先生が、例の才能教育家の鈴木鎮一先生のお弟子でね、幼い子にヴァイオリンを教えてるんだ。誰か志のある子供を紹介しろと言われていてね、思いだしたのがオッコちゃんだ」

「この子にヴァイオリンなんて、全然似合わないわよ。それにまだ幼なすぎるわ」

「その二点は完全に反論できる。オッコちゃんは音楽が好きだ。ぼくのレコードを聴かせると熱心に夢中で聴いている。それから、ヴァイオリンなら、満三歳から習わせられる。幼児用の十六分の一なんて楽器もある。大体ヴァイオリンの名手というのは、みんな幼いうちに練習を始めている。ミッシャ・エルマンは四歳、ヤッシャ・ハイフェッツは三歳、アードルフ・ブッシュも三歳。オッコちゃんはヴァイオリン開始の適齢期だ」

「そんな人たちはみんな天才なんでしょう。うちの央子には才能なんてないわ」

「そう極めつけちゃかわいそうだ。言っておくけど、オッコちゃんはヴァイオリンという楽器に大層興味を持ってるよ。遊びに来ると、ぼくの下手な演奏をじっと聴いてるし、楽器を触らせると爪弾きで結構曲らしいメロディーを出してる」

「あなた、どうして」と初江は不思議そうに晋助を見詰めた。「央子のことになると、そう熱心なの。まるで、自分の子みたい」

　晋助は胸元に匕首を突きつけられたようにのけぞった。初江はすぐ後悔した。言うべきでないことを言ってしまった、ともかく、この種の言辞を口にしないよう心掛けてきたのに……。ここで「ごめんなさい」と謝れば、ますます相手を傷つける結果になる。

「いいわ」と初江は笑顔で頷いてみせた。「央子にはヴァイオリンを習わせるよう、旦那さまを説得してみるわ。あなたも協力してね」

「むろんさ」と晋助も笑顔に変った。晋助という人は鏡の中の顔みたいに、彼女の表情をそっくり映し出すのだった。「実はね、行きつけの楽器店に十六分の一のヴァイオリンが入荷していてね、押えてある。ドイツ製で、ストラディヴァリュウスのコピーだが、試しに弾いてみたら、音色はいい。小さいので、よい音色というのは掘り出し物だよ」

頭上で家具を無理矢理引き摺るような音がした。二階にあがってみると、八畳間に椅子やテーブルが山積みになっていて、がらんとした応接間では、レコードの詰った重い戸棚を、なみやがうんうん動かしていた。

「何をしてるの」

「掃除でございますですよ。このうしろに芥が溜ってるんでございますですよ」なみやは嗄れ声を振り絞った。

「そんな重い物を動かすと、お腹に障るわよ。それに、そこは去年の大掃除で綺麗にしたばかりじゃないの」

「綺麗じゃありませんでございますよ。見てください。芥だらけだ。奥さま、邪魔だ。どいてくれえ」なみやの目は今にも飛び出しそうに光っていた。乱暴に振り回される戸棚の角を避けて初江は「なみや」と取り縋った。「ここの掃除はもういいから、やめなさい。ねえ、やめてちょうだい。お願い」

「すぐ終るよ。心配しねえでいいから」

「それよりも、あんた、そろそろ自分の荷物をまとめる必要があるんじゃない？」

「荷物なんか、なあにもねえよ。わたくしのような貧乏人は、なあにもねえ」

なみやは、大きな腹を振り立て、故障したロボットのように、右に左にめまぐるしく動き回った。晋助もあがってきた。

「大騒ぎだね。おや、なみやさん、大車輪の活躍じゃないか」

「下に行きましょう」と初江は制し、男の背を押して階段をおり、ついでに玄関の外へと押し出した。

「彼女、どうしたんだ、すこし様子が変じゃないか」

「あなたには関係ないの」

「ありゃ、明らかにご懐妊だな」

「わかる?」

「一目瞭然(りょうぜん)、明々白々。驚いたね」

「おねえさまには黙っててね」

「残念ながら、お袋さまは先刻御承知です。せんだって、なみやに偶然出会って、はっとしたそうだ。それで、きょう、ぼくがこっそり偵察(ていさつ)に来たってえわけ」

「人が悪い。冗談ごとじゃないの。わたしたち本当に困ってるの」

「ああなったら、相手の男と一緒にさせるより仕方がないと思うけど」

「それがそう簡単にはいかないの。ああ、もう考えたくない。ねえ、もう帰って。わたし、くたくたなんだから」

「帰りますよ。でも気になる事件だな。お袋も心配してたよ」

「有難迷惑だわ。うちで何とか解決するからほっといていていただきたいわ」さあ帰れ、と言うように睨み付けると、晋助は睨み返したが、すぐにやりと笑って去って行った。

初江は、また、繕い物を続けた。昼食の支度ができたとなみやが言うので台所に行ってみると釜一杯に飯を炊いていた。優に二日分の飯である。しかし、お数を作るのを忘れていた。初江は鰺の干物を焼いて、子供たちに遅い昼の食事をさせた。悠次と悠太が帰ってきた。悠次はすこし日焼けして上機嫌だった。

「久し振りだが腕は落ちていなかった。悠太のやつ、最初恥かしがっていたが、やらせてみると結構打てる。おれの血筋かね……どうした」

初江の形相に気づいた悠次は、悠太が近くにいないのを確かめると急に声をひそめて訊ねた。

「なみやの様子はどうだ」

「ますます変です。あれからも滅茶苦茶に働きまくって、怖いみたいです。あんなに体を動かしたらお腹の子にも悪い影響をあたえますわ」

「それを見越して、わざとやってるんじゃないかな」

「まさか」

「そうに決ってる。子供の流産をねらってるんだ。だって考えてごらん、今子供が流産すれば何もかも円くおさまるじゃないか」

「だったら止めなくちゃ……あなた、やめさせて下さい」

「おれにはできん。あの女が、ぎりぎりで考えた解決を邪魔したくない」

「そんなのずるいですわ、あなた。なみや一人を苦しませて平気なんですか。流産すればお腹の子は死ぬんですよ」

「もともと、おれは堕せと言ってたんだ……あの女は、やっとその気になったんだ」

「違う。違う。そんなんじゃない」初江は煮え立って混じり合う意識を、整理するように頭を振りながら、夫に正面切って言った。「女の気持って、そんなんじゃありません。自分のお腹にできた子供は、誰のだろうと大事に育てたいものですわ。なみやだって同じことです。だから今まで頑固に、子供を生んで、生んだ子は自分で育てると言い張っていたんです。でもそうするのはむつかしいし大変なことだって、あの子もわかっていたんです。悩んでいたんです。それが、どうにも持ち堪えられなくなって、とうとう狂ってしまったんです。あなただって、おわかりでしょう、なみやは普通ではありませんことよ。あんなに、明け方から起きて、働き詰め、唱い詰め、声は嗄れ、目付きはとがって、やることがすべて大袈裟で、間が抜けていて……頭がおかしいんです。専門のお医者さまに診せたほうがいい。いえ、診せるべきです」

「医者……三田にか」悠次はひるんで肩をびくっと引いた。

「いいえ。父には精神科なんかわかりません。それにこんな家庭内の不始末を父に洩らすわけにいきません」

「精神科の医者か」

「篠田病院に頼んだらどうでしょう」不意に坂の上の精神病院が念頭にのぼってきた。「すぐ近くですもの、宅診を頼めるんじゃないですか」

「しかし、精神科の医者なんかに診せたら、かえってあの女が傷つくんじゃないかな。気違いあつかいにされたと、あとで恨むんじゃないかな」

「そうかもしれません。でも放っておけば、あの子の病気は、ますますひどくなりはしませんか。手遅れになって治らなくなったら破滅ですわ」

「もうすこし様子を見よう。自然に治るってこともある。一時の興奮かもしれんしな。そう言えば、急に静かになったじゃないか」

　ふと不吉な予感がして、初江は女中部屋に走った。からっぽだった。二階へ行く。応接間は手がつけられぬほど乱雑だった。テーブルや椅子や戸棚を運び入れはしたのだが、すべてがあらぬ方角を向いている。床には、家具を引き摺った傷跡が無数についている。

　なみやは八畳間の床の間を拭っていた。しかし、濡れ雑巾の飛沫が掛軸や白壁に飛びひどい有様だ。しかも掛軸は、前田侯より拝領した『眠り猫』の一幅であった。なみやは、汗まみれで、顔にほつれ毛が垂れ、絶えず何か独り言を繰り返している。夕餉のお使いを頼むことにして、やっと下に追い払い、初江は溜息をつきつき、後始末にかかった。

　しばらく経って、騒動が起った。

　まずは子供の悲鳴が聞えてきた。初江が駆けつけてみると、台所に悠太が倒れて頭から血を流し、その前になみやが突っ立っていた。左の後頭部に一寸大の瘤ができていた。子供部屋に寝かせてから手当を始めた。オキシフルで消毒し、リバノール湿布をする。悠太は泣きながら訴えた。ちょっとしたことをなみやに頼んだら急に突き飛ばされたという。どんな事情があろうと、子供を突き飛ばすなど許せないと、責め立てているうち、悠次が来た。するとなみやは、つと立って行ってしまった。

「あの子、ますます変ですよ。わたし怖い」と初江は言った。

「どうしたらいいかな」悠次は項垂れた。

　不意に、奥で泣き声がした。犬の遠吠えのように長く尾をひいている。初江と悠次は不安な顔を見合せた。と、泣きやんだ。なおさら気になって、初江は行ってみた。女中部屋で、なみやが、暑さにへたばった犬のように四つん這いになっていた。

「気分が悪いのかい」と初江は背中をさすってやった。なみやは頭を振り、正座すると、

「坊っちゃん大丈夫かね」と尋ねた。

「大丈夫よ。ちょっと瘤ができた程度だから」

「すみませんです。わたくし頭が変なんだ。おかしいでございますです」

「いろいろ悩みごとが重なったからね。あんた疲れてるのよ。すこし休みなさい。もう仕事はいいから、寝てなさい」

　なみやはかすかに頷いた。初江が部屋を出たとたん、襖が内側からピシャリと閉められた。なみやはそのまま閉じ籠ったきり、夕食にも出てこなかった。襖の前で聞き耳を立てると、静かな寝息が伝わってきた。

翌朝六時、いつもの時刻に、なみやは起きてきて、また「すみませんでした」と謝り、悠太の様子を気にしている風だった。仕事ぶりも常とは変らず、やはりきのうの狂態はほんの一時の興奮にすぎなかったかと安堵した悠次は会社に出掛けた。きょうは四月一日で、男の子たちは始業式に出席のため正午すぎに家を出た。悠太は五年生、駿次は三年生、研三が二年生に進級であった。

晴れてはいたが、きのうの暖気が嘘のように寒い日だった。縁側の硝子戸を立て切って、央子の春の洋服を縫い始めた。脇美津が貸してくれた五歳児用の型紙にしたがって、古切れを切り取り、あれこれ組み合せを考えているそばで、央子は鏡台の化粧品をいたずらしていた。紅をひき、白粉をはたく。長い髪をもっともらしく梳く。ためしに初江は、「央子、ヴァイオリンを習ってみるかねえ」と言ってみると、幼な子は、ヴァイオリンが通じないらしく、「バイバイ……」と口真似するのみだった。自分が長唄の師匠に通い三味線と踊りを習い始めたのは、このくらいの年齢であったと思い出す。ところが三味線も踊りも結婚してからは、夫が無関心のうえ稽古の暇もなくて月日が経ってしまい、今ではすっかり忘れてしまった。幼い時からあんなに根を詰めたお稽古ごとが全く役に立たなかった。央子のヴァイオリンだって同じく空しい、親の見栄を充足させるだけの営みかも知れぬ。けれども、この子に、何か芸事を習得させたいという気もする。晋助の言う通り、央子は音楽好きで、童謡の節まわしなどすぐ覚えて口ずさむし、レコードと蓄音機さえあれば何時間でも一人で時を過している。やらせてみようか……。

なみやが縁側に来たのは、初江が、午後の日差しのなかで、ぼんやりした想念を楽しみながら、手を動かしているときであった。その顔付きが、あまりにも悲しげに打ち萎(しお)れているので、初江はびっくりした。

「どうしたんだえ」

「奥さま、きのう、わたくし、何をしたですか」

「おや、覚えていないのかい」

「覚えてねえ。なあも思い出せねえ。なんかわたくし、悪いことしたような気だけすんだけどよ、何をしただか」

「全然覚えてないのかい」

「所々、うっすらと……家の前を力さこめて掃いたり、重い戸棚を運んだり……だけんど、切れ切れで、つながらねえでございますですよ」

「さかんに歌を唱ったのは」

「覚えてねえ」

「二階の家具を全部移して大掃除したのは」

「覚えてねえ。覚えてるのは坊っちゃまを突き飛ばしたときからだあ。あれで、はっと気がついただね。そうでございますですよ」

「ずっと悩んで疲れてたからだろうね。いいのよ、何も覚えてなくても。あんた、きのうは一日、よく働いてくれた。感謝してるわ」

「けさ起きたら妙に悲しくてなんねえ。胸が締めつけられて、胸から涙が溢れてくるみてえで、泣けてなんねえ。わたくしは悪い女で、奥さまにはとんでもねえことしてしまって、死んでおわびするより仕方がねえようで、地べたの底にこのままずるずる沈んでしまいたい気がして、もうたまらねえ、死のうと思って、扱きを首に巻いてギュッと締めたけんど、ほら跡があるでしょう、だけど死ねねえ……」

「そんなこと……」

「だけんど、死んでしまいてえのは本音で、もうどうしようもねえでございますです。何度かやったが、死ねねえんで、外に出て、お隣の古いお家を見てたですよ。なあにも知らねえ、ほんの小娘であの家に来て、坊っちゃんたちはみんな小さくて、かわゆくて、一緒に遊んで、たのしかったあ。なあにも知らねえのに、奥さまには、いろいろ教えていただいて、ありがとうございましたですよ。その大恩のある奥さまを裏切って、泥棒猫みてえに盗んで、なみやは悪い女で、もう死ぬより仕方がねえ……」

「死ぬ、死ぬって、あんた何を言ってるの。お腹の子のためにも生きなくちゃ……」

「お腹の子は、もう駄目でございますですよ」

「ちょっと、あんた、何を言うの。まさか……」

　初江は異変に気付いた。なみやが手をついた前にポタポタと落ちていたのは涙ではなく汗であった。悲しげな表情と見えたのは苦痛にゆがんだ必死の形相であった。肩で息をつく、せわしない吐息は尋常ではない。

「あんた、あそこから血が出てないかい」

「出てるよ。沢山出てきて、シーツがびしょびしょで、もう駄目でございますです」

「ともかく横になんなさい」

初江はあわてて蒲団を敷き、なみやを横たえた。着物の腰のあたりに赤い血が染み出している。ただならぬ気配におびえてすがりつく央子を抱き、さてどうしたらいいか、考えた。けれども、考えが、相変らず煮えたつ湯に浮き沈みするようで、まとまらない。三田の父に相談するのが手取早いし、父なら迅速的確な指示をしてくれると思うものの、下手に相談はできない。と言って、近所の産科医では人目についてしまう。前に診察を受けた産科医をなみやに訊ねると、上野駅の近くでどこだか忘れてしまったという。ともかく、どこかへ電話をしようと受話器を取り、「何番、何番……」という交換手の声を聞いた瞬間、悠次の会社の番号を言った。「茅場町の二二〇一番」しかし悠次は外出中であった。と、壁の電話番号表のなかに新宿三丁目の産婦人科医の番号が目についた。さいわい、すぐ先生が出た。

「うちの女中なのですが、妊娠六箇月で、おかしいのです……」容体を説明した。

「それは流産らしいですね。連れてこられますか」

「それが、とても歩けない様子なんです。かなりの出血で苦しがっていまして。この節タクシーはありませんし……」

「奥さま」となみやが傍に立っていた。「歩けますですよ」

「あんた、起きてきちゃいけないわ。ほら、血が垂れている」

「大丈夫です、奥さま、血ぐらい、平気だあ。しっかりと褌を締めていきゃあ……」

「もしもし、本人が歩けると申しておりますので、今からうかがいます。よろしく」

医者は手術室の準備をして待つと言ってくれた。

局部にあるだけの脱脂綿を当て、悠太の遊泳用の赤褌を締め込んだ。なみやは、着替えやら洗面用具やらを包んだ風呂敷を背負って、旅支度さながらの恰好だ。初江は央子の手を引いた。初江の心配をよそに、なみやはしっかりとした足取りで行く。相変らず汗を吹き出し、呼吸もせわしないが、小さな目を見開いて懸命に歩いている。花園神社の前から裏道に入り、やがて色町らしい櫺子窓のならぶあたりに医院はあった。央子を身籠ったとき、三田の父をはばかり、ここでお産をしようと何度か診察を受けに来たことがある。土地柄、院長はさばけた人で、夫の名前や職業など小うるさい質問は一切なくて、気楽だった。今もそうで、なみやはすぐ診察室に呼び入れられた。其者らしい女が三人いる待合室に坐ると、さすが初江は、緊張がほどけ、疲れが足から背中へとじんじん脈搏つのを、溜息をつきつつ、感じていた。央子が、「お腹すいたよう」と袖に縋った。すたすた進むなみやを追うのに夢中で、央子の手を引っ張り通しだったから、この子は走り続けたわけで、お八つどきの空腹は無理もない。すると女の一人が、「お嬢ちゃん、卵パンあげましょう」と紙包から一つ出して差し出した。

「いいえ、結構です」と初江は言下に断った。この種の女には梅毒が多いと聞く。そんな女からのもらい物は不潔だと思う。

「いやあ、卵パンほしい」と央子は涙声になった。空腹と疲労で不機嫌になっている。

「駄目よ。お腹こわしてるんだから」と叱る。

「お腹こわしてない。卵パンほしいよ」央子は駄々子になった。卵を入れた楕円形のビスケットは、央子の大好物であったのだ。近所で何か買ってやろうと、むずかる子と外に出てみた。ぐるぐると歩いたが、閉鎖的な妓楼の連続で何もない。新宿の繁華街へ出てみようと遠方へむかった。京王電気軌道駅の売店で、煎餅を手に入れることができた。産院に帰ってみると、手術がおわったところで、院長は、「女のお子さんでした。残念でした。しかし、おかあさんは元気です」と言い、「ご本人はすぐ帰ると言ってますが、どうしますか。一日か二日、入院して体を休めるのが最上ですが。さいわい病室は空いています」と付け加えた。

なみやは毛布にくるまり、首だけを出して初江を迎えた。

「赤ん坊は助からなかったそうだ。残念だったね」と初江は、なみやのほつれ毛を撫でつけながら言った。

「仕方がありませんです」なみやは、薄っすらと濡れた目で言った。「みんな、わたくしが悪いんです」

「あんた疲れてるから、二日ほど入院しなさい。それから家に帰ってくればいい。そしてね、こうなれば、ずっと家で働いてくれて、いいのよ。わたしも、あんたにいてほしい。子供たちもなついているし、何でもあんたならまかせられるし……」

「いいえ」となみやはきっぱりと言った。「わたくし、やっぱり里に帰りますです。お名残り惜しいけど、帰ったほうがいいです」それから急にささやいた。「もう旦那さまに会いたくないです。荷物はまとめてあるから、里に送って下さい。二日ほどいて、ここからまっすぐ里に帰ります」

「手術料や入院費は心配しなくていいのよ。気のすむようにしなさい。またあした来るからね」

　家に帰り、血染めの着物を洗濯した。悠太がなみやがいないのはなぜか尋ねたので、千葉の里に帰ったと答えた。なおも悠太が理由を詮索するので、つい「子供は知らなくてもいいの。あんなフシダラな女中、ここにいなくてもいいの」と言ってしまった。夕方帰ってきた悠次に一部始終を報告した。

「そうか。それはよかった。これで何もかもが円くおさまったわけだ」と悠次はにっこりした。その苦労なしな夫の顔を、薄気味の悪い動物ででもあるかのように眺め、初江は一つ大きな溜息を洩らした。

4

「無礼者め、まったく、何というやつらじゃ。わが……」そこで利平は言葉を呑み込んだ。いとが身動きしたからだ。蒲団を突きあげ、スプリングをきしませ、寝返りを打っている。彼女は、利平の朝の独語癖をうるさがり、あまり長く続けると、「やめて。眠れないわ」と文句を言う。「何を言う。癖じゃ。仕方がない」と言い返せば、角突き合いとなって、つまりは不快が残るのみなので、このごろは、独り言をなるべく控えるように注意している。

目覚めてはいるのだが、睡眠薬の沁みた脳細胞がうまく作動しない。昨夜はなかなか寝付けなかった。カルモチン一・〇を飲んでも睡気はおこらず、ルミナール〇・五を追加した。つまり入眠剤に睡眠持続剤を常用量の二倍用いて、やっと眠りの幕がおりたが、これが紗のように薄っぺらで、半睡状態で一時、二時と時計の時を数えた。そのあと眠ったのだろう。三時と四時は聞いていないが、五時はたしかに聞いた。それから、長い夢の世界に入った。細長い廊下を歩いていた。血のように赤い絨毯を敷き詰めた廊下はくねくねと続き、両側の檻の中の囚人どもが、「助けてくれ」「ここから出してくれ」と海藻のように黒い腕を伸ばしてきた。囚人の手につかまるたびに、看守たちは棍棒で手をたたき落した。囚人たちの悲鳴を聞き、おれは惻隠の情をもよおし、乱暴を振うなと命令すると看守長らしい男がにやりと笑い、いきなり檻に入れられた。看守長の裏切りだった。せまい檻は、鳥籠のように周囲からまる見えで、いつのまにか、高いところに吊りあげられており、見物人たちの視線をあびていた。素っぱだかのおれは、前を隠すものは何もない。「人類の標本だよ」「それにしては、よぼよぼの老人だな」「まあ、解剖しちまえば、年齢などどうでもいい。人体の構造はどいつも同じだからな」看守長たちが入ってきて、おれを解剖台の上にギリギリと縛りつけた。

「無礼者め、まったく、何というやつらじゃ。わがはいは医学博士時田利平じゃ。きさまらごときに……」と叫ぶ途中、ふと、目を覚ました。

意識は、融けたパラフィンのように、ゆっくりと移動している。何とかねっとりとした部分を取り去り、水のようにさらさら流してみたいと願うのだが、ままにならん。以前、朝の目覚めは、スイッチを切り替えたように爽やかなものときまっていた。それが、このごろの体たらくは、どうしたわけか。「なっちょらん。まるっきりなっちょらん」と怒鳴って、利平はまた、はっとした。いとがうるさそうに身動きし、こちらに顔を向けた。目を開いている。「起してしもうたか」と利平は照れ笑いをした。「いま何時ですの」「五時過ぎじゃ」「まだ早いのね」「ああ、まだ早い」「何を、ぶつぶつ言ってらしったの」「嫌な夢にうなされた」「どんな夢」「どこかの病院がな、紊乱その極にあった」「へえ」といとは、つまらなそうにあくびをした。続けさまに三つもして、目を瞑って寝入る体だ。

きのうの出来事が、夜中に見た夢の一つのようにして、ぼんやりと思い出されてきた。

土曜日の午後、利平は武蔵新田の別荘に出掛けた。いとは日曜日に用事があるというので、独りで出掛けた。庭の木を刈込み、春の星空を観測するつもりだった。ところが、夜の楽しみがまるで果せなかった。土曜日は曇り、日曜日になっても一向に晴れず、月曜の朝に帰る予定を一日きりあげて、日曜日の夜、つまりきのう、帰ってきた。二階への階段に足を掛けたとき、上から男女の談笑がこちらを嘲笑うように降りてきた。いつもだったら、足音高く階段をあがり、自分の帰宅を告知するのだが、忍び足でのぼっていった。いとの部屋でいとと上野平吉が声高に話していた。盗み聞きなど男のする行為ではないと思っているくせに、ふと聞き耳を立てたのは、二人があまりにも親しげに、すこし馴れ馴れしくしすぎるようで、いつも利平の前で、二人が交す、院長夫人と事務長の間の取り澄ました会話とまるで違っていたからだ。「気をつけなさいよ、あなた。とにかくあっちは細かいんだから、細かいところにきちっとしてみせるのがコツよ」「それができねえんだな、おれには。人間が大らかに出来あがってやがる。細かいところは手抜きしても、全体としてまとまってるほうが世の中、うまくいくと信じてる」「それでいいんだけどさ、病院なんて大きな組織を動かすのには、全体がなにより大事だからねえ。でもさ、とにかくあっちが細かいんだから、一応細かいところ、まあ、目につくところは、ちゃんとして見せるのよ。あっちだってさ、何もかも、全部を調べるわけじゃないんだから、調べそうなとこだけ、重点的に綺麗にしておくのよ」「そいつが苦手なんだなあ。根が正直なもんだから」利平の足元で床板がミシリと軋んだ。とたんに二人は静かになった。利平は大股に居間に入った。いとが追ってきた。「お帰りなさいまし。お早い、お帰りでしたね」と、夫の鞄を取って机上に置く。「気が変ってな、帰ってきた。誰か来ちょるのか」「上野です」「今ごろ何の相談じゃ」いとの口から酒の臭いが漂ってきた。「お食事を一緒にしましたの」いとは言い訳がましく続けた。「院内の情報をいろいろ聴くために来てもらったんです。しあさって、警防団の防空演習がありますでしょう、その相談も兼ねて……」「酒まで出してか」「はい、お酒がありますと話がなめらかになりますでしょう。わたしはいけませんけど、あの人、お酒がないとかしこまっていて、本音をなかなか言いませんし……」「フウム」と利平は髭を人差指でしごいた。胸のなかに溜ったものが一挙に爆発しそうで、口をぎゅっと押える気味があった。いとは、日曜日の午後から夜にかけて国防婦人会の慰問袋作りがあるから新田へは行けぬと言っていた。それが上野平吉と二人っきりで酒酌み交しているとはおかしい。しかも、ひごろ病院の経営や人事には一切口出ししないと公言しているくせに、院内の情報を聴くため事務長を招くというのは理窟に合わない。しかも明らかに、このおれを肴にしていた。「あなた、お食事は」「まだだ」「あらら大変。すぐに支度をしますから」いとが出ていくと、入れ違いに上野平吉が入ってきた。「申し訳ありません。お留守中、ちょっとお邪魔しておりました」すっかり酩酊して、呂律があやしく、赤黒くなった顔より、ぶつぶつと膿のような汗を吹き出している。「何じゃ、そのザマは」利平はそっぽを向き怒鳴った。「臭いわ。泥酔しちょるな」「いいえ、そんなには、いただいておりません」「いとと何を話しておった」「院内のことをいろいろとご報告しておりました」「ご報告だと……大方、他人の品評でもしとったんじゃろ。誰のことを話しておった」「いえ、別に……」と、上野平吉はしゃちこばったが上体が静止せず、十センチがとこは揺れ動いている。そして「それでは、これで……」と早々に退散していった。

　利平はいとの部屋を覗いてみた。食べ散らかしの狼藉である。一升瓶が真ん中にあって、冷や酒でぐいぐいやっていたらしい。頭に来たのは酒が、〝関娘〟であったことだ。自分用に、〝津の国屋〟を通して特別に下関から取り寄せている故郷の銘酒だ。それを断りも無しに、平吉ごときに供するとはけしからん。座敷に坐って待っていると、いとが具を入れた土鍋を持ってきた。鍋の両耳の部分にある燗用の湯に徳利をつけた。奴豆腐、桜鯛、筍、早蕨、野菜が盛んに湯気を立てた。熱いものを、ふうふうと舌の上で転がしながら酒を飲む。いとは、利平の不機嫌を見て取ったか、触らぬ神とばかり黙っている。鍋がぐつぐつと煮立ち、酔いがまわってくるにしたがって、利平の胸の内圧が高まり、鬱々としたものが流出し始めた。「平吉に関娘を飲ませたのはなぜじゃ。あれは、おれ用の特別品じゃ」「あれは蓋をあけて、古くなったのです。捨てるよりは誰かに飲ましたほうがよろしいと思いまして」「あんな男にか」「あんな男とおっしゃいますが、あれでも事務長です。つまり本院の職員の長です。それなりに遇してやらなければ」「おれの許可もなしにか」「すみません。お帰りになったらお話しするつもりだったんです。それが急なお帰りで……」「どっちにしても事後承諾じゃ」「はい。緊急に相談することができて呼んだんです。今度の防空演習には、麻布の歩兵第一聯隊から、副官が査閲にいらっしゃるんですって。麻布聯隊区の国防婦人会員も大勢見学に来る予定です。隔離病棟に被弾したという想定で看護婦が手順よく患者を退避させねばなりません。せめて前日にでも予行演習をやっておこうと相談したのです」「あす、やればよい」「あすは品川駅で千人針をするので、わたくし、副支部長として一日出なくてはなりませんの」「そういう相談に酒はいらん」「相談が終ってから酒を出したんです。だって、休みの日に呼び出したんですから、食事ぐらい、それにちょっとのお酒ぐらいサービスしませんと……」「それで、人の噂話か」「何のことですの」「酔って、さんざん人をコケにしよって」「何のことやら、さっぱりわかりませんわ」「ともかく、女一人のところに男が来て酒を飲むのは、不謹慎じゃ」「いやですわ。あなた妬いてらっしゃるの」「何を言う」利平は爆発した。「亭主の留守に職員の男性を奥にあげて酒をのまし、話しこむのがいかんと言うちょる。陰口をたたかれるようなことはするな」「陰口ですって、どんな」「知るもんか。ただな、院長や院長夫人てのは、いつだって全職員の注目の的じゃ。あらゆる種類の陰口、悪口、噂、風聞の的だと、知っておけ。すこしでも疑われるような行為は、ツ、ツ、シ、メ」利平は卓袱台をどんと拳で叩いた。徳利が飛んで倒れた。いとは脹れっ面で酒を拭った。利平の口は止らなくなった。「平吉については、とかくの噂がある。若い看護婦にちょっかいを出したりして、素行が悪いと……」「そんな話、聞いてませんわ」「みんながお前には言わんだけじゃ。それと言うのも、お前と平吉が親しいと知っとるからじゃ」「親しい……誰がそんな中傷をしてるんです。わたくし、絶対、上野と妙な関係はありません」「陰口じゃと言うちょるんじゃ」利平は、最前の二人の睦じげな話し振りを思い出し、声を荒げた。「とにかく、身をツ、ツ、シ、メ」「ハイ、ハイ、ヨーク、ワカリマシタ」と、いとは切口上で言うと、むっと口を噤み、頬を膨らました。そのあと、二人はまったく無言になり、利平はやけになって杯をあおった。

　利平はベッドを抜け出した。階段の手摺りを持ち、用心深くおりていく。去年の夏、足を踏みはずして転げ落ちた。さいわい、打ち所がよく、カルシウム錠を常用していたせいもあって、骨折はまぬがれたが、六十五歳の体は、どこか神経が鈍くなっていて、用心せねばならん。風呂場に来て、五右衛門風呂の蓋を取ってみると、湯気が噴き出した。指で試すと熱湯に近く、うんとこさうめねばならん。女中のお民を呼んだが返事がない。おれが起きる頃合を見計らって湯加減を調節すべしと命じてあるのに、何と怠慢なやつだ。三度目に、やっとお民が、間の抜けた鼻面を突き出した。怒鳴りつけると、井戸のポンプを物憂げにこいで水を入れだした。「早うせい」と利平が焦げつく思いで震えているのを知らぬげである。ようやく湯船に沈んで、ぬくまった血管が拡張し、血流が毛細血管の隅々まで洗い流すようになって、利平は人心地がついた。睡眠薬の残渣が腎臓に集められ排泄口へと向っている。おかげで、脳細胞が清められ、意識が透明になってさらさらと動き始めた。還暦になってから、朝風呂を日課とするようになった。簡便な新陳代謝の促進法としてこれに優る健康法はない。女の肌さながらの柔かい湯にくるまれて、利平は目を細めた。

寝起きに見た夢がふと思い出された。血のように赤い絨毯、あれは旅順の海軍監獄ではなかったか。看守の足音を消すために敷かれたものだった。あそこを訪れたのは、日露戦争後、旅順海軍病院に在任中のときだから、もう三十数年前だ。初老の一看守が脳溢血をおこして卒倒し、意識不明となり、毎日、せっせと往診しては、薬餌および栄養物の注入の目的をもって、鼻孔からゴム管を挿入して、満足なる結果をえた。あれが、自分が誇る、時田式胃洗滌法の最初であった。三十数年、このゴム管による胃洗滌によって、多くの胃潰瘍患者を治療してきた。今や、時田病院の収入の半分は、胃潰瘍治療によってえられている。利平は誇らしく思い、体を湯に浮かせた。が、あまり調子に乗りすぎて、底板を踏みはずし、勢いよく浮かびあがった板に顎先を打たれ、頭がくらくらした。どうも運動神経の老化で、無様な失敗ばかりしてしまう。

湯からあがり、鏡で顎先を調べてみた。別に異常はない。利平は、両脚を踏んばると、両の鼻孔にオリーヴ油を注ぎ、ゴム管二本を各々挿入した。鼻腔から咽頭へ、食道から胃へと、ゴム管は二匹の蛇のように這い入った。この間、四秒か五秒、これだけの早技をこなせるのは、全世界でわれ時田利平のみじゃ。一本のゴム管をさげて、胃液を流し出してみると、昨夜の食餌の断片がまだ残っていた。葱や筍などだ。これはよくない徴候だ――胃の蠕動機能の低下――過食――老化。利平は、もう一本のゴム管に硝子漏斗をつけて捧げ持つと、五パーセントの重曹液を胃内に注入した。ふたたび流し出す。こうして胃洗滌を繰り返すうちに、胃内の残物がすっかり無くなった。

つぎは浣腸して直腸のなかを空っぽにせねばならぬ。〝院長専用便所〟に入るや、ベッドに横たわり、用意してあったイルリガートルから五〇パーセント・グリセリン液二〇〇ccを注入しだした。ところが、便意がいっかなおとずれてこない。睡眠薬の多量使用で便秘がひどいのだ。あと一〇〇cc、いや、思い切って二〇〇cc追加だ。やっと鈍重な便意が来た。だまされてはならん――これは、薬液だけのおこす贋の便意だ。もっと我慢して、薬液が固い便をとろかすまで待たねばならん。利平は脂汗を吹きつつ待った。五分、七分、もう限界だ。便器に坐って、どっと何もかも排泄する。よろしい。好調である。便の色も密度も胆汁の正常な消化作用を示している。もう一度、温水で腸内を洗うと、利平は風呂場にもどり、湯船に飛びこんだ。

これで朝の聖なる儀式は終りだ。老来、体の諸所にガタが来ていて、余程の刺戟や手当を加えないと健常化が保てなくなっている。残念ながら、これだけは、神と仏と自然の法則によって、いかんともしがたい。しかし、何とか健常化して、きょう一日の出発の姿ができあがった。姿見におのれの裸形を映しながら、タオルで拭う。最近白髪がめっきり増えた。頬の老人斑も列島地図のように連なってきた。皮膚のたるみは隠しようもない。皺を寄せて垂れさがった腹、縮かまった陰茎。「老人の標本だな」と誰かに言われた気がした。けさの夢が思い出された。おれを鳥籠に押し込めた看守長、あれは上野平吉ではなかったか。にやりと笑った顔付きがそっくりだった。と、きのうの平吉といととの会話が耳ざわりな残響となって夢の記憶に混り合った。「あっちは細かいんだから」などとほざいていた。おれのことを〝あっち〟とはふとどきな言いざまじゃ、しかも二人で結託しよって。せっかく整えたはずの体調がおかしくなってきた。頭から睡気がふっきれず、胸やけがし、腸が張っている。まるで油をさして無理に動かしている老朽車のようじゃ。続けさまにあくびが出た。頭を振り、額を拳でたたいた。月曜日だというのにこのざまでは困る。えい、まったく困る。

　利平が朝食を終えたときになって、やっといとが起きてきた。まだ機嫌が悪く、黙礼したのみで、プイと自室に籠ってしまった。つい去年の秋、いとは朝食の給仕と相伴をやめた。利平が早起きに過ぎ、とても付き合いきれぬという理由からだった。先妻の菊江の場合は、病気がちのため、夫のほうから朝食を別々にするように言ってやったのだが、いとの場合は主客が転倒していた。しかも夫が働く時刻になっても、まだのうのうと寝ていることがある。

　総回診を始める八時半を利平はじりじりしながら待った。朝起きのあと時間が余っている。博士論文の準備をしていたときは、早朝から屋上の医学研究室にて剖検や培養に忙しく、時間が足りないくらいだったのだが、今はその必要もない。と言って、何もせずに空虚な時間をすごすのは性分としてできない。新聞を読み、謡をさらい、レコードを懸けてラジオ体操をするのを日課としているが、きょうはそのどれもやる気がしない。睡眠不足なのだから眠るのが一番効率のよい行為なのに、それもできない。眼を瞑って、いらだつばかりだった。

鳩時計が八時半にポッポと鳴いたとたん、利平は居間の扉を押して、病棟へ飛び出した。医員二人と末広婦長と主任看護婦三名とは院長を待っていたが、西山医師と上野事務長の姿が見えず、利平は渋っ面となった。

「西山先生はまだ来てません」と末広婦長が言った。今年の正月、親友の外科医唐山博士の紹介で来た西山は錦糸町でかなり大きな外科医院を経営していたが、大の将棋好きで、責任が重く気忙しい院長をやめて、気楽な一医員として働きたくなったという変り種である。外科医としての腕はいいし、もう五十半ばの年輩なので結構頼りになる医師なのだが、勤務態度が不規則で気まぐれで、休んだり朝寝坊して総回診をすっぽかしたりするのには困らされる。

「事務長は工場を回っていましたが……」と婦長が言い掛けたとき、スリッパをことさらに音高く引き摺りながら上野平吉が駆けてきた。

「おはようございます。すみません。軍から完皮液の製品むらについて苦情が来たので、久米薬剤師と原因調べに手間取ったものですから」

七分おくれて、総回診の行列が動きだした。総回診は行列でなくてはならぬ。臨終の菊江の診察を請うた東京帝大の野村教授に謝礼に行ったとき、初めて大学教授の総回診の行列を見た。教授を先頭に助教授、講師、助手、無給医局員のぞろぞろと長い〝大名行列〟だった。権威ある医者とはかくあるべしと感銘を受けた利平は、さっそく真似を始めた。それまで婦長と二、三の看護婦をともなって総回診をしていたのに、全主任看護婦に全医員、さらに事務長まで供をさせて、ともかく〝行列〟を作って全病棟を一巡することにしたのだ。

重傷者室の患者の経過は良好だった。大腿骨の複雑骨折で出血多量で生死を危ぶまれた警察官も一命を取り留めた。脾臓破裂で重態だった老婆も回復している。おれの手術の腕はなかなかのものじゃ、と言いたげに利平は二人の医員――一人は六十二歳、もう一人は何と七十歳――を振り返ったが、二人の老人の反応は鈍く、不思議そうに見返すのみだった。残念ながら若い医者の来手がない。学校出たてから三十代ぐらいまでの医者は軍医にとられてしまうためだ。やっとつてを求めて若い人を入れても、すぐさま軍医として取られてしまう。仕方なく『医事新報』に募集広告を出すと応募してくるのはみんな年寄りばかりだった。西山医師のように五十代となると、もう若手のメッケモノではあった。

医者だけでない。若い女性は、男手不足の農村では働き手だし、都会では軍需工場に吸収されて看護婦のなり手がない。そこで、官公立病院を停年退職した老看護婦を給料で釣って、やっと集めている。

看護婦が老齢化したため、看護の能率が悪くなった。白髪、肥満、皺、猫背が病棟内をうろうろしている。注射・検温・汚物処理の手が震えてあぶなっかしい。男みたいな野太い声や途轍もない大声が飛び交う。患者に対して横柄な態度をとる。担架運びのような力仕事を敬遠する……いや、いちいち注意していたらこちらの身が持たぬので、近頃はおおむね黙過することにしている。が、けさは虫の居所が悪く、ある看護婦のキャップの黄の染みを叱責したのを皮切りに、膿盆の清掃が不充分だ、救急箱が所定の位置にない、看護婦室に私物を置くなと、つぎつぎに当り散らし、そのたびに末広婦長は頭をさげ、主任や平の看護婦を叱りつけた。とばっちりは上野事務長にもむかって、廊下に常備してある防火用水槽の水が足りんと雷が落ちた。

「先週、注意したばかりではないか。なぜ、すぐ実行せん」

「はい、明後日の防空演習用に、もっと大きい水槽を注文して、きょうあたり入荷する予定ですので」

「じゃからと言って、即今、火事がおきたらどうする。すぐ水を補給せい」

「はい」

「はいはい言いよるばかりで、きさま、ちっとも命令を履行せんではないか。防火用水で注意するのは、これで三度目じゃ。それから……」利平は、先々週改善を命じたリネン室の棚の件を不意に思い出し、その方向へすたすたと歩み寄った。扉をあけさせてみると、果して棚は旧態依然としていてシーツが床にこぼれ落ちたままだった。「何じゃ、このざまは。なぜすぐ手配せん」

「岡田の爺さんに言っておいたのですが、ほかの普請があるとかで、後回しになっておりまして」

「岡田には現在何も用を言いつけておらん」

「岡田さんは」と末広婦長が引き取った。「最近、足腰がめっきり弱くなって、高い所の棚は億劫がるんです」

「ならば、間島を呼びもどせ。岡田にできんなら間島に命じる、それくらい臨機応変にせんで事務長がつとまるか」利平はなおも平吉を睨まえた。「間島にはな、現今、新田で仕事をあたえとらんから、電話すればすぐ駆け付けるはずじゃ」

「はい」平吉は尻を不恰好に突き出して低頭し神妙な面構えだが、どこか真実味の乏しい、面従腹背の気配の見られる顔だ。こんな男を事務長にすえたのが間違いであったかと後悔するのだが、反面商売はうまくて、陸軍への完皮液と完皮膏の売り込みでは実績をあげ、利平の発明品のデパート売り場への常置なども引きを用いてうまく成功させ、調法している。

回診が終りに近付いたときになって、やっと西山医師が現れた。遅参を謝りもせず、よれよれの白衣を着て、すまし顔で列のうしろにつき、利平が睨みつけると、いたずらっ子のように首をすくめ、五分刈りの頭を掻いた。利平は、それまで散々小言を言い尽くめで飽いており、西山には何も言わずに顔をそらした。

回診が長引いたため、外来患者が待合室から溢れ、廊下や玄関口にまでひしめいていた。簡単な病気は医員にまかせるが、胃潰瘍と結核とは院長の名声を慕って来る人たちで自分で診察せねばならない。要領の悪い看護婦を叱咤しつつ大車輪の活躍だった。戦場そっくりの慌ただしさだが、それが利平の神経を刺戟し、頭を重く抑えていた睡気や不機嫌を吹き飛ばしてしまった。温まったエンジンのように利平の頭脳と筋肉は快調に活動した。医学博士時田利平にくらべれば、すべての看護婦は愚鈍なのが当り前で、そう思うともう怒る気にもなれなかった。

午後二時になって、ようやく外来の診療を終り、医員たちが昼食のため姿を消したとき、突然戸板に乗せられた四十がらみの男が担ぎ込まれた。腹を押えてうんうん苦しみ、顔は土気色で、生気がない。芝浦の沖仲仕の頭で、昼食に握り飯を食べたあと急に腹が痛み出し、食べたものを全部吐いてしまった。様子がおかしいので近所の医者に往診を頼んだところ、食あたりということで痛み止めを注射して帰った。ところが一向に痛みが取れず、本人は七転八倒の痛苦で、ともかく大きな病院へと品川駅近くの内科医へ担いで行ったところ、医者が旅行中だと断られ、この時田病院なら診てもらえるだろうと言われて、担いできたという。みんな沖仲仕らしい腹掛股引の屈強な男たちだが、話し下手で、口々に訴えるのを総合して何とか事情を察した。脈をとっていた末広婦長が頭を振って、「もう駄目です」と利平にささやき、「何かの中毒らしいです。かかわりにならないほうが……」と目まぜした。

利平は婦長にかまわず、精神を集中して診察を進めた。聴診器一杯に腸の悲鳴が聞えてくる。出口を失なったガスや流動物が暴れまわっている〝鼓腸〟である。患者が押えている痛みのひどい部分に内臓ののたうつような響きがあって、固い〝膨満〟を確認できた。要するにそこの腸管が詰まった結果おこった〝腸閉塞症〟である。即刻の開腹手術こそ最善の治療法だ。ただ、発症後時間が経ちすぎて衰弱がひどいのが難だが、筋肉労働で鍛えられた頑健な四十二歳、何とか持ち堪えるだろう。

利平は男たちに診断結果を説明した。手術と聞いて顔を見合せ後込みする男たちを励ますように、「大丈夫じゃ、まかせろ」と胸をたたいてみせた。事実、利平には自信があった。腸閉塞症ごとき数え切れぬほど手掛けていて、全例を救っている。転落やら交通事故の外傷なんかより、原因が単純なだけ手術の成功率も高いのだ。

〝膨満〟は腹の右側だった。メスで腹壁を一気に切り開いた。勢いがついて小動脈を切断したらしく、噴出した血が鉤引きをしていた西山医師の顔にもろに注ぎかかった。

「顔をそむけるな。何じゃ、外科医のくせに、だらしがない」と激しく面責してから、相手が経験のある医者であったと気付き、言わずもがなであったと後悔した。

血まみれの西山は頷き、「まったくですな、だらしがない。外科医にあるまじき失態です」と笑った。

「いや、すまん。つい口が過ぎた」

「当然です。ところで、院長、そこに嵌頓部があります」

西山が目敏く病巣を発見した。大きな蛇が小さな蛇を呑み込んだ具合に、太い結腸の中に細い回腸が吸いこまれている。いわゆる〝腸重積〟という異変で、もぐり込んだ部分が血行障碍のため壊疽をおこしやすい。利平は回腸をにぎって結腸から引っ張り出そうとした。

「院長、それは危険です」と西山がいさめた。しかし、利平はなおも回腸を強引にずるずると引き摺った。すると壊疽で脆弱となった腸が破れて、糞便様の内容物が噴出してきた。あたり一面の汚染は確実に腹膜炎の原因となるだろう。大失敗である。茫然としている利平をよそに、西山は手際よく生理食塩水で汚物を洗い流してくれた。

「脈が微弱」と末広婦長が言った。「血圧七〇とゼロです」

患者はショック状態をおこしていた。強心剤を打ち、心臓マッサージを西山がほどこした。そのあいだ、利平は何とか腸管を縫着し、排膿管を埋めこんで、手術を終えた。脈が回復し、血圧が一二〇にあがった。あとは腹膜炎の発症に備えるのみだ。

「ありがとう」と礼を言う利平に、西山は「いいえ、院長の手技のお見事なのには感服いたしました」と慰め顔で頷いた。別に皮肉をこめた語調でもなかった。利平は当分この男に頭が上らぬと思うと、彼への感謝の念よりも、おのれの腑甲斐なさへの怒りと失望を覚えた。

5

ステッキをついて散歩に出た利平は、製薬工場脇の大工仕事場で、上野平吉が間島五郎と立ち話をしているのを見かけ、満開の染井吉野の幹に身を隠すようにして立ち止った。事務長が大工に何やら指図している体だが、年上の平吉のほうがむしろ腰を低く頼み込んでいるのに、五郎はとんと無表情、相手を無視するかのようにそっぽを向いていた。

平吉は最初の妻上野サイとのあいだの子、五郎は元看護婦の間島キヨとのあいだの子である。平吉の角張った容貌にはサイの、五郎の丸顔にはキヨの面影が移っている。二人とも肌の浅黒いのは利平の遺伝である。自分たちが異母兄弟だと、あの二人は知っているのだろうか。多分誰からか耳打ちされて知っているのだろう。そして、そ知らぬ顔で他人同士のように相対している。ところで、平吉がでっぷりとした貫禄のある押し出しなのに、五郎は痩せた傴僂で子供のように小さく、平吉の前にいると、その異形の体軀がことさらに目立つ。

　五郎の佝僂については利平は自分に責任があると信じている。若い看護婦のキヨに、つい手を出して生ませたが、丁度夏江を生んだばかりの妻の菊江が、どうしても認知を承知せず、私生子として赤ん坊を鳥取の田舎にあずけた。ところが先方の扱いがひどく、薄暗い納屋のなかで育てられたため、日照不足から完全な佝僂病に罹ってしまい、すでに手遅れだった。手元に置いて育てれば、いやしくも医者の父親として、そのような仕儀にはさせなかったものをと悔まれた。その後、伊東の旅館の下足番をさせたり、漁師の手伝いをさせたが長続きせず、手先が器用なところから岡田に頼んで大工の見習としたところ、これが性に合っているのか、最近は一人前の腕前になり、新田の増改築を一手にまかせている。

　ところで、母親のキヨは、二十四となった息子を結婚させたがって、利平に何度も願い出ていた。しかし、あの体では余程の財産でもつけるか、有力なつてでもなければ嫁に来る女がいるはずもなく、利平も困り果てた。ついきのうも、キヨは畳に額を摺り付け、「何とかなりませんでしょうか」と涙ながらに訴えた。「まだ早いわ。せめて三十になって、一人前の大工となってからでいいではないか」と言うと、キヨは、「それでは遅すぎます。あの子の嫁はおお先生のお力がなければ探せません。おお先生のお目が黒いうちに是非」と、あたかも利平があと数年で死ぬような言いざま、「そいつはひどいぞ」と冗談口をたたいたものの、考えてみれば、数年後には利平も七十歳、息災でいられる保証は何もなかった。

　五郎に嫁か、と利平は独りごちて、口髭を風になびかせた。そのとき、腰の曲った岡田の爺やが現れ、平吉はとたんに事務長ぶった横柄な態度で、つまり腕組みをし腹を突き出し、何か小言を言った。しかし岡田は、軽く頭を下げたのみで、角材に鉋を掛けて、あとは振り向きもしない。その動作はいかにものろく、手付もぎこちない。さすがの頑固爺いも、もう七十二、三、よぼよぼになった。平吉が妻子をお目見えさせたのは、この二月、事務長に任命した直後であった。妻は三十路ばかり、なかなかの美人で、八つの男の子と五つの女の子も整った顔付きをしていた。子供たちは利平にとっては孫に当り、年齢も研三と央子と同じだったけれども、孫としての可愛さを覚えなかった。血縁だけでは、愛情というものは生れてこないものなのか。

　利平は、田町駅へむかう坂道をのぼって行った。坂道が脚に応え、息切れがする。根を詰めて働いた疲れが脚に溜っている。ことにも、さっきの腸閉塞手術で疲労困憊した。商店街に来ると、挨拶してくる人々が増えた。大抵は患者らしいが、診察中は患部にのみ意識を集中しているので顔に見覚えがない。誰でもかまわない、医学博士らしく鷹揚に会釈をかえしてやる。店先に出てきた店主や女房は大抵顔馴染みで、丁寧に頭を下げてくる。彼らのなかにも患者が多い。綱町、豊岡町、同朋町、大正二年にこの地で開業してからもう二十八年目だ。むろん江戸の昔から住む土地の人々にとって利平は余所者だが、この界隈では今や第一等の名士ではあり、それは以前自家用車であちこち巡っていたころよりも、どこへ行くにも徒歩の現在のほうがはっきり実感できる。人々のおのれに対するうやうやしいお辞儀を、利平は楽しみながら歩いた。いや、人々のお辞儀を受ける楽しみのために、こうして漫ろ歩いている。

晴れてはいるが花冷えで寒い。遅い午後の黄ばんだ光が街を華やかに照らしている。ものみなが陰翳濃く、立体化して見えるこの時刻を利平は好んでいる。傾いた太陽はまだ盛んな余力を持ち、おのが終末を前に、朗らかに笑っている。一体に、歌人だとか風流人だとか言う人々が夕暮だのたそがれ時に興趣を覚える気持が利平には理解できない。沈みいく赤い太陽など物悲しいだけだし、街並みや人の顔も定かでない火点し頃など面白くも何ともない。

遅い午後の光で洗われて、元気になった利平は海を見たくなった。札ノ辻の陸橋を渡って、しばらくすると海が見えてきた。黄緑の波が無数の若葉のように喜ばしげに陽光を吸っている。若葉、五月……不意に目的がはっきりした。夏江を訪ね、その婚約者なる男が何者かを見極めねばならん。耶蘇で片腕のない傷痍軍人だと、そんな男に娘をくれてやるわけにはいかん。対決じゃ。そうと決ったら、もう散歩どころではない。敵撃滅の出航じゃ。利平はステッキをやけに振って、大股でまっしぐらに突き進んだ。

永山光蔵鉱物博物館の木札を睨みつけた。あきらかに義弟風間振一郎の筆跡である。代議士になってからいっぱしの書家ぶって、さかんに書をものし、誰彼に贈って得意になっておる。木札の横に目をやると、あった、〝風間振一郎書〟と麗々しく書き留めおったわ。

玄関口も部屋の配置も、以前の永山邸のままだ。利平は、受付に人影がないのでかまわず、勝手知った奥に入り、陳列室には目もくれず二階への階段を登り始め、途中で男の声に呼び止められた。顔色の悪い男だ。胆汁が染みた色……肝臓が悪いらしい。瘦せてはいるが、骨太で肩が張っていて、胸廓の発達がよく、以前筋肉労働をしていた形跡がある。右腕の所に垂れ下っているのが義肢だ。実に粗雑な作りの義肢だ。では、この男が、あの男、何と言ったか、えい、名前が思いだせん。

「何か用ですか」利平は男に挑むように言った。

「スリッパをどうぞ」と男は、左手でスリッパを利平の足先にうやうやしく置いた。「靴下が汚れます」

「そりゃ、どうも」気勢をそがれた利平は、スリッパをはき、ゆっくりと階段を登った。以前、寝室だった部屋が応接間風にしつらえてあった。ここで岳父が臥せっていたとき、海上に軍艦の大群を見たのだった。あれは二・二六事件の真っ最中だった。数日後、岳父は息を引き取った。「おう」と思わず声をあげ、利平は壁に掲げられた写真を見上げた。禿頭に長い顎鬚、達磨そっくりの老人が、「やあ、よく来てくれたな」と笑い掛けていた。

男がソファをすすめた。利平が坐ると、男は、「菊池と申します」と名刺を渡してきた。

「鉱物博物館員菊池透」とあった。

「ええと、わたしは……」と利平が腰を浮かすと、菊池は「存じております。夏江さんのお父上でしょう。写真で拝見しておりました」と言った。

「夏江はいませんか」

「買物に行ってます。おっつけ戻るでしょう」

「夏江と結婚したいと言うのはあんたですか。ならば、ちょっと腰掛けなさい。話がある」

利平は直截に切り出した。

男は兵隊がやるように上体を三十度倒す敬礼をして、テーブルをはさんだ真向いに坐り、

「はい」とかしこまった。

「夏江から話は聞いております。しかしじゃ、おれはあんたを知らん。知らん以上、判断のしようがない。じゃから来た」

「ごもっともです。わたしのほうで伺おうと夏江さんに何度も言ったのですが、かえって具合が悪いからやめなさいと、その都度止められました。失礼いたしました」

「かえって具合が悪いとは、どういう意味ですかな」

「わたしがこんな不具の身で、風采があがりませんし、それに……」

「キリスト教じゃそうですな。それで……それらがなぜ具合が悪い」

「以上の三点は時田先生のお気に召さない、だから夏江さんがまずしっかりとご諒解を、いえ、ご許可を得たうえで、つぎにわたしが伺うのがよいと、夏江さんが言い、わたしもそう納得したもんですから」

「なるほど……ところで、その腕の負傷は、どこで」

「ノモンハンです」

「史上空前の激戦だったそうじゃな、あそこは。あんた、その顔色では肝臓にも傷を受けたでしょう」

「はい、お見通しのとおりです。肝臓の半分と右の腎臓、それに肺の一部も負傷しました。敵戦車の機関砲にやられました」

「そりゃ大変な重傷じゃ。よう助かったな」

「はい、軍医も奇蹟だと言っていました」

「奇蹟とな……それでキリスト教を信ずるようになったのか」

「いいえ、信仰はその前からです。大学三年のとき洗礼を受けました」

「大学……あんた大学出か。どちらの大学じゃ」

「東京帝国大学です。法学部です」

「東大か」利平はちょっとたじろいだ。団子鼻に鰓の張った顔は、田吾作風で、およそ帝大出の学士らしからぬ。苦学して私立の済生学舎を出て医師となった利平は官立大学出に対して違和感と羨望とを覚える。

「東大出なら引く手あまたでしょうが」

「それが、ご覧のとおりの体で、しかもキリスト者で、いまの時勢には向きません。一度故郷に帰り、健康を養い、そのあいだに司法試験の準備をします。将来は弁護士を志していますす」

「そうですか」医師と弁護士こそ、最高の職業であると信じている利平は、ようやく口もとをほころばした。帝大出の弁護士なら夏江の夫として不足はない。それに弁護士は片腕が無くてもできる商売だ。

「故郷と言うと、どちらですかな」利平は丁寧な口調で聞いてみた。

「八丈島です。父は漁師でした。叔父が築地の魚河岸で仲買人をやっていましたので、たよって上京、中学は東京で出ました」

「一中一高東大のコースですかな」と試しに言ってみた。

「はい」と当然のような答である。

「それは秀才ですな」利平はすっかり感心した。

「いいえ……家が貧乏でしたので、学費は叔父の手伝いをしながら稼ぎ出さねばなりませんでした」

「苦学ですな。立派な行為じゃ。おれもな、昔、苦学をした。牛乳配達をしながら医学校に通った。父は山口県の漁師でな、おれは八男じゃったから、貧乏した」

「そうですか」

「あんたとおれとは、漁師の息子同士、苦学者同士ですな」利平は親しげに言った。事実、相手に親しみを覚えていた。が、まだ腹を決めたわけではなく、確かめておくべき事柄がある。

「どこで夏江と知り合ったのかな」

「はい、柳島の帝大セツルメントです」

セツルメントと言う言葉はいやな連想を誘う。主義者、赤の温床であり、何度もそんな場所に出入りするなと夏江に忠告をあたえたにもかかわらず、ひそかにセツルメントの託児所で働き続け、とうとう二・二六事件のさなか、過激思想の持ち主と疑われて逮捕された。本所の太平署で面会したとき、娘の髪は無残に掻き回され、紺の洋服は皺くちゃで、ひどい訊問でも受けたらしい形相だったが、背筋をしゃんと立て、雄々しく頬笑んでいた。翌日釈放されるまで、拷問され虐殺される娘の姿を何度も想像して慄然としたものだ。あんな思いをさせたセツルメントをおれは許せない。帝大生のくせにセツルメントにかかわっていたとなるとこの男もいかがわしい。

「すると夏江といつ知り合ったのかな」

「そうですね」菊池透は正確さを期するように指を折って数え、「あれは大学二年のとき、つまり昭和八年の五月祭でセツルメントの宣伝の展示をした折でした。夏江さんが見学に来られて、初めてお会いしたのでした」

「では、足掛け八年間の付合いか」その間には夏江が中林医師と結婚した期間が含まれる。ふと疑念がきざした。夏江が中林と不仲で一年ちょっとで別れた原因は、菊池と好き合っていたせいではないか。

「しばらくして、夏江さんはセツルメントの託児所で週二、三日のお手伝いを始め、わたしは法律相談部に属して、レジデント——住み込みの学生ですが——をやっていまして、時々お会いしたのですが、所属が違うので、単に顔見知りという程度でした。その後夏江さんは結婚、わたしは現役召集の渡満で離ればなれ、言葉の本当の意味でのお付合いが始まったのは、わたしが負傷して内地に送還され、陸軍病院に入院していた去年の十月ですから、まだ半年ぐらいのものです」

「それはまた短かいな」男女が八年もの長期間知り合っていて、〝本当の付合い〟が半年あまりであるとは、利平の想像を絶する事実である。男が女を好きになるのは一目惚(ぼ)れであり、惚れたとなったら即刻行動をおこさねばならぬはずだ。「その前、つまり、夏江が結婚したころ、あんたは何をしとったんじゃ」

「夏江さんの結婚をわたしは、ずっとあとで知ったのです。現役入隊の直前でした。その後三年近く満洲にいましたから……」

「おれの知りたいのは、夏江の結婚をどう思っていたかということじゃ」

「……」

「夏江の夫に嫉妬(しっと)するとか、おのれの腑甲斐(ふがい)なさに絶望するとか」

「そのころ夏江さんを自分の何かだとは思ってもいませんでしたから、皆目そんな心の動きはありませんでした」

「本当か」利平は男を、まるでレントゲンを照射するように鋭く見た。菊池透は、利平の視線に耐えて、まばたきもせずに見返してきた。根負けして目をそらしたのは利平だった。

「すると、あんたが、昨年の秋、突然、夏江を好きになったのはなぜじゃ。いやあ、こういう質問は答えにくいか」

「答えにくくはありません。おっしゃる通り、突然、おたがいに、磁石のように引き合ったのです。理由はわかりません。不思議です」

「それも奇蹟の一つかな」利平は皮肉っぽく鼻をうごめかした。しかし菊池透は、「はい」と生真面目に頷き、「まことに、奇蹟としか考えられません」と悪びれずに言った。


　玄関に足を踏み入れたとき、ステッキと仔牛革の立派な靴を認めた夏江は、利平が来ていると気がついた。階段口に立つと、上で父が菊池透と熱心に話し込んでいる様子だ。会話の内容までは聞き取れず、それを聞いてみたい誘惑にかられたけれども、踏み止まった。父の実証的な気性として、娘の結婚相手をみずからの目で吟味しようと決心したに違いないし、菊池透なら上手に対応してくれるだろうと思う。彼を連れて父に会いに行こうとしていた矢先に、父のほうから来てくれて好都合だったとも思う。父も感情に激しているふうでなし、無愛想で初対面の人には口が重い彼も跡切れなく質問に答え、二人は親しげに談じ、何とかうまくいきそうだ。夏江は、台所へ行き、湯を沸かし、取っておきの羊羹を切ると大振りの梅干しをそえ、緑茶を立てた。盆を持ってゆっくりと応接間へ行った。

　丁度話が一段落したところらしく、二人は黙りこくって、利平は海を眺め渡し、菊池透は床に目を落して動かずにいた。夏江は笑顔で父に挨拶し、茶菓子を出しながら、「お話、おわりましたの」と尋ねた。

「話……あ、ま、散歩のついでに寄っただけじゃ」利平は、夏江から正面切って見られたときよくやる、こそばゆげな表情になった。茶のセーターには毛玉がつき、ズボンはよれよれだ。亡(な)くなった母だったら父にこんなものを着せなかったのに、いとときたら全くお世話をしないらしい。

「それで」と夏江はなおも切り込んで行った。「おとうさま、透さんをどうお思いになりますの」

「どう思うも、こうもない。ま、ちょっと話をしただけじゃ」

「お父上は」と菊池透が目をくるくる回して言った。「八丈島で漁をなさりたいそうだ。うちの船で、八丈独特の〝手投げ浮き〟でムロアジを釣(つ)る計画をお話ししていたところだ。クサヤも実際にご自分で作ってみたいとおっしゃる」

「それはよろしゅうございました」夏江は安心した。釣の話が出るようでは、彼は父の眼鏡にかなったに違いない。ところで自分自身は彼の両親にどう映るか、手紙では快諾をえたと彼は言うが、やはり会ってみなければわかりはしない。東京での結婚式のあと、彼の両親と一緒に八丈島に渡り、あちらでもう一度披露宴(ひろうえん)をする予定なのだが、自分のような都会育ちが、島の荒くれた人々のあいだでどう扱われるか不安であった。

　菊池透を留守番として残し、夏江は利平を送って外に出た。さっきまでの海風は絶えて、夕凪(ゆうな)ぎの時刻である。油を流した海で、小波(さざなみ)がチロチロと赤く燃えている。小兵(こひょう)の利平は、夏江とおっつかっつの背丈だが、背中が丸くなった分だけ縮んだ感じである。ステッキをつきながら歩む、足元も何となく覚束ない。父も老いた、と夏江は思い、すると涙が頬をつたわり、目にゴミが入ったふりをして目頭を押えた。

突堤の先に海鳥が群れている。幼いころ、父がよく投網を打ってみせた場所だ。代診やら看護婦やらを大勢引き連れて、大得意で投網漁を披露したあのころ、母も元気で、賄方に命令を下しては、父のあげた魚を刺身や塩焼にさせ、みずからは燗徳利を配ってまわって、はしゃいでいた。あれはもう随分の昔のことで、夢のなかの出来事のようではある。

「ね、そうだったわね、おとうさま」と同意を求めるように振り返った夏江は、利平がさっきとは全然異質の険しい顔付き、まるで地の底にずり落ちていく人のような絶望の表情を浮べているので、はっと胸が騒いだ。

「何か心配事がおありなのね」

「いや別にないぞ」利平はとたんに笑顔に変った。「そう、あの菊池透という男は、なかなかの人物じゃ。よい連れ合いを見付けたな」

「ありがとう、おとうさま」

「心配は健康状態じゃ。あれだけの重傷を負っていると、なかなか肝臓機能の回復がむつかしい。尿の検査をせにゃ断言できんが、あの顔色は軽い黄疸患者のそれじゃ。アルコールや油物を避け蛋白質をとらせる。それも上質の白身の魚がいい。当節は入手困難じゃが、さいわい里が漁師だそうじゃから好都合。肝臓というのは不思議な臓器でな、健常な部分からどんどん再生してくる能力を持つ。栄養に気い付けてやれ」

「はい」と夏江は従順に頷いた。実のところ、島から魚を送ってもらうだけでなく、菊池透は島に住みたがっている。食糧事情が悪い東京で苦労して暮すよりは、海の幸のゆたかな離島での生活のほうが楽だし、戦傷の養生にもよいというのだ。しかし、夏江は反対していた。島という閉鎖された社会で、余所者（よそもの）の自分がどこまで煩瑣（はんさ）で気骨の折れる世間付合いをこなせるものなのか、まるで予想がつかなかったし、博物館の管理運営の後継者も見付からなかったためである。

「それからな、水交社に部屋がとれた。招客は四十人とした。先方は両親と叔父一家だけだそうじゃから、内々の宴として、そんなもんでよかろう」

「はい、ありがとうございます」夏江は他人行儀に頭を下げた。受洗式に、父に来てもらいたいと思う一方、キリスト教の儀式などに父は何の関心もなさそうな気がする。が、夏江は思いきって切り出してみた。「おとうさま、わたしね、今度、洗礼を受けるんです」

「耶蘇（やそ）になるんか」利平は立ち留まった。「菊池の影響か」

「それもあります。でも前から志はありました」

「おれは反対はせん。キリスト教は立派な宗教じゃ。これでも長らく聖心の校医をしてきたからわかる。ただな、今の日本で、耶蘇として生きるには大変な覚悟がいる。その覚悟があるのか」

「あります。二人で協力して、キリスト者として強く生きて行きます」

「それなら、よろしい」利平は大きく頷くと、ステッキをことさらに振り回して歩き出した。

夏江は受洗式への招待を言いそびれた。そしてさらに、さっき父の表情が示した絶望の正体が何であったかを聞き洩らした。

（「第四章　涙の谷」の6〜25に続く）

初出

文芸誌「新潮」（一九八六年一月号～一九九五年十一月号）に連載。

後に、それぞれが独立した単行本として新潮社から刊行された『岐路』（上下巻、一九八八年六月刊）『小暗い森』（上下巻、一九九一年九月刊）『炎都』（上下巻、一九九六年五月刊）の三部作は、文庫化に際して著者の手が入り、『永遠の都』という総タイトルのもとに、全七巻の文庫版として一九九七年五月から八月にかけて刊行された。本書は、その新潮文庫版を底本にするものである。

新潮文庫版『永遠の都 3　小暗い森』は、一九九七年六月刊行

加賀乙彦

一九二九(昭和四)年、東京生まれ。東京大学医学部卒業。一九五七年から六〇年にかけてフランスに留学、パリ大学サンタンヌ病院と北仏サンヴナン病院に勤務した。犯罪心理学・精神医学の権威でもある。著書に『フランドルの冬』『帰らざる夏』(谷崎潤一郎賞)、『宣告』(日本文学大賞)、『湿原』(大佛次郎賞)、『錨のない船』など多数。本書『永遠の都』で芸術選奨文部大臣賞を受賞、続編である『雲の都』で毎日出版文化賞特別賞を受賞した。

永遠の都 3
小暗い森
〈全七冊セット〉

発行　二〇一五年三月三〇日

著者　加賀乙彦
発行者　佐藤隆信
発行所　株式会社新潮社
東京都新宿区矢来町七一
郵便番号　一六二-八七一一
電話　編集部〇三-三二六六-五四一一
読者係〇三-三二六六-五一一一
http://www.shinchosha.co.jp
印刷所　二光印刷株式会社
製本所　大口製本印刷株式会社

新潮

ISBN978-4-10-330818-8　C0093